Аньес Мартен-Люган

Ты слышишь нашу музыку?

AGNÈS MARTIN-LUGAND

J'ai toujours cette musique dans la tête

Аньес Мартен-Люган

Ты слышишь нашу музыку?

Роман

Перевод с французского
Натальи Добробабенко

издательство **АСТ**
Москва

УДК 821.133.1-31
ББК 84(4Фра)-44
М29

Художественное оформление и макет Андрея Бондаренко

Мартен-Люган, Аньес

М29 Ты слышишь нашу музыку? : роман / Аньес Мартен-Люган ; пер. с франц. Н. Добробабенко. — Москва : Издательство АСТ : CORPUS, 2018. — 416 с. (Счастливые люди).

ISBN 978-5-17-088755-2

Аньес Мартен-Люган — звезда французского романа, автор бестселлера "Счастливые люди читают книжки и пьют кофе". За первой блестящей удачей последовали и другие: "У тебя все получится, дорогая моя", "Влюбленные в книги не спят в одиночестве", "Извини, меня ждут…". В мире уже продано больше двух миллионов ее книг, переведенных на 32 языка.

"Ты слышишь нашу музыку?" — история супружеской пары. Едва попав на прилавки, роман оказался в лидерах продаж. Вера и Янис прожили вместе десять лет и любят друг друга, как в первый день. У них чудесная семья, трое очаровательных детей. Их счастье притягивает людей, как магнит. У архитектора Яниса, мечтающего о собственном проектном бюро, появляется новый друг и предлагает финансовую поддержку. Это открывает Янису путь к успеху, но жизнь семьи постепенно разлаживается. Веру начинают тревожить странные совпадения. Однако такой развязки, какую заготовила на сей раз Мартен-Люган, не ожидают ни Вера, ни читатели.

УДК 821.133.1-31
ББК 84(4Фра)-44

ISBN 978-5-17-088755-2

Вам, Гийом, Симон-Адероу и Реми-Тарику,
вы — мой кусочек рая…

В душевной жизни одного человека другой всегда оценивается как идеал, как объект, как сообщник или как противник.

Зигмунд Фрейд[1]

True Sorry
Ибрагим Маалуф

1 З. Фрейд. "Психология масс и анализ человеческого "Я"". Перевод Я. Когана, И. Ермакова. *(Здесь и далее — прим. перев.)*

Пролог

Он пришел, чтобы составить представление об их работе. Понять, можно ли поручить этому архитектурно-дизайнерскому бюро, о котором он все чаще слышал в последние месяцы, реконструкцию недавно приобретенного обветшалого здания. Говорил практически только один из компаньонов, тот, что сидел напротив. Второй выглядел совсем бесцветным на фоне партнера, который его полностью заслонил. Обычно он предпочитал людей, которые говорят мало и быстро переходят к сути, но речи этого многословного архитектора завораживали, вызывали восторг. Парень демонстрировал врожденную практичность в сочетании с живым умом и творческим духом и был переполнен идеями, одна разумнее другой. Быть может, такое впечатление создавалось за счет его уверенности в себе и непринужденного поведения? Дерзости, лишенной какой бы то ни было заносчивости? Он сам не очень понимал, почему ему захотелось заглянуть поглубже в этого человека, соскрести поверхностный слой, чтобы проследить истоки этой невероятной харизмы.

После двух часов оживленного обсуждения все трое встали. Он бы охотно еще поговорил с ними, однако пожал им руки, глянув при этом с вызовом на того, кто раздразнил его любопытство и чей секрет ему не удалось разгадать. Не время и не место. Все впереди. Архитектор ответил ему спокойной, ободряющей и уверенной улыбкой.

Он закрыл дверь бюро, сознавая, что мяч сейчас на его половине: он потенциальный клиент, а они продавцы. Придет ли он еще? Этого он не знал. Он прошел несколько метров по тротуару, возбуждение не отпускало, первое знакомство ошеломило его. Раньше с ним такого не бывало. Ни одна встреча не вызывала подобной реакции. Он сам организовывал переговоры и оставался хозяином в любых ситуациях — такой была его репутация в деловом мире. Но на сей раз все сбивало с толку. Майский вечер был прекрасным, сияющим, солнце еще не скрылось. Однако, застань он сейчас на улице туманный и холодный январский вечер, он бы ничуть не удивился. Все было не так, как всегда, что-то изменилось. Его внимание привлек идущий ему навстречу веселый, даже, можно сказать, бурно радующийся квартет. Женщина в красном платье в крупный белый горох двигалась, пританцовывая, в окружении троих детей. Она казалась совсем воздушной и шла, будто едва касаясь ступнями тротуара. Сколько же у нее рук? Больше двух, это точно, иначе как бы она их всех удерживала рядом с собой, причем так ласково и нежно? Он был еще далеко от них, но уже слышал щебет детей, которые радостно что-то распевали. Закралось подозрение: вдруг он угодил в параллельное измерение? Последние встречи вызвали сумятицу чувств: сперва архитектор, теперь эта женщина с детьми — из-за них у него будто почва ускользала из-под ног. Семейство проскочило мимо, не удостоив ни единым взглядом мужчину в черном костюме и при галстуке, — он словно стал вдруг прозрачным. И тут какая-то неведомая сила заставила его развернуться и пойти за ними. Он должен проследить за этой четверкой. Необходимо больше узнать о них, жгучее любопытство нужно удовлетворить любой ценой. О мужчине в архитектурном бюро ничего выяснить не удалось, это его раздражало и напрягало. Оставалось хотя бы выведать, куда направляется фея Динь-Динь со своими детьми! Ему не пришлось долго идти за ними: женщина толкнула дверь все того же архитектурного бюро. Дети оторвались от нее и бросились к архитектору. Тому самому. Опять он! Девочка прыгнула ему на руки, а мужчина обменялся ласковыми тычками с обоими мальчишками. Дальше он увидел, как архитектор отпустил их и они побежали к его мрачному компаньону. Он отошел подальше в тень, ни на секунду не теряя из виду происходящее за стеклом, — не хотел упустить даже самой маленькой мелочи. А следом произошло то, о чем он уже догадывался. Мужчина направился к женщине, которая сделала несколько летящих шагов ему навстречу. Он подхватил ее на руки, приподнял и закружил. Она не протестовала и засмеялась, откинув голову. Поставив женщину на пол, он поцеловал ее, потом потерся носом о ее нос. Незримый наблюдатель осторожно огляделся по сторонам. Только бы его не заметили! Слегка неровное стекло витрины придавало оттенок нереальности сцене, при которой он присутствовал. Он никак не мог оторваться от этих блестящих глаз, смеха, сплетающихся рук, прикасающихся друг к другу пальцев, взглядов, в которых светится обещание счастливого вчера. Женщина поцеловала в щеку серьезного мужчину, и тот просиял. Значит, это близкие люди. Семья? Первое впечатление подтвердилось, потому что дети носились повсюду, словно у себя дома, карабкались на высокие рабочие табуреты обоих компаньонов. Проектировщик, привлекший его внимание, освободил большой стол, за которым они совсем недавно беседовали. Как по волшебству, на нем появились тарелки, стаканы, бутылка с газировкой и еще одна с вином. Оставаясь на своем наблюдательном пункте, он усмехнулся и подумал: надо было затянуть обсуждение. Тогда бы ему удалось утолить свое жгучее любопытство. Ну, теперь уже ничего не поделаешь. По крайней мере, не в этот раз. Он бросил последний взгляд на архитектора и на женщину в красном платье в белый горох и покинул свое убежище, нехотя возвращаясь к действительности.

Глава 1
Вера

Когда мы ужинаем в бюро, дети всегда как с цепи срываются. Янис и пальцем не шевельнул, чтобы их успокоить, скорее наоборот. Пока я нарезала роликовым ножом пиццу, он гонялся по офису за Жоакимом и Эрнестом, нашими старшими сыновьями, посадив на плечи четырехлетнюю Виолетту, нашу младшую. Он носился в проходах между столами, издавая звуки, похожие на свист и треск лазерных мечей.

Я сидела за центральным столом для переговоров, который в такие вечера служил нам обеденным, и вдруг поймала взгляд моего брата Люка: крики и шум его явно раздражали, но само зрелище забавляло. Да, происходящее действовало ему на нервы, но он с удовольствием за всем этим наблюдал. Во всяком случае, до какого-то момента.

— Вера, пожалуйста, скажи им, пусть садятся к столу.

Я захихикала и крикнула им:

— Все, хватит, приступаем к ужину! Поиграете после.

Янис обернулся ко мне и широко улыбнулся, а я беззвучно, одними губами, выговорила: “Сейчас у Люка случится истерика, поторопись!”

— Давайте, чудовища, — распорядился мой муж. — Быстрее за стол, а то дядюшка нервничает.

Он неисправим.

— Ты меня достал, Янис, — возмутился брат. — Я выгляжу полным дебилом, когда ты называешь меня дядюшкой.

Довольный своей шуткой Янис устроился рядом со мной, посадив на колени Виолетту. Жоаким и Эрнест уселись по обе стороны от Люка, который сразу наполнил их тарелки. И больше никто друг друга не слышал, хотя все говорили без умолку. Дети с набитыми ртами рассказывали отцу о том, как прошел день в саду и в школе, Люк безрезультатно просил их хоть немного помолчать, а Янис, продолжая внимательно прислушиваться к нашим чадам, делился со мной неожиданно возникшим желанием прихватить палатки и вместе с детьми рвануть куда-нибудь летом. Такого мы еще не пробовали, хотя никогда ничего не планировали и всегда собирались в последнюю минуту. Это было довольно странно, если учесть, что я уже лет десять работаю в турагентстве. И все равно мы оба любили ездить, куда в голову взбредет, ничего наперед не загадывая. Тем не менее я уже готовила для него сюрприз на следующий год, когда ему должно исполниться сорок лет, а нашему браку — десять: я давно начала добросовестно откладывать деньги каждый месяц, чтобы подарить мужу трехнедельное путешествие со всей семьей на другой конец света. После рождения детей мы ездили только по Европе, хотя мы отчаянные туристы и без страха наматываем километры с нашими тремя малышами.

— Как насчет того, чтобы поспать в палатке? — хитро взглянул он на меня.

— Разве что наши бандиты будут спать в другой.

— О нет, прекратите, не хочу выслушивать ваши фантазии, — прервал нас Люк. — Помолчите. Если не ради меня, то по крайней мере избавьте детей от своих намеков!

— Ну ты зануда! — засмеялась я в ответ.

Люк скривился. А Янис посадил Виолетту на свой табурет, поднялся и стал за моей спиной. Он обнял меня за талию, уперся подбородком мне в плечо и поцеловал.

— С какой стати нам стесняться собственных детей! — провозгласил он.

Брат вздохнул, но постарался сохранить спокойствие.

— И как это меня угораздило вас познакомить! Знал бы… ни за что бы не стал.

— Это было неизбежно, и тебе это известно! К тому же без нас двоих у тебя была бы смертельно скучная жизнь, — парировала я.

Люк захохотал. А такое, заметим, случается не часто!

Я только-только отпраздновала двадцатипятилетие, когда Люк наконец-то решился представить мне нового лучшего друга, в котором разглядел компаньона своей мечты. Мне понадобились серьезные усилия, чтобы заставить его это сделать, потому что он ни за что не хотел знакомить нас. В тот период каждая встреча с братом начиналась с рассказов о неком Янисе. Они пересеклись на стройке, где Люк был архитектором-проектировщиком, а Янис играл роль "мастера на все руки". Он выполнял практически любые функции, и брата поразил этот самоучка, полный энтузиазма, ничем не заморачивающийся и действительно умеющий все. Оставаясь полной противоположностью, они понимали друг друга с полуслова. Несколько пьянок по случаю сдачи заказа окончательно сблизили их. Я же в этом возрасте думала о чем угодно, только не о создании семьи. Я уже два года работала в турагентстве "тайным гостем". Мне это безумно нравилось, а когда я возвращалась с другого конца света, проверив, удобны ли матрасы в очередном отеле, я шла в бар с Шарлоттой, которая тоже любила подобные развлечения и к тому же была знатоком злачных мест. Понятно, что при таких привычках меня приводила в ужас жизнь брата, который в свои тридцать два года был женат на даме, напрочь лишенной эмоций, и являлся отцом двух близнецов. Его рассказы о забавном парне, с которым он иногда встречается и строит планы, пробудили мое любопытство. Я подговорила Шарлотту и ускорила события, предложив Люку выпить с нами и пригласить своего приятеля. Он сдался. Я назначила встречу в баре на улице Оберкампф. Пришел Люк, сквозь зубы поздоровался с Шарлоттой, которую побаивался с самой первой их встречи, уселся за стол и заказал пинту пива, бросая на меня какие-то странные взгляды: в них сквозила сильная досада, причина которой была для меня загадкой. Вдруг моя лучшая подруга начала вульгарно насвистывать, что обычно делала, выходя на охоту. Пробормотав “Вот и начинается головная боль”, мой брат встал и направился к человеку, который приближался к нашему столу. Он пожал ему руку, и я наконец-то встретилась со знаменитым Янисом, который явился грязным как поросенок, в дырявых джинсах и майке, заляпанной краской. Он чмокнул нас с Шарлоттой в щеку и сел напротив меня. Следующие четверть часа я, не отрываясь, изучала его: голубые глаза, смуглое лицо человека, проводящего много времени на свежем воздухе, плохая стрижка, заразительный смех, доброжелательность, различимая в каждом слове, не слишком чистые руки, покрытые ссадинами. Я встретилась с ним взглядом и улыбнулась ему. После этого мы смотрели только друг на друга. Когда Шарлотта предложила мне пойти повеселиться и перебраться в другой бар, я отказалась.

— Похоже, я потеряла подругу по загулам, — шепнула она мне на ухо. — Главное, не веди себя разумно.

“До скорого, зайчики!” — бросила она и ушла. Я надолго замолчала. Чувствуя себя потерянной и одновременно уверенной в будущем, я слушала Яниса и Люка — они обсуждали какие-то рабочие вопросы — и не пыталась вникать в смысл их слов. Янис постоянно поворачивался ко мне, не прерывая разговора с братом, который, впрочем, тут же поняв, что происходит, неожиданно вспомнил о жене, вынужденной в одиночку справляться с близнецами, и покинул нас. Наконец-то мы остались наедине и принялись без умолку болтать, он рассказывал о себе, я о себе. Официанты выключили свет на террасе и прогнали нас. Мы долго бродили по Парижу, зашли в маленький ночной клуб, чтобы проверить, на одной ли мы волне и сможем ли станцевать рок-н-ролл. Гармония возникла с первого такта, так что мы остались и станцевали еще и под две латиноамериканские мелодии, последовавшие за рок-н-роллом. Ближе к шести утра мы оказались на площади Сен-Мишель возле только что открывшегося кафе напротив собора Нотр-Дам и заказали завтрак — кофе, апельсиновый сок, тосты с маслом и джемом, которые Янис демонстративно макал в кофе, лукаво косясь на меня. Потом вошли в метро. В пустом вагоне было полно свободных сидений, но мы остались стоять, держась за поручень и не отрывая глаз друг от друга. Янису нужно было пересаживаться на Шатле, так что у нас почти не оставалось времени.

— Когда ты освобождаешься сегодня? — спросил он.

— В шесть. Ты…

— Я зайду за тобой. Обещаю быть чистым.

Я расхохоталась. Поезд замедлил ход. Он внимательно заглянул мне в глаза:

— Вера… У меня будто музыка звучит в голове.

— У меня тоже…

Поезд остановился. И он меня поцеловал. Теперь я слышала не простенькую мелодию, а целый симфонический оркестр. Раздался сигнал — двери закрывались. Янис едва успел выскочить из вагона. Вцепившись в поручень, я смотрела, как он уходит по платформе. В этот момент я четко осознала, что мои планы на будущее только что бесповоротно изменились. Теперь в них не будет никого, кроме него. Последующие события подтвердили мою догадку.

Характерный скрип кольца по стеклу отвлек меня от воспоминаний. Шарлотта не способна ни прийти, когда договаривались, ни обойтись без спектакля. Ее появление всегда обставлено как выход на сцену оперной дивы. Сходство с Моникой Белуччи служит ей дополнительным стимулом, чтобы всегда оставаться в образе капризной знаменитости. Янис пошел открывать дверь. Шарлотта подставила ему щеку для приветственного поцелуя. Затем приняла позу королевы сцены.

— Добрый вечер, зайчики, — промурлыкала она теплым голосом.

Дети помчались к ней. Выставив ладонь вперед, она остановила их и подвергла проверке. Похоже, результат ее удовлетворил, так как она, не обращая внимания на высоченные каблуки, грациозно присела на корточки, чтобы оказаться на их уровне.

— На этот раз родители все же отмыли вас. Давайте, целуйте, — приказала она, указывая кроваво-красным ногтем на свою щеку.

Когда Шарлотта сочла, что требуемая доза нежностей получена, она без церемоний отодвинула их в сторону. Это не удивило и не возмутило ни Яниса, ни меня, ни тем более детей. Мы хорошо знаем нашу Шарлотту. Проблему потенциального материнства она решила раз и навсегда, перевязав трубы. Она знала, что не сумеет заниматься отпрысками — “моя материнская жилка оборвалась”, любила она повторять. Тем не менее я иногда ловила ее грустный взгляд, останавливающийся на ком-то из наших детишек. Обычно в таких случаях она предлагала оставить их у нее на несколько часов или на выходные. Мягкой кошачьей походкой Шарлотта приблизилась к нам.

— Привет, кузнечик, — обратилась она ко мне.

— Как дела, пантера?

— Я свободна, Тьерри изгнан.

— А я о нем и не слышала.

— Слишком большой зануда, чтобы его обсуждать.

Она громко расхохоталась. Люк, сидевший по другую сторону стола, тяжело вздохнул.

— Наш старичок чем-то недоволен? — воскликнула Шарлотта, подходя к нему.

Люк уже преодолел стадию ужаса, который ему изначально внушала Шарлотта, однако она по-прежнему раздражала его, а ей доставляло огромное удовольствие действовать ему на нервы. Янис не стал садиться к столу, а снова стал за моим стулом и едва сдержал смех. Вместо того чтобы просто поздороваться с моим братом, Шарлотта ущипнула его за щеку.

— Ты действительно несносна, — сказал он с кривой ухмылкой.

— Вот так ты меня любишь, зайчик, да?!

Люк высвободился и налил ей вина.

— Спасибо за пойло!

Он уже готов был послать ее, но тут прорезался телефон. Судя по его выражению лица, звонила бывшая жена. Люк отошел от нас. Янис проводил его сочувственным взглядом.

— Как ты думаешь, что на этот раз? Проблема с алиментами или очередная выходка близнецов? — спросила я мужа.

Он притянул меня к себе:

— Не знаю, но она доставала его весь день… В голове не укладывается, как можно так издеваться друг над другом, после того как была любовь и есть дети.

— У них никогда не было безумной любви, — вмешалась Шарлотта.

— Это ничего не объясняет, — возразила я. — Такая бодяга тянется уже несколько лет…

— Вы слишком требовательны. Не всем так повезло, как вам, — вы двое переживаете супружеские кризисы без особых последствий.

— Ну да, мы общаемся, обсуждаем разногласия! Не воображай, будто это всегда легко, у нас такие же проблемы, как у всех, — возмутилась я.

— Стоп-стоп, это что же, мне пора беспокоиться? — сладким голосом пропел Янис.

Я со смехом обернулась к нему.

— Оставь, Шарлотта! — прервал Люк, возвращаясь к столу. — Они настолько счастливы, что порой наглеют и даже не осознают этого. Может, так оно и лучше, кто его знает…

Он надел пиджак и взял неизменный кожаный портфель:

— Я ухожу.

Я отлепилась от мужа, слезла с высокого табурета и подошла к брату:

— Что происходит?

— Мне нужно встретиться с детьми. Получается, я виноват в том, что они прогуливают уроки в те дни, когда живут не со мной!

Он выглядел искренне раздосадованным.

— Когда они будут у тебя, приходите к нам на ужин, и я постараюсь с ними поговорить.

— Было бы неплохо...

Мне очень хотелось обнять брата, но я сдержалась. Нас с ним что-то не подпускает друг к другу с самого моего детства, какая-то застенчивость, что ли. Вероятно, не последнюю роль сыграли семь лет разницы в возрасте. Единственный раз, когда мы по-настоящему обнялись и расцеловались, так это в день моей свадьбы. Все три раза, когда я рожала, он был так смущен, что даже не переступил порог роддома. Я на него не обижалась — он такой, какой есть: жуткий педант и одновременно самый застенчивый и закрытый человек на свете. Только моему мужу иногда удавалось его расшевелить. Люк помахал рукой Шарлотте, сказал “До завтра” Янису и вышел, сгорбившись и не обернувшись. Виолетта уснула на диване. Ну а мальчики все чаще клевали носом, склонившись над игровыми приставками. Меньше чем за десять минут все было убрано, и в комнате стало относительно чисто. Завтрашний день не начнется с выволочки, устроенной братом Янису.

— Прости, — сказала я Шарлотте. — Ты пришла к шапочному разбору.

— Не волнуйся. Идите укладывайте своих малявок. Завтра встречаемся за обедом?

— Спрашиваешь!

Каждый вторник мы с Шарлоттой обедаем вдвоем, и ничто не в силах нам помешать — ни дождь, ни снег, ни ураганный ветер, ни даже болезнь и сорокаградусный жар. Мы выпиваем по бокалу белого вина и болтаем о мужчинах, сломанных ногтях и о том, когда мы наконец-то запишемся в спортзал. Эта традиция сложилась как-то сама собой, сразу после того, как она решила, что я ее кузнечик. Наша дружба началась с тура, который я ей организовала. До того как стать моей подругой, Шарлотта была одной из клиенток нашего турагентства, причем ужасной клиенткой, каждую секунду меняющей решения. Я положила конец ее колебаниям, пообещав устроить путешествие мечты, полное неожиданностей. Она осталась более чем довольна. На следующий день после возвращения — был как раз вторник — она пришла в агентство и пригласила меня на обед. С этого все и началось.

Уходя, она нас всех расцеловала, сжав до хруста в объятиях.

— Чао, чао, зайчики, — прокричала она, захлопывая дверь.

Янис взял Виолетту на руки, я помогла встать мальчикам. Мы добрели до машины, припаркованной на соседней улице. Янис посадил Виолетту в детское кресло и пристегнул ее, извлек из-под дворника квитанцию на штраф и сел за руль. Протянул руку над моими коленями, открыл бардачок и сунул квитанцию к остальным, давно валяющимся там. Перед тем как включить зажигание, он нежно поцеловал меня.

— Сегодня был какой-то странный вечер, — заметила я.

— Это из-за Люка, он в последние месяцы невыносимый.

Янис запустил двигатель, тот так страшно затарахтел, что оказавшийся рядом прохожий подпрыгнул. Однажды нам все же придется распрощаться с нашим старичком пикапом “вольво” с постыдно высокой цифрой пробега.

— Он такой из-за детей и своей ведьмы, — сказала я.

— Если бы только это. На работе с ним совсем беда.

— Что еще?

— Да все то же самое… Всякие мелочи, мы теперь еще чаще спорим по пустякам. Да ладно… знаю я его. Не беспокойся, все пройдет, — успокаивающе махнул он рукой.

Вскоре мы впятером забились в маленький лифт нашего дома и нажали кнопку шестого этажа. Виолетта так и не проснулась, она спала с открытым ртом, из которого на папино плечо капала слюна. Жоаким и Эрнест с трудом держались на ногах и хватались за меня. Янис открыл дверь и, едва войдя в квартиру, споткнулся о поезд, брошенный посреди гостиной. Другой на его месте пришел бы в ярость, а он только похвалил сыновей за изобретательную организацию железнодорожных перевозок.

— Сильны, ребята! Завтра вернусь с работы пораньше, и поиграем вместе!

Чистка зубов была единогласно отменена. Янис положил Виолетту в кровать. Пока я раздевала ее и натягивала пижаму, она даже не шелохнулась. После этого я зашла к мальчикам, которые сняли джинсы и майки и в трусах залезли под одеяло. Я прикрыла двери обеих спален и возвратилась в гостиную, где меня ждал босой Янис. Он всегда немедленно сбрасывал обувь и носки, едва перешагнув порог. Сейчас он сидел по-турецки на полу и возился с поездом мальчишек. Я подобралась к нему сзади, наклонилась, прижалась к спине и обхватила за шею. Он взял меня за руку и усадил к себе на колени. Потом снова сосредоточился на железной дороге. Откинувшись на его грудь, я разглядывала царящий вокруг хаос. Уже давным-давно я усвоила, что бесполезно покупать коробки или ящики для игрушек и что мне не светит возвращение в чистый дом, где наведен лоск и все на своих местах. Янис способен в мгновение ока превратить гостиную в парк аттракционов.

— Скоро ты выгонишь нас из дома? — спросил он.

— Вполне вероятно! Еще немного, и здесь уже нельзя будет жить!

Он рассмеялся. Порой я не выдерживала, запихивала всех четверых в машину и приказывала исчезнуть на целый день. А сама раскладывала все по местам и устраивала настоящую генеральную уборку. Им разрешалось вернуться только после того, как я посижу полчаса на диване, наслаждаясь чистотой и порядком. Вот только результаты моего трудового подвига всякий раз оказывались недолговечными. Стоило Янису войти, как над нашим жильем нависала угроза: свободное пространство всегда порождало у него нестерпимое желание переустройства и соответствующие идеи. Впрочем, чтобы включить его воображение, никаких особых стимулов не требуется — оно и так прекрасно работает.

Мы живем на последнем этаже. Наша квартира — результат объединения четырех малюсеньких студий. В те времена, когда мы их нашли, такое проделывали нечасто. Поэтому нам удалось купить их за гроши, которые, впрочем, съели все наши сбережения, а заодно и кредит под огромные проценты на целых двадцать пять лет. Естественно, Янис все сделал сам, и наш дом великолепен. Да, у моего мужа золотые руки и в придачу к ним огромная решимость. А также та капля безумия, которая бывает весьма полезной. Яниса ничто не пугает, ему удаются все начинания. Он оборудовал для нас две спальни: одну для мальчиков — Виолетты тогда еще не было даже в проекте — и одну для нас, и большую гостиную на все случаи жизни, совмещенную с кухней. Янис даже не побоялся снести стены! Ему удалось получить разрешение, подозреваю, что слегка в обход закона, на расширение окон — я предпочла не выяснять, как он этого добился, — и у нас всегда было светло, даже в дни, когда зимнее парижское небо бывало серым. Наше жилье нас, естественно, вполне устраивало, мы считали, что нам с ним повезло. И так продолжалось до тех пор, пока однажды вечером, когда мы слегка (или изрядно) злоупотребили ромом с сахарным сиропом и лаймом, я, к счастью или к несчастью — все зависит от точки зрения, — заметила нечто странное. Мы тогда босиком увлеченно отплясывали сальсу в гостиной. Учитывая, как близко друг к другу мы двигались и как разгорячились наши тела, переход от танца к другим действиям был не за горами. Вскоре Янис уложил меня на диван, предварительно стащив с меня майку и лифчик. Он уткнулся лицом мне в грудь, как вдруг мой затуманенный алкоголем взор зацепился за некую странную деталь.

— Что это за штуковина там, на потолке? — с трудом выговорила я, предварительно охнув от удовольствия.

— Это называется люстрой, — со смехом ответил он. — Эй, послушай! Тебе что, не нравится то, что я делаю?

К этому моменту он уже задрал мою юбку и гладил бедра.

— О-о-о, еще как нравится… — опять охнула я. — Просто хотела тебя предупредить, что у нас в потолке дырка.

Янис снова рассмеялся и посмотрел вверх. После чего вскочил с дивана, взобрался с расстегнутыми джинсами на стул и принялся изучать потолок. И я поняла, что он так и оставит меня полураздетой, дрожащей от возбуждения и неудовлетворенной. Ничего не поделаешь, сама виновата. Я побрела в спальню, слыша его взволнованные возгласы и смех, а он тем временем уже рылся в ящике с инструментами. И дети, и я привыкли спать, не обращая внимания на шум. Когда мы утром встали, пол и мебель в гостиной были закрыты пленкой, зияющая дыра, в которую спокойно пролезет взрослый мужчина, заменила маленькое отверстие в потолке, а Янис был на чердаке. Я держала на руках Эрнеста, которому едва исполнился год, а Жоаким цеплялся за штанину моей пижамы. Мы втроем стояли посреди разбросанных кусков штукатурки, когда Янис, взбудораженный и сияющий, просунул голову в дыру над нами и крикнул:

— Любимая, хочешь спальню с видом на небо?
— Что это за бардак, Янис?
— Иди сюда! Это будет гениально! Мы бесплатно расширим квартиру! Здесь фальшивый потолок.
— Ты больной? Так нельзя!
— Еще как можно, я тут проверну одну штуковину, я же специалист, положись на меня.
— У нас уже есть спальня!
— Мне казалось, ты хотела третьего.

И действительно, Янис сам, своими руками, устроил нам наверху спальню и ванную. Поскольку это было не совсем законно, мы принимали меры предосторожности. Он установил убирающуюся лестницу, чтобы вход в наше гнездышко можно было скрыть от посторонних глаз. А поскольку Янис — отличный сосед, всем помогает и бесплатно все чинит, жильцы предпочли не замечать нашего расширения. Единственным, кому было тяжело проглотить эту пилюлю, оказался Люк. Большего праведника, чем он, не сыскать.

— Пойдем спать, — сказал Янис, целуя меня за ухом. — Я заметил, что ты приладила лестницу. Это наводит меня на определенные мысли.
— Очередная реконструкция? — подколола я, вставая с его колен.

Я сделала пару пританцовывающих шагов к лестнице. Янис со своей, как всегда неотразимой, улыбкой двинулся за мной, пожирая меня глазами:
— Вообще-то я имел в виду другое.
— Да?..

Я приподняла волосы обеими руками и пошла по ступенькам, продолжая покачивать бедрами.

— Надо бы запретить тебе носить это платье.

— Ой, нет, я его обожаю!

Мы вошли в спальню. Янис опрокинул меня на кровать.

— Оно провоцирует на безумства.

— Как ты думаешь, зачем я его надела?

Я, торжествуя, притянула его к себе. Мне было известно, как на него действует мое красное платье в белый горох.

Глава 2
Вера

Слава богу, рабочий день наконец-то закончился. Мы в нашем турагентстве справляемся вдвоем, за исключением редких случаев вроде сегодняшнего, когда к нам присоединяется большой босс, чтобы проконтролировать, занимаемся ли мы чем-либо еще, кроме маникюра и болтовни. Между прочим, наш бизнес вполне успешен, в последние несколько лет основная ответственность лежит на мне, и хотя из-за кризиса заявок на туры стало немного меньше, нам не приходится стыдиться своих показателей и тем более отзывов благодарных клиентов. Но в те дни, когда являлся начальник, возникала одна реальная проблема: как успеть в школу, где учились мальчики и находился детский сад, куда мы водили Виолетту. Обычно моя коллега Люсиль задерживалась до конца рабочего дня и прикрывала меня, а я уходила минут на пятнадцать раньше, чтобы не мчаться сломя голову к метро и вовремя забрать детей.

Обливаясь потом, я подбежала к двери школы. Жоаким, Эрнест и Виолетта остались последними. За всеми остальными детьми уже пришли, а мои дожидались в коридоре. Такое почти никогда не случалось, так что ничего страшного, но я ненавидела опаздывать и заставлять их ждать. Мне начинало казаться, что я плохая мать. Жоаким как старший брат и ответственный человек держал младшую сестру за руку, пока Эрнест придумывал, какую бы шалость замутить. Первой меня заметила дочка:

— Мама!

Тут же все трое побежали, норовя запрыгнуть на меня, даже мой старший, восьмилетний. Однако, как оказалось, вовсе не для того, чтобы поцеловать меня, — он был настроен воинственно:

— Ты где была?

— Успокойся, Жожо, никакой беды не произошло.

— Ты почти опоздала.

— Почти, сам сказал.

Этот мальчишка — вылитый дядя!

— Пошли домой, разбойники.

Я планировала забежать за покупками в "Монопри", но отказалась от своего намерения при виде длиннющих очередей в кассу. Ничего не поделаешь, будем доедать то, что осталось. Когда мы пришли домой, началось большое представление. Я усадила Виолетту и Эрнеста смотреть мультики, что, естественно, послужило сигналом к открытию боевых действий: "Холодное сердце" против "Предвестников бури". Я не нервничала и не обращала внимания ни на таскание за волосы, ни на дикие вопли — вопрос привычки, — а продолжала проверять домашние задания Жоакима, который все еще дулся. Когда перед телевизором была готова разразиться третья мировая война, я успела немного привести в порядок их комнаты, зайти в ванную и констатировать, что белье сушить не придется — я забыла включить утром стиральную машину. Я запустила ее и запихнула детей в душ.

Ближе к восьми я окончательно выбилась из сил и мечтала только о том, чтобы уложить детей в постель, больше не слышать их вопли и свалиться на диван. Однако для начала нужно решить проблему с ужином. Я открыла холодильник, и меня охватило отчаяние. Что до остатков, то они на полках были: множество маленьких пластиковых контейнеров. Но содержимого каждого из них не хватило бы, чтобы нормально накормить хотя бы одного человека. Зазвонил телефон. Янис.

— Все в порядке? — спросила я. — Через сколько ты возвращаешься? Сегодня вечером у нас тут сущий ад.

— Ох... Я буду примерно через полчаса.

— Что ты хочешь на ужин?

Пусть он предложит забежать по дороге за едой в китайский ресторан...

— Рассчитываю на твою изобретательность, — разочаровал он меня. — И... м-м-м... у нас будет гость.

— Люк?

— Нет, один заказчик.

— Ты что, издеваешься? — завопила я. — И речи быть не может! Чтобы кто-то незнакомый, тем более клиент, явился к нам сегодня?! Ни за что! У меня ничего нет, дома полный бардак, дети неуправляемые…

Я замолчала, Янис не слушал меня, он разговаривал с кем-то: “Никаких проблем, что ты, я серьезно, моя жена творит чудеса”.

— Янис! — закричала я. — Ты с кем говоришь?

— Как с кем? С Тристаном, нашим клиентом.

— Знаешь, это невыносимо. Если я лишняя, так и скажи, и я повешу трубку.

— Нет, не надо, не вешай трубку, — вкрадчиво попросил он.

— Янис, ну пожалуйста, признайся, что это шутка. Ты никого не приведешь?

— Ты умеешь творить чудеса, как я только что сказал. Тристан крутой. До скорого.

Я тупо уставилась на телефон. Эрнест вернул меня к действительности:

— Что мы будем есть, мама?

Этот ребенок — желудок на ножках.

Нужно действовать быстро и эффективно, и на сегодняшний ужин обойдемся без принципов здорового питания.

— Пюре, ветчина… но при условии, что с этого момента вы себя хорошо ведете. Папа придет с гостем.

— Ладно, мама!

Так я добилась небольшой передышки и успела распихать по шкафам все, что валялось на полу и на диване, размышляя о кулинарных чудесах, которых Янис ждал от меня. Давно уже он не устраивал мне такие сюрпризы.

Через сорок минут я услышала, как открывается входная дверь. В это время я стояла перед кухонным столом в полном отчаянии, по-прежнему не зная, что смогу им предложить, помимо баночки арахиса и нескольких оливок к аперитиву. Зато вся малолетняя троица уселась рядком на диване словно ангелочки: умытые, с почищенными зубами, почти безупречно причесанные. Спокойствие продлилось недолго, поскольку они с воплями вскочили, стоило отцу переступить порог. Я тоже подошла поближе. Янис, держа Виолетту на руках, наклонился и поцеловал меня в губы. Я уничтожила его взглядом, а он хихикнул в ответ. Затем обернулся к нашему гостю, которого я до сих пор толком не разглядела. Это был высокий брюнет лет сорока пяти, очень худой, довольно бледный, глаза глубокого черного цвета, лицо первого ученика. На нем были черные костюмные брюки, пиджак он снял и закатал рукава бледно-голубой рубашки.

— Заходи, Тристан! Познакомься с Верой.

Гость сделал несколько шагов ко мне.

— Добрый вечер, Вера. Это — чтобы извиниться за нахальное вторжение в ваш дом. — Он протянул мне огромный букет цветов.

— Большое спасибо, Тристан. Но не стоило...

Он поднял ладонь, останавливая благодарности, и обратился к детям.

— А это вам! — Он протянул большой пакет с конфетами. — Но пусть мама решает, можно или нет.

Три пары глаз впились в меня.

— Хорошо-хорошо, — сдалась я, предпочитая обойтись без скандалов в присутствии незнакомого человека. — Пойдемте со мной. Янис, предложи нашему гостю выпить.

Мой выводок проследовал за мной на кухню, получил свои конфеты и тут же испарился. Я занялась цветами, продолжая следить за происходящим в гостиной и внимательно прислушиваться к разговору. Этот Тристан держался вполне непринужденно, несмотря на то, что сначала показался мне скованным. Я наблюдала за тем, как он расхаживает по гостиной, и у меня возникло ощущение, будто наша квартира ему знакома. Он был совершенно не похож на человека, который впервые пришел в гости к малознакомым людям и потому чувствует себя немного неловко. Вроде бы у него не было ничего общего с нами, и тем не менее он вписался в окружающую обстановку с обескураживающей естественностью. Слушая Яниса, он кивком поблагодарил его за предложенный бокал красного вина. Обычно Янис не приводил в дом заказчиков. Неожиданными посетителями могли скорее оказаться симпатичные ему мастера с очередной стройки. Когда они приходили, я спокойно подавала приготовленный на скорую руку ужин без особых изысков, а вместо цветов они приносили бутылку, что меня вполне устраивало. С этим персонажем, с его неоспоримой элегантностью и еще чем-то неуловимым, все было по-другому. Однако, раз Янис пригласил его, это могло означать только, что сегодняшний гость для него важен. Так что придется потерпеть. Я взяла найденную баночку арахиса и оливки и присоединилась к ним. Янис налил мне бокал, включил музыку, *Buena Vista Social*

Club, и устроился рядом со мной на диване. Тристан сидел напротив в старом мягком кресле.

— Еще раз спасибо за приглашение. Я знаю, являться без предупреждения не принято. Но Янис настаивал... надеюсь, это не создаст для вас проблем, Вера.

Я слишком подозрительна, зря я дергалась, его вроде ничего особо не волнует, и от сегодняшнего вечера он ждет только обсуждения с Янисом профессиональных вопросов. Так что обойдется. Я улыбнулась ему и расслабилась.

— Да все в порядке, я вам уже сказала. К тому же с таким мужем, как мой, я ко всему готова!

— Но ведь правда, Тристан, гораздо приятнее продолжить обсуждение твоего проекта здесь, чем приклеившись задами к табуретам в офисе, ты же не будешь спорить?!

Вот что мне ужасно нравилось в Янисе — его раскованность и естественность в общении с любым человеком. В данном случае Янисова раскрепощенность вроде бы не шокировала собеседника, который рассмеялся в ответ на его реплику.

— Почему ты не позвал Люка? Это мой брат, — пояснила я Тристану.

— Янис мне говорил. Я с ним недавно встречался. Очень милый человек, должен сказать.

Милый? Значит, он изо всех сил старается, общаясь с заказчиками.

— Твой брат провел на стройке весь день, — сообщил Янис. — Мы сегодня ни словом не перемолвились.

— Жаль, что я с ним не повидался, — перебил Тристан.

— На следующей неделе мы вместе пойдем знакомиться со зданием, я все организую, уж будь уверен, — сообщил Янис с довольной миной.

И тут в дверях возникла Виолетта с большим пальцем во рту и плюшевым мишкой в руках. Еле переставляя ноги, она доковыляла до меня, вскарабкалась на колени и свернулась клубочком.

— Устала?

Она кивнула.

— Пойдем баиньки, завтра в сад. Скажи всем "спокойной ночи".

Она подбежала к Тристану:

— Спасибо за конфеты.

— Не за что, принцессочка.

Виолетта явно возгордилась новым титулом, выпрямила спину и пошла целовать отца. Извинившись, я покинула мужчин, чтобы заняться детьми.

Мы сели ужинать. Я водрузила на стол салатницу макарон "алфавит". Единственная еда, которой могло хватить на троих. Сейчас этому Тристану очень пригодится чувство юмора. В любом случае, если он действительно хочет работать с Янисом, ему полезно быть в курсе нашей стилистики. Несмотря ни на что, я со всем справилась: измельченная в блендере ветчина в красивой плошке, несколько помидоров черри для красочности и немного тертого пармезана в качестве приправы. Я решила, что у меня получилось блюдо, за которое не стыдно, и потому стала раскладывать его по тарелкам спокойно и с достоинством, как если бы подавала к ужину омара. Краем глаза я увидела, что Янис едва сдерживает смех. Однако ни он, ни Тристан не сделали ни одного замечания по поводу содержимого своих тарелок — оба были слишком заняты обсуждением рабочих вопросов. Наслаждаясь ужином — обожаю детскую еду, — я одновременно узнавала, чем занимается Тристан и почему он явился в архитектурно-дизайнерское бюро Люка. Он когда-то работал нотариусом, потом переключился на торговлю недвижимостью и, следовательно, мог стать весьма перспективным клиентом. Словно в подтверждение моей догадки он как раз говорил Янису:

— Не сомневаюсь, что ваши предложения по этому зданию мне понравятся. Если у нас все сработает, я закажу вам и новые проекты, тем более что кое-где уже проведенная реконструкция меня не устраивает.

— Мы очень постараемся, можешь на нас положиться.

— Мне нравится твое видение всего комплекса и его окружения. Я доверяю вам обоим, но… мне особенно интересна твоя работа.

Тристан повернулся ко мне и вытянул руку ладонью вперед в примирительном жесте:

— Я ничего не имею против вашего брата, Вера.

Я кивнула, давая понять, что все в порядке. Он кивнул в ответ, после чего снова переключился на Яниса:

— Если честно, я в восторге от идей, которые ты успел предложить, хотя еще даже не был на месте. Не знаю, на чем ты основывался, но… браво!

Я бросила взгляд на Яниса, который с переменным успехом пытался скрыть гордость — не каждый день ему пели дифирамбы.

— Где ты учился, откуда такой профессионализм?

Упс... Почему ему вечно задают этот убийственный вопрос?

— М-м-м... я не учился. Все, что умею, я узнал на стройках, наблюдая, советуясь... Так что ничего особенного.

— А вот и нет! Ты ошибаешься! Ты не из тех, кто вечно торчит за рабочим столом, а мне такой и нужен.

— Прекрасно! — воскликнул со смехом Янис, проводя рукой по волосам. — Ладно, хватит комплиментов, а то будет перебор! На твоем месте я бы лучше похвалил мою жену... настоящая волшебница, сам можешь оценить. Мы доели все до последней крошки!

— Действительно, Вера, ваш "алфавит" получился необыкновенно изысканным! — подхватил Тристан на полном серьезе.

Одно из двух: либо он действительно так считает, либо издевается надо мной.

— Не будем все же преувеличивать, — возразила я, и мы все трое расхохотались.

— Я абсолютно честно, мне очень понравилось. Я сразу вспомнил своих дочек, когда они были маленькими.

— У вас есть дети? — спросила я, не очень удивившись.

Его поведение с нашими доказывало, что дети для него — не редкие экзотические зверушки. Ему известно, как завоевать их расположение.

— Две девочки — тринадцати и пятнадцати лет.

— Ух ты, наверное, с ними не очень легко. Такой возраст...

— Я провожу с ними только выходные раз в две недели.

— Извините, Тристан, я не хотела...

— Ничего-ничего. Мы расстались с их матерью уже несколько лет назад. И при этом нам хватило вкуса не разругаться вконец. Так что все в порядке. Я, конечно, скучаю по ним, но понимаю, что жить постоянно им лучше с ней.

— Снимаю шляпу, — одобрил Янис. — Я даже представить себе не могу, как бы жил без своих детей.

Я осторожно положила ладонь Янису на бедро, успокаивая его. Наша семья была для него всем, он способен на преступление, лишь бы нас защитить. Я догадывалась, что и Тристана-то он пригласил на ужин только потому, что хотел немного побыть с детьми, до того как они пойдут спать. Хотя бы перекинуться с ними парой слов и поцеловать перед сном.

— К несчастью или к счастью, привыкаешь ко всему, — ответил Тристан.

Я не рискнула подать на десерт просроченные на пару дней “данетт” и решила обойтись кофе и плиткой шоколада. Янис открыл вторую бутылку вина и снова налил. Мужчины вышли из-за стола. Муж показывал гостю, как мы реконструировали наше жилище. Оно не впервые служило своеобразным образцом, эталонной квартирой. Мне очень нравится, когда Янис садится на любимого конька. Тристан внимательно слушал, покоренный, как мне показалось, его энтузиазмом. У их сотрудничества намечались благоприятные перспективы, меня это радовало, я догадывалась, что Янису важно произвести впечатление на этого человека. Я сидела за низким столиком, и они подошли ко мне.

— Должно быть, приятно жить в таком месте, — сказал мне Тристан.

— Вы даже не представляете себе насколько!

Янис допил свой кофе одним глотком. Затем заговорщически покосился на меня:

— Ты о чем?

— Доверимся Тристану?

— Как будто я могу ответить тебе “нет”.

Наш гость озадаченно посматривал то на одного, то на другого, явно недоумевая, что сейчас на него свалится. Он еще больше растерялся, когда Янис встал, достал спрятанный у окна шест и уперся им в потолок в углу комнаты. Когда же из люка в потолке выдвинулась лестница, Тристан окончательно утратил сдержанность, которую демонстрировал все то время, что был у нас: он вжался в спинку кресла, широко раскрыл глаза, бросил на меня обалдевший взгляд, потом тоже встал и пошел к Янису:

— Да что там наверху?

— Рай!

— Наша спальня, — перевела я, хихикая.

— Невероятно.

— Пошли посмотришь.

— Нет, Янис. Я и так слишком навязчив. А это ваше личное пространство.

— Не смущайтесь из-за меня, Тристан.

— Вы уверены, Вера?

— Ну, я же вам сказала. И не пытайтесь меня убедить, будто вас не разбирает любопытство.

Он хмыкнул и последовал за Янисом, который уже поднимался по лестнице и посоветовал гостю быть осторожным, чтобы не удариться головой о потолок. Я, конечно, уговаривала его пойти в нашу спальню, но горячо надеялась, что ничего лишнего там не валяется! Иначе что он о нас подумает?!

Я успела спокойно допить кофе, все убрать, запустить посудомоечную машину и даже приготовить детские вещи на завтра. Редко наша квартира бывает такой аккуратной — по крайней мере внешне. Получается, нежданные гости — это не так уж плохо. Сверху до моего слуха доносились их приглушенные голоса и смех Яниса. Я пошла проверить, крепко ли спят дети, и тут мужчины спустились из нашей голубятни. Тристан отказался от предложенного Янисом вина.

— Я вас покидаю. Мне хорошо знакомо, что такое поднимать детей по утрам. Спасибо за гостеприимство, Вера. Я провел прекрасный вечер.

— Не за что. Если вы продвинулись на пути совместной работы с Янисом, я счастлива.

Его лицо сложилось в гримасу, которую можно было счесть улыбкой — обнадеживающей для Яниса, как мне хотелось думать. Мы проводили его до входной двери.

— Я уточню у Люка его расписание, мы выберем время, и ты покажешь нам свое здание, — сказал Янис на пороге.

— Жду твоего звонка.

Он повернулся ко мне и протянул руку:

— До свидания, Вера, и еще раз спасибо.

— Возможно, до скорого.

— Буду надеяться.

Янис обменялся с Тристаном крепким рукопожатием, и наш гость вышел на площадку, чтобы вызвать лифт. Закрыв за ним дверь, муж сбросил обувь и носки и вышел на середину комнаты, непрерывно ероша волосы. Я подбежала к нему. Он раскинул руки, обхватил меня за талию, приподнял, покружил, а я цеплялась за его шею и смеялась:

— Похоже, ты счастлив!

— Это тот самый клиент, которого мы ждали! Носом чую.

Он был невероятно возбужден.

— Поставь меня, голова закружилась.

Он послушался, но тут же сдавил меня так, что кости хрустнули.

— Во всяком случае, ему нравится твой стиль работы, он без устали нахваливал тебя. Когда-нибудь такое должно было случиться, я в этом не сомневалась. Я так горжусь тобой.

— Интуиция подсказывает мне... нужно идти ва-банк... Нельзя упустить шанс...

Я обхватила его лицо ладонями и внимательно вгляделась в глаза:

— Я в тебя верю, ты своего добьешься.

— Как тебе Тристан?

— Работать с ним тебе, а не мне! Но если тебе интересно мое мнение, он кажется серьезным и, главное, доверяет тебе. И знаешь, мне от него больше ничего не нужно.

Довольный ответом, он прижался лбом к моему лбу. Я бы все отдала за то, чтобы на его лице всегда сохранялось это выражение уверенности в себе и в завтрашнем дне.

— Поднимайся, я сейчас тоже приду.

Я заканчивала снимать косметику, когда в ванную вошел Янис. Он стал за мной, обнял, положил подбородок мне на плечо и встретился глазами с моим отражением в зеркале. Его лицо было озабоченным, он наморщил лоб.

— О чем ты думаешь?

— Надеюсь, что твой брат поймет всю важность проекта.

— А почему ты думаешь, что он может не понять?

— Ты же его знаешь... Как только Люку нужно выйти из зоны комфорта, он тут же дает задний ход.

— Ты найдешь убедительные доводы.

— Да, конечно.

У меня вдруг мелькнула мысль, не принуждает ли он себя сохранять оптимизм. Но Янис не способен врать или притворяться. Я знала, что мир и согласие царят между ним и братом не каждый день, но изо всех сил мечтала, чтобы им удалось договориться насчет этого проекта. Я легла и наблюдала, как он разбрасывает свою одежду по всей спальне. Потом он скользнул под одеяло, выключил свет, притянул меня к себе и удовлетворенно выдохнул мне в волосы. Через несколько минут он уже храпел. Я покрепче притиснула его руку к своему животу и тоже провалилась в сон.

Глава 3
Янис

Когда мы завтракаем за кухонным столом и моя очаровательная жена в бледно-зеленом платье прыгает вокруг нас, у меня сразу поднимается настроение. Утром отвести детей в школу и сад — моя забота. Благодаря этому, у Веры образуется немного свободного времени для себя, пока в доме тихо и спокойно. А для меня это возможность поболтать с мальчишками, подержать на руках и приласкать Виолетту, не выслушивая Вериных упреков в том, что я слишком балую дочку. Кто бы говорил! Каждое утро она непременно должна многократно перецеловать всю троицу перед уходом.

Я вскочил с высокого стула:

— Давайте, ребятня, поторапливайтесь! Мы опаздываем.

Жоаким, наш серьезный и старательный старший сын, уже стоял в прихожей с ранцем за спиной.

Эрнест носился по гостиной, я ухватил его за шиворот и пощекотал.

— Прекрати, Янис! Он и так перевозбужден, — остановила меня Вера, которая заново причесывала Виолетту.

Как ей удалось окончательно раздербанить свой хвостик за пять минут, пока она пила шоколад? Маленькие девочки, как и взрослые женщины, всегда будут для меня тайной. И мне это нравится.

У нас с Верой наконец-то получилось собрать всех троих перед лифтом. Я обернулся к жене, опершись о дверной косяк. Она смотрела на меня с сияющей улыбкой.

— Хорошего дня, — пропел нежный голос.

— Ты обедаешь с Шарлоттой?

— Так вторник же!

— Действительно... До вечера.

Я поцеловал ее чуть крепче, чем обычно по утрам. Сегодня мне понадобится храбрость. Потом я шепнул ей на ухо наше “Я по-прежнему слышу музыку”. Она продолжала смеяться, когда дверь лифта закрылась за нами.

В тот день я оставил машину, потому что мне хотелось проехаться, лавируя в густом автомобильном потоке, на старом мотоцикле. Я подарил его себе с одной из первых зарплат. Хотя только с большой натяжкой можно назвать подарком развалюху, с которой мне пришлось столько возиться. Расстаться с ним я не мог, несмотря на то, что после рождения Жоакима мне нечасто приходилось на нем ездить.

Всякий раз, когда я заикался о его продаже, Вера останавливала меня — признаюсь, без особого труда, — так как знала, насколько я им дорожу. Я брал своего двухколесного друга только тогда, когда знал, что буду мотаться между стройплощадками. Это удобный предлог. Сегодня мотоцикл был мне необходим, чтобы удержать нервы в узде. Открыв дверь бюро, я понял, что был тысячу раз прав. Не знаю, как Люку удается так рано вставать, но в те недели, когда близнецы не у него, он всегда приходит к семи утра и приступает к работе, или, скорее, зарывается носом в свои обожаемые бумажки. Это его конек — административные решения, законы, кадастр и всякое такое! Для меня это непостижимо. На мой приход он никак не отреагировал. *Ну и обстановочка у нас.* Я мечтал впустить немного свежего воздуха в наше бюро, но, увы, полный облом, права голоса я лишен. Я размешал в чашке растворимый кофе. Верин брат — такой крохобор, что отказался покупать кофемашину, вопреки всем моим попыткам объяснить, насколько она полезна для имиджа и как положительно ее воспримут потенциальные клиенты. "Не наша забота подавать посетителям кофе".

— Привет, Люк! — бросил я жизнерадостным тоном, садясь к рабочему столу, который стоял напротив его стола.

— Угу, — пробормотал он в ответ. — Здравствуй.

День будет длинным. Мне все труднее было выносить и вечно мрачное настроение Люка, и его неспособность мыслить масштабно. Он избегал любых рисков, довольствовался тем, что есть, и не пытался расширить сферу нашей деятельности. Последний раз он отдавал мне интересный проект, где я мог развернуться, сто лет назад.

Планировка торговых помещений его не интересовала, и он поручил мне поработать над проектом винного бара. Он мыслил мелко, у него были слишком узкие представления о проектных решениях. Я разложил чертежи здания, которое мы с ним осмотрели накануне, практически у него перед носом. Пока мы там были, он и рта не раскрыл, меня это злило, мне было неловко перед Тристаном, который перенес какую-то важную встречу, чтобы встроиться в расписание Люка. Я в очередной раз заполнял паузы, болтал без умолку, пытаясь компенсировать его глухое молчание и отсутствие энтузиазма. Мне оставалось только надеяться, что клиент поймет: я не притворяюсь и увлечен искренне. Я был относительно уверен в себе после ужина у нас дома. Кстати, когда мой дражайший родственник об этом узнал, новость стала очередным поводом, чтобы устроить мне разнос: "Панибратство с клиентами недопустимо, Янис! Сколько раз я должен повторять? Отсутствие у тебя профессионализма начинает утомлять!" Он отчитал меня, как мальчишку, чьи выходки его достали.

— Можешь работать самостоятельно над этим проектом, — объявил он, не удостоив меня взглядом.

Я вылупил глаза. Слишком хорошо, чтобы быть правдой.

— Не хочешь заняться им вместе со мной?

— У меня много гораздо более важных дел. Ты сам с этим справишься, полагаю. И вообще, это только предложение. Когда что-то конкретизируется, я доработаю твои эскизы. Я, скажем так, делегирую тебе полномочия, но прошу не терять слишком много времени на этот проект.

Так я и думал. Он опять меня принижал. Его высокомерие невыносимо, кулаки сжались сами собой. Мы работаем вместе больше десяти лет, и я, кажется, никогда не подводил фирму. Он рассчитывал на мои творческие идеи, потому что сам не способен их породить, и на мой практический опыт, а я все это, не задумываясь, предоставлял в его распоряжение. Однако в последние месяцы он постоянно напоминал мне, что хозяин тут он, а я его наемный работник, что он имеет диплом и потому владеет высшим знанием. А я гожусь только на то, чтобы быть на подхвате, контролировать работы на стройплощадке и следить за тем, чтобы все проекты *босса* реализовались с точностью до закорючки. А когда какой-то проект вел я, мне не позволялось проделать это от *А* до Я, так как Люк всегда ухитрялся внести в него изменения и все реже прислушивался к моему мнению. Тем не менее до сих пор я хранил верность нашей фирме и не разрешал себе задумываться о новом месте работы.

— Какие-то проблемы, Янис? — спросил он.

— Никаких, — ответил я, сцепив зубы.

Вместо того чтобы как следует врезать ему — одному богу известно, как у меня чесались кулаки, — я решил применить энергию злости на пользу работе. Заказ Тристана представлял собой случай, о котором я долго мечтал: с его помощью я докажу Люку, на что способен, чего в состоянии добиться и как мы можем расширить нашу деятельность.

Остаток недели я вкалывал как безумный. Рабочего дня мне не хватало, поэтому по вечерам я занимался Тристановым проектом дома. Не очень здорово для нас с Верой, зато Люк не сунет нос в мои эскизы, пока они не будут готовы. И мои телефонные разговоры не подслушает. Я не доверял ему, подозревал, что он способен снять меня с заказа в любой момент. Вера меня безоговорочно поддерживала. Я, конечно, не поклонник работы на дому, но возможность видеть жену, когда захочется, причем на расстоянии вытянутой руки, доставляла мне удовольствие: еще немного, и я воображу себя художником, которого посещает муза. Вера наблюдала за мной, лежа на диване с журналом в руках. Время от времени она вставала, садилась мне на колени и рассматривала эскизы:

— Это что-то невероятное. Он будет потрясен!

— Стучу по дереву.

— А что говорит Люк? Ты ему показывал? Он, наверное, обалдел, когда увидел!

Я отвел глаза. Уже несколько месяцев я обманывал ее, утверждая, что отношения между ее братом и мной улучшаются. Я очень не любил ее волновать, тем более из-за дурацкого мужского соперничества. Я отчаянно сдерживал себя и изображал конформиста, который всем доволен, а на самом деле жутко злился.

— Не знаю, — смущенно выдавил я в конце концов.

— Как это, не знаешь?

— Его не интересует контракт с Тристаном, как и мое мнение, как, впрочем, и все, что я делаю. Или же он за мной шпионит. — Эти слова вырвались у меня помимо воли.

Вера обхватила мое лицо ладонями и заставила посмотреть в глаза:

— Ты шутишь или как? Почему ты ничего не говорил?

— Да это не важно, — выдохнул я.

— Еще как важно!

Она спрыгнула с моих коленей и зашагала взад-вперед по комнате, бурно жестикулируя. Когда Вера нервничает, наблюдать за ней — все равно что присутствовать на увлекательном спектакле! Она безостановочно что-то говорит, злится, ругается, строит невероятные гримасы. Благодаря этому меня даже отпустило напряжение, хоть я и сожалел, что проболтался. Ну не кретин ли! Пробудил в ней подозрения. Вера становится опаснее львицы, если считает, будто что-то угрожает детям, в число которых вхожу и я! Что меня всегда до некоторой степени устраивало.

— Он не имеет права так с тобой обходиться! Мой брат возомнил себя бог знает кем! Ты ему не лакей и не шестерка. Нет, подожди! Я ему все выскажу!

— Так, стоп! Успокойся! — Я попытался ее остановить.

— Не успокоюсь!

Я подошел, встал перед ней и положил руки ей на плечи, чтобы она перестала бегать по комнате. Она надула губы.

— Речи быть не может о том, чтобы ты в это вмешивалась. Это не твое дело, не твоя забота! Я не нуждаюсь в защите. Я мужчина. Настоящий, — заключил я, стукнув себя пару раз кулаками по груди в надежде, что это рассмешит ее.

— Но…

— Никаких "но". Предоставь это мне. Завтра днем я пью кофе с Тристаном, ему не терпится узнать, что я придумал. Кину ему кость, чтобы немного утолить его любопытство. Если Тристан заглотнет наживку, это послужит дополнительным аргументом для твоего брата, чтобы принимать меня всерьез и проявлять хоть какое-то уважение.

Вера бросилась мне на шею и крепко обняла:

— Пообещай больше ничего не скрывать от меня. Ты уже давно должен был мне все рассказать.

— Хорошо… обещаю. Но это ерунда, честное слово.

— Янис, я не шучу! Мы с тобой всегда исходили из того, что в день, когда мы перестанем все рассказывать друг другу, у нас начнутся неприятности. Что особенно справедливо в случае проблем на работе!

У меня намечалось много разъездов, я воспользовался мотоциклом и запарковал его на площади перед вокзалом Сен-Лазар. С Тристаном мы договорились встретиться в "Старбаксе" под аркадами в перерыве между двумя его другими встречами в этом районе. Я бы, конечно, предпочел какой-нибудь ресторанчик, но клиент всегда прав. Тем более что у него действительно очень мало времени. Тристан ждал меня у входа. Несмотря на его суровый и холодноватый облик бизнесмена при галстуке, этот малый мне нравился. Он был доброжелательным, я догадывался, что у него есть чувство юмора, и подозревал, что стоит подобрать к нему ключик, и он избавится от своей скованности. Проходившие мимо люди приглядывались к нему. И неудивительно: он излучал силу и властность, в которой не было, однако, ничего неприятного или подавляющего. Я обратил внимание, что несколько женщин искоса посматривали на него, а он одаривал некоторых из них взглядом ценителя. Тут он меня заметил.

— Здравствуй, Янис, — произнес он, пожимая мне руку. — Спасибо, что приехал по первому зову.

— Да ладно, нормально, что тебе не терпится. Ну что, будем мы пить кофе?!

Он дернул плечом и первым вошел в храм скверного кофе по оптовым ценам. Себе он заказал напиток с непроизносимым названием, выдающим себя за итальянское, что рассмешило меня, а он не понял почему. Не мог же я ему признаться, что ни разу не был в этом заведении. Я обрадовался, узнав, что у них есть эспрессо. Справедливости ради я не позволил ему сесть в зале: в четырех стенах "Старбакса" я бы задохнулся! Он последовал за мной, и я нашел свободный столик на псевдотеррасе.

— Итак, ты продвигаешься? Что ты можешь мне рассказать?

— Люк будет все утверждать завтра вечером, и не позже понедельника ты получишь предложения по контракту.

— Люк не работает с тобой по этому проекту? — полюбопытствовал Тристан, что меня не удивило.

Что ему ответить?

— На сей раз поставить ребенка на ножки он доверил мне, но не беспокойся, Люк с его знаниями и опытом все проверит и подтвердит.

— А я и не беспокоюсь. Мнение Люка мне не нужно, я жду твоих идей. Так что меня устраивает, что моим заказом занимаешься ты!

Приятно иметь дело с тем, кто тебе доверяет. Он наклонился ко мне:

— Не томи, расскажи поскорее, что конкретно ты собираешься предложить. Я делаю большую ставку на это здание.

— Так я и понял.

Я приступил к изложению своей идеи. С двумя компаньонами, искавшими подходящее здание для концепт-стора, я был знаком давно. Они пришли из не совсем легального бизнеса и теперь стремились остепениться. У них была мания величия, они ничего не боялись — примерно как я, только, в отличие от меня, они располагали деньгами: по слухам, их банковские счета были более чем солидными. Мы, естественно, друг друга заинтересовали, но эти люди совсем не нравились Люку, избегавшему контактов с ними. Как только Тристан начал рассказывать о своем новом приобретении, я подумал о них, а увидев здание, сразу понял, что нашел то, что нужно. Я связался с ними, описал открывающиеся возможности, и с тех пор они стояли на низком старте, планируя открытие уже в сентябре или октябре. А это означало, что они готовы заключить договор аренды с Тристаном и приступить к реконструкции. Они по секрету сообщили мне впечатляющий размер суммы, которую намерены инвестировать в реновацию здания. Вот этим-то проектом я и занимался не покладая рук. Я проговорил полчаса, описывая Тристану ситуацию, и за все это время он не проронил ни слова.

Впрочем, я и не дал ему такой возможности. Я себя знаю: когда я начинаю обрисовывать какой-то замысел, я так увлекаюсь, что уже не способен притормозить. Добираясь до места встречи, я постарался запастись спокойствием и предварительно очертил круг информации, которую следовало предоставить Тристану, а в итоге разболтал много лишнего из-за своего неуемного энтузиазма. Тристан становился все серьезнее, и это в конце концов охладило мой пыл.

— Вот так, в общих чертах…

Тристан устроился поглубже в кресле, устремил взор куда-то вдаль и продолжал молчать. Его реакция настолько напрягла меня, что мне захотелось закурить. Такого не случалось уже давно. Вот уже пять лет как ни Вера, ни я не притрагиваемся к сигаретам. Все началось с бредового пари, но в результате мы оба бросили курить, хоть и не без труда.

— Янис, — наконец-то произнес Тристан и пристально посмотрел на меня. — Можешь считать, что контракт твой. Ты переиграл конкурентов.

Нет, не может быть, мне это снится.

— Погоди, попридержи коней. Остались еще кое-какие формальности.

— Ты, похоже, изрядно продвинулся в переговорах с партнерами. Я получаю грандиозный проект и арендаторов, согласных взять на себя оплату работ. Не вижу, что бы заставило меня изменить решение. Я с тобой.

Он глянул на часы:

— Мне пора бежать, Янис. Созвонимся в понедельник и обсудим детали. Хочу поскорее начать работать с тобой. И с Люком, естественно. Организуй в ближайшие дни встречу для подписания договора аренды.

Он поднялся. Я, немного оглушенный, последовал его примеру.

— Спасибо за доверие.

— Передавай от меня привет супруге.

— Непременно.

Мне уже было невтерпеж рассказать ей о том, что сейчас произошло.

— Когда проект будет запущен, — добавил он, — приходите ко мне на ужин, буду ждать.

— С большим удовольствием. Хороших выходных.

Он развернулся и быстро ушел. Я еле сдержался, чтобы не издать победный вопль. Вместо этого я помчался к мотоциклу. Турагентство находилось совсем рядом, и я не собирался лишать себя удовольствия первым сообщить новость Вере.

Десять минут спустя я распахнул дверь агентства и, не здороваясь ни с Вериной коллегой, ни с клиентами, прямиком направился к ее столу.

— Янис! Ты что здесь делаешь?

Не потрудившись ответить, я схватил ее за руки, рывком поднял со стула, обнял за талию и закружил в воздухе. Она засмеялась.

— Да что случилось? Объясни сейчас же!

— Я заполучил контракт! — Я поставил ее на пол.

— Ты что? Правда? — переспросила она со слезами на глазах.

— Так кто у нас самый великий?

Она бросилась ко мне, едва не задушив в объятиях, что меня не напугало. Она покрывала бесчисленными поцелуями мои щеки и шею и повторяла: “Я тебя люблю, я тебя люблю”. Потом мы услышали, как кто-то откашлялся. Я засмеялся, уткнувшись носом ей в волосы.

— Возвращаю ее вам, — обратился я к клиентам.

Счастье и возбуждение переполняли меня, когда я бросил на нее последний влюбленный взгляд:

— Сегодня вечером пьем шампанское!

Назавтра чувства по-прежнему бурлили во мне. Почти семь вечера, Вера вот-вот приедет за мной. После обеда она прислала мне эсэмэску и попросила не уходить, а подождать ее в бюро. Я догадывался, что она задумала: вечер вдвоем, без детей, в моей холостяцкой берлоге.

Здесь я жил с девятнадцати лет и до тех пор, пока мы с Верой не приобрели наше нынешнее жилье. С этой квартирой получилось примерно как с мотоциклом — я не мог решиться продать ее и уж тем более сдать в аренду чужим людям. Эти несколько квадратных метров во дворе дома, где я вырос, служили мастерской моему отцу, когда я был ребенком и подростком. У моих родителей не было денег на покупку квартиры, и они решили вложить накопленные средства в небольшое строение, которое отец счел стоящим приобретением. Только повзрослев, я понял, что родители расстались со всеми своими сбережениями ради меня. Я был у них поздним и единственным ребенком. Они были потрясающие, всегда меня понимали и всегда были на моей стороне. Если сегодня я чего-то достиг, то лишь благодаря им. В начальной школе я смертельно скучал, еще тоскливее было в лицее, я ходил туда только потому, что так надо. Однажды родители позвали меня на кухню. Они сидели за столом, мама, как всегда, нежно улыбалась мне, а папа взял слово и призвал меня прекратить тратить время попусту и начать делать то, чего я по-настоящему хочу. Он подчеркнул, что они будут поддерживать меня, насколько смогут, и что значение для них имеют только мое счастье и моя самореализация. Я попросил его помочь мне попасть на стройку, неважно на какую, поскольку я хотел научиться работать руками, хотя и так уже умел многое ими делать. Ведь все свободное время я проводил в отцовской мастерской или ремонтировал семейное жилье и мастерил мебель. В последующие годы я переходил со стройки на стройку и всегда находил какого-нибудь славного парня, который мог научить меня чему-то новому. Мне даже удалось договориться с одним архитектором — он заметил, что я уже неплохо ориентируюсь в вопросах строительства, и познакомил в общих чертах с изготовлением чертежей и принципами организации пространства. Спустя три года папа отдал мне ключи от своей мастерской, чтобы я чувствовал себя независимым. Я ее отремонтировал, превратив с помощью подручных средств в маленькую квартирку, причем все сделал сам — провел электричество, установил сантехнику, обшил стены и потолок гипсокартоном, соорудил мебель. Я назвал свое жилье “холостяцкой берлогой”. Вера стала единственной женщиной, которая однажды осталась в ней до утра. Я привел ее к себе в нашу самую первую ночь. Когда мы решили, что будем жить вместе, она перебралась туда со всеми своими чемоданами. Берлогу мы покинули только после рождения Эрнеста. Сейчас туда отправлялась на хранение отслужившая свое мебель. А иногда приезжала Вера, немного прибирала, и мы проводили там ночь вдвоем — что и должно было произойти, по моим прикидкам, этим вечером. Это было наше убежище, да еще игровая комната для детей, когда я заходил туда с ними.

Мне не терпелось, чтобы она поскорее пришла за мной. Оставалось только дождаться одобрения Люка, и можно отправлять контракты Тристану за сорок восемь часов до планируемого подписания. Утром я, как ответственный работник, принес Люку для ознакомления полное досье. Я был стопроцентно уверен в благополучном исходе и заранее подготовил электронное письмо, которым собирался сопроводить документы.

— Найдется пара минут, Янис? — позвал меня из-за стола Люк.

Я оторвался от компьютера. При виде его мрачного лица мое сердце екнуло.

— Послушай, я познакомился с материалами, которые ты мне дал… неплохо, неплохо.

Я вскочил и, не справившись с собой, сжал кулаки до хруста:

— Неплохо? Клиент согласился подписать, даже не видя окончательного варианта, а ты говоришь "неплохо"!

— Он, возможно, готов подписать, а я нет.

— Не соизволишь ли объяснить?

Он встал, обогнул рабочий стол и остановился передо мной. Я предпочел отступить назад. Вдруг он нахмурился:

— Погоди, Янис. Откуда ты знаешь, что он готов подписать контракт?

— Я встречался с ним вчера. Мы пили кофе.

Он покачал головой:

— Но это же несерьезно...

— Не важно! — занервничал я. — Ответь на мой вопрос. Почему ты сказал, что не подпишешь?

— Мы не сможем реализовать твой проект, он слишком объемен для нас. На этот раз я готов согласиться, что да, ты неплохо проделал довольно большую работу... Но все равно его заказ с самого начала меня не привлекал. Я не хочу работать на него, и уж тем более в компании двух мошенников, которых ты намерен привлечь.

И он спокойно, как ни в чем не бывало вернулся на свое место за столом и склонился над чертежами.

— Издеваешься, Люк? Успокой меня, скажи, что пошутил!

— Отнюдь, — возразил он, не удостоив меня взглядом.

Это было уже слишком.

Глава 4
Вера

— Ты совсем козел! — услышала я вопль Яниса, открывая дверь бюро.

Я бросилась внутрь. Разъяренный Люк поднимался с табурета, а муж устремился к нему, сжав кулаки.

— Что у вас происходит? — крикнула я и, не дожидаясь ответа, рванулась к Янису, уже приготовившемуся ударить моего брата.

Иногда с Янисом случается — он слетает с катушек. Я положила ладонь ему на грудь и попыталась остановить. Он посмотрел на мою ладонь, потом вскинул глаза на меня. Я прочла в них столько страдания, злости, разочарования, что пришла в ужас. От боли за него у меня сдавило сердце. Таким я его никогда не видела. То, чего я так долго боялась, не решаясь признаться самой себе, выплеснулось наружу.

— Янис, скажи мне.

— Твой брат — кретин!

Его низкий голос обычно звучал очень мягко, я никогда не слышала, чтобы он говорил так зло и грубо.

— Чуть что, сразу оскорбления и громкие слова, — ухмыльнулся Люк. — Пора немного повзрослеть! Прояви хоть раз профессионализм! И постарайся усвоить: возможно, я кретин, но обладаю определенным запасом здравого смысла. В отличие от тебя.

— Что ты такое говоришь? — возмутилась я, продолжая удерживать Яниса, что с каждой секундой становилось труднее.

— Не вмешивайся, Вера. Это рабочие разногласия между твоим мужем и мной, — резко оборвал Люк.

Я почувствовала, как у меня под рукой напряглись Янисовы мышцы.

— Я сам все решу, — бросил он мне.

Как они могли до такого докатиться, почему не сумели найти компромисс? Люк и Янис были как братья; хоть они и разные и иногда ругаются, но никогда дело не доходило до рукоприкладства. Несколько дней назад Янис намекнул на назревающий конфликт, но он вроде бы его погасил. Почему он не все мне рассказал? Когда ситуация зашла в тупик?

— Этот проект чреват провалом, — продолжил Люк, больше не обращая на меня внимания. — Но ты с твоей манией величия отказываешься что-либо замечать, ты ни в чем не отдаешь себе отчета! Ты безответственный человек, Янис. Всегда таким был и всегда таким останешься.

— А ты, ты кто такой? Канцелярская крыса! Жалкий скупердяй! Ты не способен отвечать на вызовы и включать воображение!

— Я должен обеспечивать работу фирмы и платить зарплату, в том числе и тебе!

— К тому же ты еще и мелочный! Как ты думаешь, почему я вкалывал как псих над проектом для Тристана? Не хочу обманывать, я стремился доказать тебе, что способен с ним справиться. Но гораздо важнее для меня была фирма, потому что эта работа увеличит доверие к нам, повысит наш рейтинг по сравнению с конкурентами! Постарайся хоть изредка видеть дальше собственного носа! Ты, вероятно, по своему обыкновению, ограничился беглым просмотром моих предложений.

— Ошибаешься! Я уже объяснял тебе: это неплохо, но неосуществимо. Тебя заносит!

— А ты трус! Найди в себе смелость хоть раз, черт тебя подери!

— Смелость тут ни при чем, и вообще меня с самого начала не интересовало то, что от нас хочет этот тип.

— Почему ты тогда не остановил меня, когда я пахал как папа Карло над его заказом?

— Я тебя об этом не просил. Но ты, как обычно, завелся и не снизошел до того, чтобы прислушаться ко мне или обсудить проект со мной, а очертя голову ввязался в него.

Янис сделал шаг назад, чтобы сбросить мои руки. Я стояла окаменев, прикрывая рот дрожащей ладонью, наблюдала, как муж и брат убивают друг друга, и не могла этому помешать. Они оба заявили, что меня их спор не касается. Я угодила в совершеннейший кошмар. Сжав челюсти, Янис обошел офис по кругу, стараясь держаться подальше от Люка. Схватил куртку, взял со стола ключи и телефон. Потом с таким же замкнутым лицом подошел ко мне и стиснул мою руку:

— Пошли отсюда, я тут задыхаюсь.

— Но…

— Ничего не говори, пожалуйста.

Он потянул меня к выходу, я оглянулась: лицо Люка, который медленно возвращался к столу, было серьезным. Янис открыл дверь, но, перед тем как уйти, остановился и обратился к брату:

— Если у тебя есть хоть капля уважения к моей работе и к нашему многолетнему сотрудничеству, подумай еще два дня.

Брат, чей взгляд я безуспешно пыталась поймать, растерянно покачал головой.

— Ты ничего не понял, — пробормотал он и повернулся к нам спиной.

Янис потянул меня за руку к машине. Открыл дверцу и, не церемонясь, втолкнул на сиденье. Я не отрывала от него глаз: обходя наш “вольво”, чтобы сесть за руль, он наткнулся на мусорный контейнер и принялся изо всех сил пинать его. Когда он все же сел в машину и тронулся с места, челюсти его были по-прежнему сжаты. Атмосфера становилась невыносимой.

— Скажи что-нибудь. Ну пожалуйста, поговори со мной…

— Не могу.

Мы ехали к холостяцкой берлоге. Он, естественно, догадался, что там все готово для романтического вечера, и в каком-то смысле это было хорошо. Мы не станем менять свои планы — собирались отпраздновать радость, теперь придется зализывать раны.

Лучше оградить детей от таких переживаний, хотя бы на один вечер.

Мы быстро доехали и припарковались рядом с домом. Янис захлопнул дверцу машины, догнал меня, схватил за руку, сильно сдавил ее и, не отпуская, открыл ворота во двор, а затем дверь берлоги. Сразу после работы, до того, как зайти за ним, я приходила сюда, чтобы все приготовить и переодеться. Я даже оставила кое-где свет, хотела, чтобы к нашему приходу в квартире было уютно. Маленький столик я поставила в центр комнаты, на нем нас ждали бокалы для шампанского. Я пропылесосила диван, расставила на столе, сделанном руками Яниса, старую разномастную посуду. Кровать — матрас, лежащий на полу, — была предназначена специально для романтических ночей в нашем убежище. Этот вечер должен был стать праздником, и вот мы оба стоим столбом и не можем выдавить ни слова, Янис готов колотить по всему, что попадется под руку, а я совершенно беспомощна перед тем ударом, который нанес ему мой брат. Он отпустил меня, снял куртку, обувь и зашвырнул все в угол. Прошелся по комнате, распахнул холодильник, достал шампанское, открыл бутылку, наполнил наши бокалы.

— Твой брат отравляет мне жизнь на работе, но его кретинизм не угробит наш вечер.

Не дожидаясь, пока я подойду, он чокнулся с моим бокалом, стоящим на столе, и одним духом проглотил шампанское. Налил себе еще и снова залпом выпил. Потом встряхнулся и изо всех сил зажмурился. Я погладила его по щеке, он обнял меня и зарылся лицом мне в шею.

— Прости, я не хотел, чтобы ты при этом присутствовала.

— Не извиняйся. Тем лучше, что я оказалась там.

— Чтобы помешать мне убить Люка?

— Нет, потому что я и сама, если бы понадобилось, приняла участие в побоище.

Янис подавил смешок, и мне сразу стало легче. Он поднял голову, обхватил ладонями мое лицо и всмотрелся в меня грустным взглядом.

— Что бы я делал без тебя? Не будь тебя и детей, я был бы просто пустым местом.

— Что за чушь!

— Я так хочу, чтобы вы все четверо гордились мной.

— Мы гордимся... С чего ты взял, что это не так?

Он отошел, забегал по комнате, словно лев в клетке.

— Не так уж много оснований я вам даю. В будущем году мне исполняется сорок, и скажи мне, скажи, чего я добился?

— Нас, — прошептала я, стараясь не показать, что задета.

— Конечно! — раздраженно отмахнулся он. — Но вопрос был не о том.

— Я знаю.

— Ты понимаешь, что в свои сорок я по-прежнему на зарплате у твоего брата, который считает меня чем-то вроде подмастерья или хуже того. Никакого профессионального признания от него не дождешься, ни к чему серьезному он меня не подпускает. Когда возник Тристан, я решил, что вот он, шанс, но Люк в очередной раз подрезал мне крылья, подверг сомнению мою компетентность. Я задыхаюсь!

Он ударил со всей силы по стене, я вздрогнула. Сколько времени уже его это гложет? Мне бы в страшном сне не приснилось, что он практически достиг точки невозврата. Отчаяние он успешно скрывал за привычной жизнерадостностью. Я верила, что они с Люком дополняют друг друга. Что сумасшедшинка Яниса смягчает несгибаемость брата, а мужу работается спокойнее в рамках системы, просчитанной Люком до миллиметра. Оказалось, все наоборот… Я вдруг осознала масштаб катастрофы и разозлилась на себя за то, что ничего не замечала. На самом деле я просто прятала голову в песок. Оставалось только кусать локти.

— Сегодня вечером вы устали и были взвинчены, — осторожно предположила я. — В понедельник, возможно, все пойдет лучше и вам удастся поговорить, обсудить… Ты так не считаешь?

— Надеюсь, — выдавил он, проведя рукой по лицу. — Если он не успокоится… мне долго не выдержать. Да, Люк — твой брат, но это не меняет дела. Ты же понимаешь, да?

Я подошла к Янису, притянула его к себе:

— Я с тобой, всегда была и всегда буду. Люк это знает. Он понимает, что, потеряв тебя, теряет и меня с детьми. Тебе хорошо известно, что я верю в тебя и не сомневаюсь: ты примешь правильное решение.

Он поцеловал мои волосы:

— Сменим тему. Не хочу больше об этом думать.

Он взял шампанское и бокалы. Я к своему так и не притронулась. Он налил себе в третий раз, и мы сели на пол возле журнального столика. Немного поболтали о детях, о том, как прошел их сегодняшний день и что будем делать на выходные, но вскоре Янис, сам того не заметив, опять заговорил о своем проекте. После того как мы добросовестно опустошили первую бутылку и приступили ко второй, он принялся обсуждать свою стычку с Люком и горячее желание сотрудничать с Тристаном. А дальше я почти весь вечер молчала, он сам задавал вопросы и сам отвечал на них, а я не мешала ему сбросить напряжение. Он хотел только, чтобы я оставалась рядом, больше ему от меня ничего не было нужно. По-моему, еще ни разу ему не было так плохо. Похоже, мой муж менялся, во всяком случае, он однозначно дал понять, что стремится к большему. Да, вслух я утверждала, будто надеюсь на то, что их противоречия сгладятся, однако, если быть честной с собой, у меня на этот счет имелись серьезные сомнения. И Янис, и Люк одинаково упрямые. Если мой брат принимает решение, он его редко меняет. К тому же его последняя фраза перед нашим уходом никак не позволяла рассчитывать на лучшее. Во мне нарастало беспокойство, смешанное с глухой яростью против Люка, и я ничего не могла с этим поделать.

Утром нас разбудил телефон Яниса, оставленный подальше от кровати, и меня охватило дурное предчувствие.

— Думаешь, это насчет детей? — проворчал он.

— Шарлотта бы сначала позвонила мне.

Он нехотя выбрался из-под одеяла и взял мобильник с журнального столика.

— Это Тристан, — объявил он замогильным голосом, потом выпрямился, с хрустом потянулся и нажал на кнопку.

— Привет, Тристан, — откликнулся он делано веселым голосом. — По какому поводу звонишь с самого утра в субботу?

Я села на матрасе, а Янис заходил по комнате.

— Что? — завопил он жутким голосом и сжал свободный от телефона кулак. — Когда он прислал тебе мейл?

Не отводя глаз от мужа, я встала и закуталась в простыню. Он стоял ко мне спиной. Я обняла его за талию, уперев лоб в лопатки. Я поняла, что мерзавец брат дважды подставил его: не соизволил отложить решение на двое суток, чтобы обдумать предложение Яниса, и решил показать себя хозяином. Ночью Тристан получил сообщение, что Люк отказывается от работы по проекту. Теперь он требовал объяснений, не понимая причину столь резкой перемены. Янис сдерживался, пытался выглядеть убедительным. Он извинился, пообещал поискать других подрядчиков, с которыми Тристан мог бы реализовать свои планы. Тристан настаивал на том, что хочет работать с Янисом, поскольку ему нужен только его проект. Я сознавала, как мучительно тяжело моему мужу подыскивать вразумительные доводы в оправдание неожиданного и грубого прекращения начатого сотрудничества. Не знаю почему, но этот человек явно зацепил Яниса, он его уважал, его мнение имело для мужа серьезное значение, хотя они познакомились всего несколько недель назад. Уважение и симпатия были, похоже, взаимными.

— Еще раз извини, — повторил он. — Да... Остаемся на связи. До скорого.

Янис швырнул мобильник. Вздохнул, погладил меня по руке, которой я в него вцепилась.

— Совсем низко пал, — пробормотал муж. — Ударил меня ножом в спину.

Я поняла, что произошло.

— Ты не будешь больше работать с ним.

— Нет, и уж тем более *на него*. Возьми машину и поезжай за детьми, — распорядился он, отходя от меня. — Встретимся позже дома.

Он пошел на кухню согреть воду для френч-пресса.

— Почему? А ты что будешь делать?

— Я заеду в бюро.

— Не самая удачная идея, по-моему.

Он хихикнул, но лицо оставалось грустным.

— Не беспокойся. Я не собираюсь бить твоего брата, да его там и не будет, он сегодня забирает близнецов. Мне просто надо кое-что уладить. Иди ко мне. — Он раскинул руки.

Я спряталась в его объятиях.

— Сначала выпьем кофе.

Час спустя я приступила к штурму дома-крепости, в котором жила Шарлотта. Преодолев четыре двери и набрав три разных кода, я наконец-то добралась до нее. Здесь мне пришлось еще подождать, и наконец она открыла мне — в длинном пеньюаре из черного атласа, в шлепанцах на высоких каблуках и с меховой отделкой. Ее наряд показался мне забавным, и я прыснула. Она ответила мне гримаской.

— Что за круги под глазами! Судя по твоей физиономии, вы всю ночь предавались безумствам. Я могла бы посидеть с малявками пару лишних часов. Почему ты не осталась подольше в постели?

Я раздраженно передернула плечами:

— Ты попала пальцем в небо… с тебя кофе.

Ее лицо вытянулось.

— Что-то не так?

— Ну да, не так чтобы очень. Но не задавай мне вопросов при детях, пожалуйста.

Она отошла от двери, пропуская меня в свой музей. Шарлотта живет в ультрасовременной квартире, забитой под завязку произведениями искусства — одно ужаснее и безвкуснее другого, по моему разумению. Ей нравится все, что блестит, бросается в глаза: чем больше золота, чем пафоснее, тем лучше. Мои дети сидели на диване, прилипнув к экрану с телемагазином. Подруга опять играла в куклы с Виолеттой: она накрасила ей ногти и превратила в свою уменьшенную копию. За одним исключением — Шарлоттин пеньюар был черным, а дочкин ярко-розовым. После демонстрации радости встречи и обмена обязательными поцелуями я позволила детям и дальше тупо сидеть перед телевизором, а сама вышла к Шарлотте на кухонный балкон. Там меня дожидался кофе. Я плюхнулась на стул.

— Что происходит, кузнечик? Вы с Янисом почти никогда не ругаетесь. Скоро все пройдет, вы всегда быстро миритесь.

— Дело не в этом. Мой брат — придурок, никогда бы не подумала, что он может быть до такой степени зловредным и завистливым.

— Люк? Да он мухи не обидит.

— Ошибаешься. Садись и крепче держись за стол.

Я изложила ей в мельчайших подробностях все, что произошло накануне и сегодня утром. Когда я замолчала, она вздохнула и устроилась поглубже в кресле.

— Послушай, я просто не верю в то, что ты мне сейчас вывалила. Мы как будто говорим о разных людях. Наверное, у него что-то случилось или он опять поругался со своей ведьмой. Не вижу другого объяснения.

— Нет, все не так! На самом деле отношения между ним и Янисом начали портиться уже несколько месяцев назад. Брат невыносим. Не понимаю, что мне мешает пойти и высказать ему все, что думаю, или поджечь его дерьмовое архитектурное бюро, клянусь тебе.

У Шарлотты открылся рот — мое заявление ошеломило ее.

— Подожди, ты вообще понимаешь, что сейчас сказала? Ты желаешь зла собственному брату?!

— Да, потому что он подставил Яниса, из-за него Янис выглядит идиотом в глазах Тристана.

— Это еще не основание... Какая-то совершенно бредовая история... Слушай-ка, а этот Тристан, он кто?

— Заказчик!

— Я уверена, что все уладится. Янис должен успокоиться, он слишком бурно реагирует.

— И не надейся, — холодно парировала я.

Я резко встала. Шарлоттина оценка ситуации мне очень не понравилась. Что это с ней? Я ее не узнавала. Я была уверена, что она встанет на нашу сторону. Еще совсем недавно она на дух не переносила Люка, и вот теперь практически защищает его и делает Яниса виновником конфликта. Однако скандалов на данный момент мне и так предостаточно, и уж тем более ни к чему ссориться с лучшей подругой.

— Не злись по пустякам, Вера!

Она знает меня как облупленную, поэтому ее замечание меня не удивило.

— Я не злюсь, просто пора идти. Янис будет ждать нас дома.

Спустя двадцать минут дети были одеты и прощались с Шарлоттой.

— Обедаем во вторник? — осторожно спросила она.

— Конечно.

— Уверена, ты принесешь мне хорошие новости.

— Или не принесу.

Несмотря на беспокойство и камень на сердце, который не сдвинулся ни на миллиметр, я взяла себя в руки и включила в машине музыку на полную громкость, что сильно напрягло наши хрипящие колонки. Так я развеселю детей, а заодно и сама сброшу напряжение. Я никогда не увлекалась детскими песенками и считалочками, исходя из того, что хороший музыкальный вкус нужно воспитывать с самого раннего детства, а визгливый голос Чупи[1] не соответствует моим эстетическим предпочтениям. Некоторых это шокировало. Особенно

1 *Чупи* — мальчик-пингвиненок, герой детских книг и мультсериала.

когда я на голубом глазу утверждала, что лучшая колыбельная для Жоакима — это *Supermassive Black Hole* группы *Muse*. Ни одна песня так не успокаивала его, когда я гуляла с ним в коляске. С первых нот он переставал вопить и засыпал сном праведника еще до конца припева. Чистое волшебство. Сколько раз мы с Янисом хохотали над этим зрелищем, как безумные? Сегодня эта песня уже не успокаивала ни Жожо, ни его брата с сестрой, но нашего старшего она раскрепощала. Вся моя троица распевала, четко передавая каждый звук незнакомого языка, а я трясла головой в такт, словно подросток на первом в жизни рок-концерте.

Музыка принесла желаемый результат: у детей было отличное настроение, а я успела немного расслабиться и успокоиться, когда открывала дверь квартиры.

— Эй! А я вас жду не дождусь, — провозгласил Янис, бросаясь к детям, которые тут же повисли на нем.

Янис с Виолеттой и Эрнестом на руках поцеловал меня. Он казался непробиваемо спокойным.

— Я по тебе скучал, — шепнул он на ухо.

— Все в порядке?

— Да...

Он поставил детей на пол и пошел в гостиную. Мы последовали за ним, и я остолбенела, узрев ошеломляющий сюрприз в виде огромной стопки папок и десятков свернутых в трубку чертежей, занимающих всю середину комнаты.

— Это что?..

— Как насчет того, чтобы рвануть к морю? — обратился он к детям, уклоняясь от ответа. — На улице отличная погода, а я хочу мидий с жареной картошкой. Вы как?

Грянуло громовое "Да!". В общем хоре не было только моего голоса, я глухо молчала. Янис хмыкнул, покосился на меня и подмигнул. Он излучал уверенность в себе.

— Мы справимся. А сегодня давай оттянемся, и никаких панических настроений, ОК?

Притворялся ли он? Старался ли держаться? Я этого не знала, но его голубые глаза умоляли поддержать игру, поверить ему, отдаться на волю сегодняшнего дня, детских капризов и наших желаний.

— Согласна. Мы успеваем переодеться?

— Безусловно.

Жоаким надел матроску, Эрнест — костюм пирата, Виолетта — один из принцессиных нарядов, а я белое платье в подсолнухах, чтобы добавить немного света и веселья и поддержать общий настрой.

Ради последнего штриха к моему образу Янис остановился у магазина "Монсо", выскочил из машины и возвратился с красивой маргариткой, которую протянул мне. Я сломала стебель и воткнула цветок в волосы. Я это обожаю, а он это знает и обожает, когда я так делаю.

День на побережье Нормандии — волшебство в чистом виде. За обедом мы насладились мидиями с жареной картошкой и вдвоем с Янисом без малейшего чувства вины уговорили бутылку белого вина. Потом пошли проветриться на пляж, где трое моих мужчин стали играть в футбол на гальке,

Виолетта погрузилась в дневной сон у меня на руках, а я воспользовалась случаем, чтобы немного позагорать. Вскоре Янису пришла в голову безумная идея искупаться. Я существо теплолюбивое и не вхожу в море, если вода холоднее двадцати трех градусов, так что Ла-Манш в конце мая — для меня это из области фантастики. Виолетта защитила меня от наскоков отца, который требовал, чтобы я непременно вошла в воду. Сыновья последовали за ним. Зрелище этой троицы в пляжных шортах (папа) и плавках (малыши) рассмешило меня, а дочка аплодировала. Когда через четверть часа они вышли на берег, Янис был явно горд собой и решил похвастать своим подвигом: не переодеваясь, с обнаженным торсом, усыпанным каплями соленой воды, отправился за блинами с сахаром для всей семьи. Нам было так хорошо, что мы поняли друг друга без единого слова и быстро собрали пляжные вещи. Удача нас не покинула — мы нашли свободные номера меньше чем за час. Нам даже достались две смежные комнаты, каждая со своей ванной. Янис вышел из гостиницы, победно помахивая ключами в поднятой руке, открыл багажник и достал две дорожные сумки — одну детскую, с пижамами, запасными трусами и плюшевым мишкой, и одну нашу, где не было моей пижамы, но зато имелось шикарное белье, платье зеленовато-синего цвета и замшевые сандалии в тон. Он все предусмотрел.

— Спасибо, — растроганно выдохнула я.

— Хочу исправить впечатление от вчерашнего испорченного вечера… Мы же заслужили, да?

Янис был безрассудным, умел легко справляться с неприятностями и увлекать за собой семью. Ценнее всего было то, что он никогда не сдавался. Только сегодня утром, едва проснувшись, он был готов в ярости ломать все, что попадется под руку. А теперь он придумал и организовал для нас пятерых этот импровизированный уикенд на берегу моря. По его виду никто, кроме меня, не догадался бы, что его одолевают заботы. Он даже ухитрялся сделать так, что и я периодически забывала об этом.

— Займусь детьми, — решил он, когда мы расположились в наших номерах. — Отдохни.

Он коснулся губами моих губ, достал свои вещи из сумки и пошел к детям в их номер. Лежа в ванне, полной ароматной пены, я слышала за перегородкой смех, песни, капель летящих повсюду брызг — они тоже принимали ванну. Я в очередной раз подумала, что наша семья сильнее любых напастей и мы выйдем победителями из всех сражений.

Мы пошли ужинать и набрели на полупустую пиццерию. Ребята устали, были голодны, но спокойны. Пиццу и мороженое они съели быстро и с наслаждением. После ужина хозяин угостил леденцами детей и кальвадосом взрослых. Этот день стал для нас настоящими мини-каникулами. К вечеру мне начало казаться, что мы уехали из дома уже много дней назад. Я знала, что путешествие придало новые силы всем членам семьи и мы оградили детей от последствий нашей ссоры с их дядей.

— Не думай об этом, — шепнул мне Янис.

Я подняла на него глаза. Янис знал меня, как никто, и улавливал малейшее движение моих мыслей. Он провел пальцем по кончику моего носа.

— Не сгорел ли у тебя нос?

— Вполне возможно.

— Давай уложим их спать.

Когда я выключила свет в детском номере, Эрнест придержал меня за руку. Жоаким читал при свете ночника, а Виолетта крепко спала, сунув большой палец в рот. Голова моего младшего торчала из-под одеяла, но он едва меня видел — веки сами собой захлопывались.

— Мама, сегодня было классно.

— Да, мой маленький, прекрасный день.

— Мы еще так будем?

— Обязательно. Пусть тебе приснится хороший сон, я люблю тебя.

— А я тебя, мама.

Я встала с кровати и встретилась взглядом со старшим сыном, который широко улыбнулся, отложил книгу и выключил свет. Я тихонечко закрыла дверь. В нашей комнате горела только лампа у кровати. Янис подошел сзади, положил ладони мне на живот и поцеловал в плечо.

— Уснули?

— Виолетта — да. Жоаким и Эрнест уснут через пару секунд...

Руки Яниса переместились с моего живота на спину. Он медленно раскрыл молнию платья. Оно упало к моим ногам. Он поднял меня и уложил в постель, снял мои синие сандалии и долго рассматривал меня. Его глаза лучились.

— Иди ко мне, — не выдержала я.

Нам знаком каждый миллиметр наших тел, мы знаем, какие жесты, какие ласки возбуждают каждого из нас, и все-таки всякий раз, занимаясь любовью, мы обнаруживаем нечто новое, находим новые грани удовольствия. Мы заново открываем то, что нам и так известно друг о друге и о наших желаниях. От прикосновения теплых ладоней Яниса, покрытых мозолями, но при этом нежных, я всегда начинаю дрожать, от его поцелуев у меня в голове и в сердце всегда звучит музыка. С обожанием и восторгом он изучал мое тело, для которого три беременности не прошли бесследно. Да, после того как я стала мамой, мой живот больше не будет плоским, бедра сделались шире, появились растяжки и уменьшилась грудь. Но благодаря этому я для него еще привлекательнее, еще сексуальнее. Это он делает меня красивой.

Блаженно усталые, сонные, лежа в объятиях друг друга, мы боролись со сном. Как будто хотели продлить магию сегодняшнего дня. И все же я решилась задать вопрос, который рвался с моих губ с самого утра:

— То, что ты притащил в дом, это что?

— Какая ты любопытная!

— Поговорим об этом после выходных, дурацкий вопрос, он все испортит.

— Вовсе нет. Мне кажется, сейчас вполне удачный момент. Первое, что я должен тебе сообщить: в понедельник твой брат найдет на своем столе мое заявление об уходе.

Кого-то такая новость могла бы напугать, а я прониклась гордостью за мужа. Я подозревала, что к этому все идет.

— Ну а тот мусор, который я приволок домой, — это мои чертежи и несколько проектов, которые я вел самостоятельно. Их немного, но я не намерен оставлять их Люку. И не хочу, чтобы он наложил лапу на то, что я сделал для Тристана. Пусть оно мне не пригодится и я никогда не пущу эти разработки в дело, но речи не может быть о том, чтобы Люк в будущем воспользовался моими идеями.

— Ты прав на сто процентов.

Я привстала, оперлась о его грудь и посмотрела на него:

— И что мы будем делать?

— Ну-у-у! Ты — почти ничего. Найти решение и, главное, новую работу — это моя забота.

— Янис, мы с тобой в одной лодке, если у тебя проблема, то и у меня проблема.

Он с улыбкой погладил меня по щеке.

— Какие-то варианты уже есть? — спросила я.

— Нет, пока не очень.

Я должна была высказать вслух мысль, которая не отпускала меня со вчерашнего вечера. Яниса сжигала жажда независимости, я наконец-то это поняла. Долго же я соображала! Он талантливый, работящий, у него есть все, чтобы добиться успеха. Я понимала, что мое предложение может сработать как детонатор, но поскольку я даже не догадывалась, что он задумал, молчать не имело смысла. К тому же меня распирало.

— Почему бы тебе не начать работать на себя?

Он вздохнул и уставился в потолок. Вопрос его совсем не удивил.

— Я думаю об этом, постоянно думаю. Знала бы ты, сколько я об этом думаю.

Значит, я попала в точку.

— То есть ты этого хочешь?

— В нашей ситуации это невозможно.

— Почему? Ты не должен бояться, я уверена, что у тебя все получится.

— Ты настолько веришь в меня?

— И даже больше, причем тебе это известно. Почему не набраться смелости и не рискнуть? Что тебя останавливает?

Он повернулся ко мне, по его лицу блуждала легкая ухмылка.

— Если честно, то, что меня удерживает, называется деньги.

— Объясни.

Я тут же подумала о своей заначке к его сорокалетию и десятилетию нашей свадьбы. Если она нужна ему, чтобы начать свое дело, я не стану долго колебаться. Перед нами вся жизнь, мы еще успеем попутешествовать.

— Сколько тебе для этого нужно?

— Много. Проблема в том, что у нас ни сантима не отложено, совсем нет наличных для подстраховки. Ни один банк не даст мне кредит. На некоторых проектах необходимо делать предоплату работ до получения денег от заказчика и, значит, придется превысить лимит овердрафта, причем в некоторых случаях речь может идти о нескольких десятках тысяч евро.

О моей заначке можно забыть.

— Сколько-сколько? — подавилась я.

— Не меньше... К тому же меня в этих кругах не знают, у меня нет имени, поскольку я всегда работал на твоего брата. Остается только скупать лотерейные билеты в надежде сорвать джекпот или начать играть в покер!

Несмотря на смех, я чувствовала в его интонации глубокую горечь.

— Не волнуйся. Я быстро найду работу, а если не будет места архитектора-проектировщика, я вернусь на стройку.

— Но...

— Тс-с-с... для меня это не шаг назад. Если понадобится испачкать руки, меня это не напрягает, я люблю работать руками, ты же знаешь?

— Да-а-а...

Я перекатилась на спину и тяжело вздохнула; меня снова охватила ярость, я была так сердита на Люка за то, что он сделал, наверняка не представляя, к каким последствиям это приведет. Он поставил крест и на связи, существовавшей между нами с самого моего рождения, и на своей пятнадцатилетней дружбе с Янисом.

— Не злись. От злости никакого проку. Я знаю, разрыв с Люком тяжело дастся и тебе, и детям. Прости, но у меня не было выбора. Он зашел слишком далеко...

— Я не сержусь на тебя. И согласна с тобой, я ведь уже говорила. И... тебе тоже придется нелегко, Люк — твой лучший друг...

— Даже больше чем друг, я считал его братом. Но именно поэтому я и говорю: братья так не поступают. Могу тебе пообещать: если Жоаким и Эрнест будут так относиться друг к другу, когда вырастут, им придется иметь дело с отцом и пара хороших оплеух вправит им мозги.

— Не думаю, чтобы нас ждали подобные проблемы… ну, или надеюсь.

— Не грусти. Справимся.

— Не сомневаюсь, — ответила я и зевнула.

— А не пора ли спать, как ты думаешь? Подозреваю, что завтра с самого утра нас ждет нашествие орды!

Я засмеялась, поцеловала его. Легла на бок, Янис прижался к моей спине, обнял меня.

— Спасибо за каникулы, — выговорила я сонным голосом. — Мы подзарядились, набрались новых сил.

— Мы еще не раз повторим такие вылазки.

— Я по-прежнему слышу нашу музыку, Янис.

— Я тоже.

Глава 5
Вера

В понедельник Янис, как всегда, отвел детей в сад и в школу, но это утро все равно было необычным. Я вздрогнула, когда он снова возник на пороге, проводив их. Он налил нам еще по чашке кофе и включил ноутбук.

— Начинаешь поиски?

— Да, чего ждать? Люк не из тех, кто примчится умолять меня. А хоть бы и примчался, я уже принял решение, и с его бюро для меня покончено.

— Ну ладно… хорошо…

Я чувствовала себя неуклюжей, забыла, что я обычно делаю, и не знала, чем заняться. Застыла посреди комнаты и так и стояла столбом, уткнувшись глазами в пол. Он встал с барного стула и подошел ко мне.

— Делай то, что всегда… как если бы меня здесь не было. И не беспокойся — мне сегодня будет некогда скучать.

— Прости.

Я собралась, поцеловала его и ушла в агентство. Тревога не отпускала меня. Никогда не видела, чтобы Янис не работал. Он всегда был при деле, мотался между офисом и очередной стройкой, постоянно общался с людьми.

Первую половину дня я не выпускала из рук телефон, ждала, что он позвонит, и удерживала себя, чтобы не позвонить самой, не поинтересоваться, как дела. Не хотелось, чтобы он решил, будто я давлю на него. На самом деле мне просто нужно было удостовериться, что он действительно не пал духом. Не притворяется ли он? Может, что-то скрывает? Я решила дождаться обеденного перерыва, сочтя такую отсрочку честным компромиссом.

И вот наконец-то час дня, я свободна. Сейчас мы с Люсиль пойдем обедать, и я оставлю ее на несколько минут, чтобы позвонить Янису. Опуская штору на окне турагентства, я услышала, что меня зовут, и при звуке этого голоса застыла на месте.

— Извини, боюсь, сегодня не смогу с тобой пообедать, — сказала я коллеге.

— Ничего страшного! Увидимся в полтретьего!

Она ушла, а я, глубоко вздохнув, переключилась на Люка, который явно был в отвратительном настроении. Выражение моего лица едва ли было более любезным.

— Что ты здесь делаешь?

— Твой муж больной, или что? — рявкнул он.

— Для начала ты успокоишься! Если есть тут кто-то

больной, так это ты: сваливаешься мне на голову в рабочее время и даже не здороваешься! Ты хоть понимаешь, где находишься?

— Здравствуй, дорогая младшая сестра... Такое обращение тебя устроит?

— А вот сейчас ты себя ведешь как законченный кретин!

— Можно угостить тебя кофе?

— Нет, это я тебя угощу, причем прямо в агентстве.

— Как скажешь.

Похоже, он возомнил, будто я позволю ему выбирать! Я знала, что нам предстоит бурный разговор, и не хотела, чтобы один из здешних ресторанчиков, где я регулярно обедаю, стал театром братоубийственного сражения. Я заново подняла штору, открыла дверь и пропустила его вперед. Когда мы вошли, я заперла дверь на ключ и не стала включать свет, что лишь усилило холод атмосферы, обозначившийся с самых первых реплик. Люк сел на стул у моего стола. Не спрашивая, какой кофе налить, я просто протянула ему чашку растворимого, потому что другого он не заслуживал. Сама я решила обойтись без кофе и заняла свое место за столом.

— О чем ты собираешься со мной говорить?

— О Янисе! Где он? Я с самого утра пытаюсь ему дозвониться, а он не отвечает!

— Что ты хочешь ему сказать?

— Издеваешься, Вера?

— Отнюдь нет, — ледяным тоном возразила я.

— На выходных твой муж оставил мне заявление об увольнении.

— Тебя это удивляет?

— Он не может вот так взять и бросить меня! Он работает по целому ряду заказов.

— Поздновато ты заметил, что он пашет как проклятый!

— Это полное отсутствие профессионализма. Он не имеет права!

— Тебя не затруднит объяснить почему? Ты его подставил! — завопила я и стукнула кулаком по столу.

— Подставил! Ну ты даешь, — усмехнулся он. — Весь этот сыр-бор только из-за того, что меня не устроил один-единственный проект?

— Естественно. К тому же ты выставил Яниса недееспособным придурком, связавшись напрямую с Тристаном, *его* заказчиком, чтобы сообщить об отказе от работы.

— Тристан! Ты уже называешь его по имени? Ах да, действительно, вы же с ним приятели!

— И что, даже если так? Тебя не касается, с кем мы общаемся. Так не делают! Ты не даешь Янису проявить себя! Ты...

— Ну не будешь же ты требовать для своего мужа статуса творца, в самом деле! Не будь смешной.

— Но ты-то бежишь к нему, когда тебе самому не хватает идей! Я думаю, что на самом деле ты просто завидуешь ему, завидуешь его таланту, нашей жизни, нашей семье, поскольку свою ты профукал! И поэтому ты решил отравить ему существование!

Люк вскочил со стула:

— Завидую твоему мужу? Что еще ты придумаешь?

— А иначе зачем бы ты подрезал ему крылья?

— А ты как думаешь? Вопрос не в том, есть ли у Яниса талант. К сожалению, его приходится постоянно разворачивать в нужном направлении, он разбрасывается, и ему не известно значение слова "ответственность"! Когда однажды ты осознаешь, до какой степени инфантилен твой обожаемый супруг, тебе будет больно, очень больно.

Я встала и, вытянув в его сторону указательный палец, обогнула стол.

— Запрещаю тебе говорить о нем в таком тоне! А я-то считала, что он твой друг, может даже лучший друг. И хочу тебе напомнить: ты говоришь об отце моих детей!

Я схватила его за руку и резко подтолкнула к двери агентства:

— Убирайся, не хочу тебя больше никогда видеть!

— Я догадывался, что ты так отреагируешь, Вера, — неожиданно успокоившись, ответил он уже с порога. — Ты всегда будешь его защищать, что в определенном смысле вполне нормально. Надеюсь, что ты об этом не пожалеешь. Но… ты что, хочешь сказать, что я больше не увижу племянников? Ты же знаешь, я люблю их, как собственных детей.

Господи, никогда бы не подумала, что мой брат настолько коварен. Он пытается надавить на меня, используя для этого детей.

— Можешь забыть о них до тех пор, пока не извинишься перед их отцом. Что до твоих близнецов, то они уже большие и у них есть мобильники, так что могут мне звонить, когда хотят. Они не должны страдать из-за низости их отца.

— Если ты так на это смотришь… Я ухожу, потому что ты этого хочешь… но я остаюсь твоим братом. И будь осторожна.

— Вали отсюда! — заорала я, глотая слезы.

Он бросил на меня последний взгляд, и я не захотела прочесть в нем грусть. Он не разжалобит меня. В нашем разрыве виноват он, и только он. Тем не менее я не отрывала от него глаз, пока он не вышел. И только тогда в первый раз всхлипнула. Не думала, что мне будет так тяжело. Я потеряла брата, последнего, кто остался от моей первой семьи. Наши родители умерли много лет назад. С тех пор нас было только двое, Люк и я. И вот теперь я одна. Я изо всех сил сдерживала рыдания, зная, что долго не вытерплю. Телефонный звонок заставил меня подпрыгнуть. Янис. Я изо всех сил заморгала, чтобы не расплакаться, потом глубоко вздохнула и только после этого ответила.

— Я собиралась тебе позвонить, — сразу же заявила я.

— Что у тебя стряслось?

Меня выдал охрипший голос.

— Ничего. — Я откашлялась. — Просто подавилась. Как у тебя дела?

— Неплохо. Знаешь, мне звонил Тристан.

— Да? И чего он хотел?

— Снова настаивал на том, чтобы мы работали над его проектом.

— Получается, для него это действительно важно и отказ огорчил его. Он винит тебя?

— Нет, не думаю, скорее похоже на то, что он догадался о моих разногласиях с твоим братом.

Разногласия? Да нет, тут кое-что посерьезнее...

— Представь, он приглашает нас к себе на ужин сегодня вечером.

— Не может быть!

— А вот и может. Очень мило, да? Я позвонил Шарлотте, хотел попросить ее взять детей, но она занята. Кстати, я даже не успел сообщить ей свои новости, она очень торопилась. Расскажешь ей завтра, когда будете обедать?

— Да, конечно, расскажу. То есть у нас сегодня вечером не получится?

Если честно, это меня устраивало. Во-первых, у меня не было ни малейшего желания идти в гости. Во-вторых, я опасалась, как бы такая встреча не разбередила Янисову рану.

— Еще как получится. Я спустился к консьержке, ее Каролина не прочь немного заработать бебиситтерством. Он ждет нас к восьми.

— Отлично.

— У тебя правда все в порядке? Какая-то ты странная.

— Все хорошо! Просто настроение не очень, и я еще не обедала.

— Почему? У тебя уже полчаса как перерыв.

— Знаю, но я сидела в интернете, просматривала всякие глупости и не заметила, как прошло время.

— Беги купи себе хотя бы бутерброд. Если ты устала, я могу отменить ужин.

— Нет! Пойдем. Я с удовольствием, он симпатичный, этот мужик.

— Как скажешь. Иди поешь. Не торопись сегодня вечером, я сам займусь детьми. Целую.

— И я тебя...

Я положила трубку, меня терзали угрызения совести. Я только что солгала Янису, чего до сих пор ни разу со мной не случалось. Мне это ужасно не нравилось. Пусть я промолчала ради того, чтобы оградить его от тех мерзостей, что наговорил брат, но благое намерение — не повод врать. Мне нет оправдания. Зачем я это сделала?

После обеда я изо всех сил старалась не вспоминать о брате и сосредоточиться исключительно на Янисе. Впрочем, я не сомневалась, что на ужине у Тристана зайдет разговор о Люке. И зачем вообще он нас пригласил? Я надеялась, что это не ловушка для Яниса и Тристан не примется обвинять его в том, что зря потерял время, а их с Люком бюро — шарашкина контора. В конце концов, мы этого человека не знаем, Янис общался с ним чуть больше моего, но все равно… У людей бывают разные тараканы. Но поскольку меня и так мучила совесть из-за того, что я солгала мужу, я решила не делиться с ним своими сомнениями, заметив, как он рад звонку и приглашению Тристана.

Мы оставили детей на дочку консьержки. Они были в восторге: это означало дополнительный выходной в середине недели. Только бы ей удалось уложить их не слишком поздно… Ровно в восемь мы позвонили в двустворчатую дверь Тристановой квартиры. Он жил в чопорном квартале шестнадцатого округа, безжизненном, без магазинов, с рядами роскошных, но лишенных души домов. Легко догадаться, что, когда он возвращается с работы, у него не возникает проблем с парковкой: по соседству наверняка имеется строго охраняемая стоянка. Янис постоянно бросал на меня озабоченные взгляды. По всей вероятности, не все следы ссоры, случившейся в обеденный перерыв, стерлись с моего лица.

— Ты уверена, что все в порядке? — спросил он в энный раз, когда мы ждали, пока Тристан нам откроет.

— Да-да! Честное слово! Просто беспокоюсь, как там дети?

— Мне известен ответ: прекрасно. Этот вечер будет нам полезен. Согласна?

Я кивнула. Янис наклонился ко мне и поцеловал. В тот самый момент, когда он отодвигался от меня, дверь открылась. Еще немного, и нас бы застукали, словно двух подростков, целующихся, пока никто не видит. Тристан, чья бледность поразила меня не меньше, чем в день знакомства, тепло приветствовал нас:

— Добрый вечер, Вера, Янис, спасибо, что приняли мое приглашение. Входите, пожалуйста. Будьте как дома.

Он пожал руку мне, затем Янису, который протянул ему бутылку вина, купленную по этому случаю.

— Могу я помочь вам раздеться? — предложил он.

— Спасибо.

Я отдала ему куртку, и он повесил ее, аккуратно расправив, в шкаф в прихожей. Потом жестом пригласил нас в гостиную, по первому впечатлению довольно холодную — с темными стенами и полом из полированного бетона — и достаточно просторную, чтобы в ней поместился концертный рояль. Два дивана, обитых тканью и разделенных стеклянным журнальным столиком, стояли друг напротив друга. Одна стена была целиком скрыта под книжными полками, остальные три украшали современные картины, смысл которых ускользал от меня целиком и полностью. В четырех углах комнаты стояли небольшие колонки, из них доносился джаз. Звук, к счастью, был не слишком громким, что меня успокоило, поскольку такая музыка довольно быстро начинает царапать мне уши. К большой печали Яниса, который обожает джаз. Он, между прочим, передал свою страсть Жоакиму и даже записал его на индивидуальные уроки игры на тромбоне, чего сам Янис в детстве был лишен. У них с Тристаном действительно много общего, это уж точно! Чуткое ухо моего мужа уловило мелодию, и они с хозяином завели разговор о джазе, а я продолжила изучать гостиную. Единственный индивидуальный штрих в комнате — рамка с тремя фотографиями. Я поняла, что это его дочки. Мне ужасно захотелось подойти поближе и рассмотреть их. В целом же помещение соответствовало моему представлению о человеке, который живет один и имеет достаточно средств, чтобы нанять домработницу на полный день. *Моя мечта!* Ни пылинки, ни намека на беспорядок. Правда, на мой вкус, слишком все вылизано. И ни следа женского присутствия — это бросалось в глаза уже в прихожей: в стенном шкафу висели в ряд только пиджаки от костюмов. Я это сразу заметила, когда мы пришли, и у меня мелькнула мысль, что нам вряд ли предстоит встреча с подругой Тристана. Я села на диван, Янис рядом со мной.

— Я приготовил бутылку красного вина, вы не против?

— Я с удовольствием, — ответила я.

— Супер, — поддержал мой муж, который озирался, разглядывая комнату.

Скорее всего, он нашел, что интерьеру недостает фантазийных элементов и красок. Если даже мне захотелось разворошить выверенную до миллиметра стопку глянцевых журналов на журнальном столике, то вообразить, какие идеи зарождаются у Яниса, я не решалась. Тем не менее я готова была признать, что интерьер весьма изысканный, не лишенный, впрочем, намека на уют, чему немало способствовало приглушенное освещение. В общем, у меня сложилось впечатление, будто я попала в лобби роскошного отеля, где все строго, шикарно, отличается хорошим вкусом. И заоблачной ценой, естественно.

— Отлично выглядите! Чем занимались в эти выходные? — спросил хозяин, разливая вино.

— Янис устроил нам с детьми сюрприз — поездку к морю, — объяснила я, удивившись про себя, что открыла рот первой. — Одного дня на пляже хватило, чтобы посвежеть.

Тристан покивал и обратился к моему мужу:

— Какой ты молодец!

Янис засмеялся, ему это замечание явно польстило.

— Нет, правда, — продолжил Тристан. — Я не способен на такие импровизации, мне необходимо все организовать заранее, все просчитать, вплоть до мельчайших деталей. А ты везешь куда-то жену и детей, особо не задумываясь.

— Могу тебя научить, если хочешь!

— Ловлю на слове, обязательно напомню о твоем предложении.

Я становилась свидетельницей зарождающейся дружбы. Еще немного — и они начнут друг друга подначивать, подозревала я, хотя мне трудно было представить себе школьный юмор или сомнительные анекдоты в устах Тристана. Или Тристана, смеющегося над подобными шутками. Зато мне легко было вообразить их в самом ближайшем будущем пьющими вдвоем пиво из горлышка. Я также подумала, что, исчезни я сейчас из этой комнаты каким-то волшебным образом, они бы даже не заметили. Янис только что потерял своего самого давнего друга и, словно взамен, получал нового. Как-то странно, но я привыкну. Да и есть ли у меня выбор? Не уверена.

— ...Больше всего меня впечатлило, что ты сделал это после того, как я накинулся на тебя, не дав толком проснуться. Кстати, я хотел бы извиниться перед вами, Вера, за то, что позвонил Янису рано утром, к тому же в субботу. Мне очень неприятно, я как-то не подумал.

— Не переживайте, Тристан. Все в порядке, уверяю вас.

— Эй вы, двое, — перебил Янис, — не пора ли завершить обмен любезностями, а заодно перестать "выкать"?! А то мне начинает казаться, будто я мальчишка, которого вызвали с мамой в кабинет к директору школы, чтобы устроить выволочку. Это пробуждает воспоминания, без которых я бы легко обошелся.

Я с трудом сдержала смех. Янис прав, я держалась скованно. Мой собеседник демонстрировал отличное воспитание и прекрасные манеры. Я тоже была предельно вежлива, но между нами имелась существенная разница: его любезность была естественной, как будто врожденной, и это не мой случай. Он подал очередную учтивую реплику:

— Вам решать, Вера. Я не могу взять на себя такую смелость.

Я заметила, что Янис наблюдает за мной. Я улыбнулась и бросила на каждого из них взгляд из-под опущенных ресниц. Потом взяла в руку бокал и протянула его над столиком.

— Твое здоровье, Тристан! — пропела я.

После этого мы все трое включились в беседу, ставшую гораздо непринужденнее. Мы говорили о том о сем, одновременно лучше узнавая друг друга, чередовали банальные темы с более серьезными, вспоминали какие-то эпизоды своей жизни, но не слишком раскрывали душу. Тристан расспрашивал нас о детях, их характерах, о том, ладят ли они друг с другом. Я развеселила его, сообщив, что Виолетта до сих пор не забыла, как он назвал ее принцессочкой.

— Ты завоевал сердце моей дочери, — пошутил Янис. — Уверен, что при следующей встрече она натянет на себя все украшения зараз, чтобы продемонстрировать силу своих чар!

— К счастью, у меня тоже дочки, так что я, наверное, сумею устоять.

Он на мгновение помрачнел и тут же, извинившись, встал и объявил, что ему необходимо отлучиться на кухню. Мы с Янисом переглянулись. Вопреки тому, что он утверждал, когда был у нас в гостях, разлука с дочерьми дается ему не так уж легко, по всей видимости. Как мать, я хорошо его понимала.

— Тристан, — позвала я. — Тебе помочь?

— Ни в коем случае, не беспокойся.

— А что твои дочки? Ты говорил, им тринадцать и пятнадцать лет, правильно? Как их зовут?

— У тебя хорошая память, — ответил он из кухни. — Кларисса старшая, Мари младшая. Так что я советую вам набраться отваги и выдержки перед переходным возрастом вашей троицы. Это нелегкое испытание!

— Настолько?

— Может, я преувеличиваю...

— У их матери новая жизнь? — в простоте душевной поинтересовался Янис. — А ты?

Я пнула его ногой под столом и сделала большие глаза. Он скорчил гримасу, чтобы не вскрикнуть. Наверное, я не пожалела силы. Ничего, ему не повредит.

— Вера, нет нужды истязать Яниса.

Я вздрогнула, услышав голос бесшумно вошедшего Тристана. С улыбкой на губах он взял со столика свой бокал, не стал садиться и отпил глоток, глядя на меня:

— На его месте я бы тоже задал такой вопрос.

После секундной паузы Янис расхохотался.

— Мы, мужчины, всегда друг друга поймем! — выговорил он сквозь смех, потом поднялся и покосился на меня. — Черт возьми, ты покалечила мне ногу!

После чего снова переключил внимание на Тристана:

— Так где она прячется, женщина твоей мечты?

Тристан криво усмехнулся и послал мне взгляд, в котором читалось: он так просто не сдастся. Я пожала плечами.

— Я ее еще не нашел. Прекратил поиски после нескольких маловпечатляющих встреч.

Он как будто разочаровался в любви, и это грустно, подумала я. И обидно за него, у которого вроде бы есть все, чтобы найти подругу и разделить с ней жизнь.

— Приглашаю вас к столу!

Тристан наверняка педант и аккуратист. Стол был накрыт с большой тщательностью: скатерть, салфетки из ткани, дорогая посуда. У него это получилось так естественно, что никто не смог бы упрекнуть его в том, что он перестарался, что слишком уж много роскоши или что он хотел пустить нам пыль в глаза. Качество блюд полностью соответствовало уровню сервировки — он устроил нам шикарный ужин. Однако Тристан не собирался скрывать, что в этом нет ни малейшей его заслуги. Все приготовила домработница, ему осталось лишь подогреть.

После еды мы не вышли из-за стола, Тристан подал кофе и сливовую водку. Его несовременные, слегка старомодные манеры вроде как сбивали с толку, но одновременно казались забавными и даже трогательными. Меня заинтересовало, откуда такое воспитание. Впрочем, я считала неуместными любые расспросы о его происхождении. Я также знала, что, если нам доведется встретиться еще раз — уж Янису-то наверняка доведется, — мой муж не преминет совершить очередную бестактность и не станет заморачиваться соображениями приличия, если ему захочется побольше узнать о новом друге. К тому же приходилось признать, что разговаривать с этим человеком просто, контакт с ним устанавливался легко, без усилий.

— Кстати, Янис, — обратился к нему Тристан. — С Люком все утряслось?

Я резко повернулась к мужу:

— Ты ему не сказал?

— Нет еще.

Между нами завязался беззвучный диалог. Я спрашивала, почему он промолчал, он объяснял, что ему неловко говорить об этом.

— Вы о чем? — прервал нас Тристан. — Объясните. Я недостаточно хорошо вас знаю, чтобы расшифровать ваш обмен мнениями.

— Ну да, не так-то это просто. — Я следила за Янисом.

— Вообще-то, — начал тот, — я уволился.

— А почему? Надеюсь, я не стал причиной твоих неприятностей...

— Как ты наверняка догадался, Люк отправил тебе сообщение об отказе от сотрудничества за моей спиной. Это стало последней каплей. У нас уже давно начались трения, он лишал меня какой бы то ни было свободы действий.

Тристан нахмурился, уставился на Яниса и, судя по всему, погрузился в размышления.

— Мне очень жаль, — помолчав, произнес он. — Я чувствую себя виноватым.

— Не говори глупостей!

Тристан вздохнул, ему явно было не по себе.

— Ну конечно… Я же подлил масла в огонь, набиваясь к вам в клиенты.

— Можно мне сказать? — вмешалась я. — Тристан, я почти благодарна тебе. Без тебя я бы так и не узнала, что Янис задыхается в конторе моего брата.

— Я не хотел тебя зря волновать, — промямлил мой муж.

— Получается, нет худа без добра, — успокоил меня Тристан.

Он встал, немного походил по гостиной, остановился перед окном, засунув руки в карманы брюк.

— Ты уверен, что теперь уже ничего не исправишь? — спросил он у Яниса, не оборачиваясь и продолжая изучать улицу.

— Я провел весь сегодняшний день в поисках новой работы. Достаточно убедительный ответ?

— Безусловно. Ясно и понятно.

Его рот искривился в странной ухмылке. Что означало это выражение лица? Ему нравились резковатые ответы Яниса? Или тут что-то другое? На сей раз дешифратор требовался мне.

— Вера говорит, что ты задыхался, ты жалуешься на недостаток свободы. Твое будущее кажется мне абсолютно очевидным.

— Хочешь сказать, что ты ясновидящий? — подскочил мой муж.

— Не принуждай себя и дальше работать под чьим-то началом. Тебе не дадут раскрыть твой потенциал. Поверь моему опыту... Стань сам себе хозяином. Открой собственную фирму.

Мы с ним мыслим одинаково.

Муж подошел к нему, нервно провел рукой по волосам, иронично хмыкнул:

— Забавно, что ты это посоветовал, Вера предлагала то же самое. И я отвечу тебе так же, как ей. Я уже не раз серьезно задумывался об этом. Особенно когда появлялись проекты типа твоего и руки, естественно, начинали чесаться. Если бы я смог начать собственное дело, это стало бы для меня серьезным прорывом. Но я реалист, что бы и кто бы, в частности Люк, обо мне ни думал. На мне ответственность, у нас трое детей, на нас висит ипотека, текущие расходы. И если уж быть до конца откровенным, у нас не отложено ни сантима. Ни один банк не предоставит мне кредит.

Они стояли друг напротив друга, словно два бойцовых петуха. Я испугалась, что Янис вот-вот взорвется, заметно было, как быстро в нем нарастает раздражение. Тристан же оставался абсолютно безмятежным.

— Мы не знакомы близко, но я буду откровенен с тобой, Янис.

Муж озадаченно кивнул.

— Я выслушал тебя и понимаю, что у тебя есть желание и талант, чему я имел убедительное подтверждение. Тебя сдерживает только отсутствие денег. Но это псевдопроблема.

— Ау! Ты с какой планеты прилетел? Бабки с неба не падают.

— А если я поручусь за тебя?

Янис скривился:

— Ты только что сам согласился, что едва знаком со мной. С чего бы тебе так рисковать?

— Я знаю тебя достаточно, чтобы быть уверенным: с тобой моим деньгам ничего не грозит, — не задумываясь, ответил Тристан.

Я шумно сглотнула, совершенно ошарашенная, понимая, что присутствую при резком повороте в жизни и карьере Яниса.

— Классное предложение! — выдохнул муж с какой-то странной, незнакомой мне интонацией.

Затем он обратился ко мне:

— Вера, пора отпускать няню.

Я поняла, что нужно срочно уходить. Он обескуражен и окончательно растерялся.

— Подожди! — удержал его Тристан. — Я серьезно, я не смеюсь над тобой.

Янис набрал побольше воздуха в легкие, его челюсти оставались сжатыми.

— Вот и хорошо… я тебе благодарен, но не могу согласиться, у меня на это не хватит пороху.

— А я уверен, что хватит. Давай обсудим. Приходи завтра ко мне на работу…

— Я сказал “нет”!

Почему он захлопнулся как устрица?

— Если передумаешь…

— Вера, ты готова?

— Да, да, — ответила я, вскакивая со стула. — Тристан, дашь мне куртку?

— Конечно, сейчас.

Мы втроем вышли в прихожую. Хозяин дома достал из шкафа мою куртку. Он озабоченно морщил лоб. Я внимательно наблюдала за Янисом, пока галантный Тристан помогал мне одеться. Мой муж расплылся в своей самой обаятельной улыбке:

— Спасибо за вечер, все было супер! Надо будет повторить.

— Повторим, почему нет, — ответил Тристан, пожимая ему руку.

Янис открыл дверь и вышел на площадку, не дожидаясь меня. Я подбежала к Тристану и импульсивно поцеловала его в щеку. Он этим воспользовался, чтобы шепнуть мне на ухо:

— Надеюсь, я не обидел его и не поставил в неловкое положение. Злюсь на себя, не нужно было это так представлять, как-то бестактно получилось.

— Не волнуйся, — тихонько успокоила я и двинулась к выходу. — Все уладится.

Он удержал меня за руку:

— Вера, не нужно быть близко знакомым с вами, чтобы понять: ты единственный человек на свете, который сможет убедить его хотя бы поразмыслить. Я не делаю непродуманных предложений. Он способный, он действительно очень способный.

Я легонько кивнула и бросилась вдогонку за Янисом, который уже сбегал по ступенькам. Как за мной захлопнулась дверь, я не услышала.

— Подожди меня!

Нет ответа, он решил поупрямиться.

— Янис! Хватит!

Он махнул рукой и продолжил бег по лестнице. Когда я тоже спустилась и вышла на улицу, он расхаживал взад-вперед по тротуару. Потом, сцепив руки на затылке, виновато покосился на меня:

— Я бы сейчас выкурил сигаретку.

Вот только этого не хватало! От слова "сигаретка" меня затрясло.

— И речи быть не может! Если ты сорвешься, я тоже сорвусь вместе с тобой! Что на тебя нашло там, наверху?

— Этот тип просто больной, псих!

— Почему? Он поверил в тебя! Ты из-за этого разозлился? Бред какой-то! Послушай, что тебе мешает просто подумать над его предложением?

— Вера! Нет, нет и нет! Не хочу даже слышать об этом.

— Но…

— Прошу тебя, не усложняй то, что и так сложно… и пошли домой.

Он глухо молчал, пока мы добирались до дому, не перекинулся ни словом с Каролиной. Как только она ушла, он попросил меня не ждать его и идти спать, он поднимется позже. Я остановилась на середине выдвижной лестницы, чтобы понаблюдать за ним, а он этого даже не заметил. Предложение Тристана потрясло его еще больше, чем мне показалось. Его реакция многое говорила о подрывной работе брата: Янис прятался за денежной проблемой, чтобы не начинать самостоятельное дело, так как совсем не верил в себя. На кухне он ненадолго садился на барный стул и тут же вскакивал, будто его оса ужалила. И так несколько раз, пока не решил, что пора немного поднять боевой дух, и не пошел к бару. Мне хотелось его встряхнуть, вселить в него уверенность, но он бы не подпустил меня к себе. Он поднялся в спальню только два часа спустя, посреди ночи. Я так и не сомкнула глаз, но притворилась, будто сплю. Он лег, не дотронувшись до меня, и повернулся на бок ко мне спиной. Я не шевелилась, вслушивалась в его дыхание. Ощущала исходящее от него напряжение и не знала, что делать. Меня переполняло чувство бессилия, мне так хотелось подстегнуть его, впрыснуть ему порцию уверенности, а заодно и дозу бесшабашности, которую он почему-то вдруг резко утратил. Он так и не заснул до утра. Я тоже.

Глава 6
Янис

Хлопнула входная дверь. Вера ушла, можно перевести дух. Я сел на то же место, что и вчера, рухнул на барный стул. Со мной такое впервые: с той самой минуты, как мы встали, я мечтал лишь об одном — только бы она поскорее ушла и оставила меня наедине с моими проблемами. Мне делалось плохо от одного ее взволнованного, вопрошающего взгляда. Она ждала объяснений по поводу моего вчерашнего поведения у Тристана, хотела какой-то реакции, действий, ей нужны были ответы на вопросы. *Точнее, ответ на главный вопрос.* Почему я категорически отказывался обдумать его предложение, притом что последние три дня трубил о желании начать свое дело? Как же по-идиотски я вел себя! В выходные надо было заткнуть пасть и помалкивать! Тогда сейчас я бы не был загнан в угол. Или все же был бы?.. Да, это произошло бы в любом случае. Я уволился, поддавшись порыву, убедив себя, что заслуживаю лучшего, нежели работать на Люка в его дурацком бюро. Действительно ли я так считаю? Не уверен... Если я поддамся на сладкие уговоры Тристана, не факт, что справлюсь. А если провалюсь, это будет катастрофа. Я несу ответственность как отец, как муж, мой долг — обеспечивать семью. Не говоря уж о том, что мне хочется баловать их всех четверых. Нанять домработницу, чтобы Вера не надрывалась, сражаясь с бардаком, который мы с детьми регулярно устраиваем. Я мечтаю дарить ей платья, которые она любит, все эти необычные платья, наделившие нашу дочку страстью к переодеваниям в принцессу. Мне тяжело и дальше откладывать покупку нового тромбона для Жоакима — невыносимо наблюдать за тем, как он сражается с жалким инструментом, который я отыскал для него на сайте бесплатных объявлений. Я представляю себе, как оплачу путешествие нашей мечты к десятилетию свадьбы. Так что рисковать с работой... Стоит ли того моя независимость? И главное, кто доверит мне серьезный проект? Люк — профессионал с репутацией, званиями и дипломами. А я кто такой по сравнению с ним? Шут, паяц, тот, кому от случая к случаю заказывают мелкие поделки, у кого нет ни мозгов, ни образования. Ну да, я могу распускать хвост, вышагивать с молотком в руке и карандашом за ухом, воображая себя Макгайвером[1]. Вот только если я уйду в свободное плавание, клиенты будут ждать от меня значительно большего. Смогу ли я удовлетворить их запросы

1 *Макгайвер* — герой телесериалов "Макгайвер" и "Секретный агент Макгайвер", отличающийся особо выдающейся смекалкой.

с моим жалким запасом знаний и умений? Однако, будем честны, я умираю от желания взять реванш над Люком со всеми его едкими замечаниями. И пусть Вера говорит, что гордится мной, она заслуживает лучшего мужа, не такого, как я, которому скоро стукнет сороковник, а ничего выдающегося еще не сделано. Чем я занимался до сих пор? Да ничем! Был жалким трусом, прятавшимся за чужие спины. Но в глубине души я всегда надеялся, что однажды мои дети смогут хвастаться успехами отца. До сих пор мне удавалось добиваться их восторга подручными средствами — строя вместе с ними крепости из песка или устраивая маскарады. Пока мне еще легко оставаться их кумиром. Но что они будут думать обо мне через несколько лет, если я больше ничего не сделаю? Маленький умник Жоаким, мечтающий о музыкальной школе, и маленький хитрец Эрнест, соображающий гораздо шустрее многих ровесников, быстро все поймут. Да и Виолетта, став взрослой, отвернется от отца после первого же знакомства с адвокатом или врачом. А Вера, любовь всей моей жизни? Кто поручится, что однажды ее глаза не заблестят при встрече с образованным, умным, солидным мужчиной, который умеет не только сверлить отверстия в стенах и отплясывать босиком в гостиной? При одной мысли об этом я впал в дикую ярость и с размаху стукнул кулаком по кухонной столешнице. Затем еще и еще. Я бил и бил по столу. Бил, мстя за свои провалы, желания, страхи, угнездившиеся глубоко внутри. Остановил меня звонок мобильника. Вера. Так скоро?

— Ты что-то забыла? — спросил я.

— Нет, а если бы и забыла, то заметила бы гораздо раньше. Уже почти полдень.

— Что?

То есть я почти три часа мусолил свои переживания и предавался мрачным мыслям. Хорошо, что она что-то учуяла и позвонила, не то я бы разгромил всю квартиру.

— А ты думал, который час?

— Не важно. У тебя все в порядке?

— А у тебя?

— Да, да... Собираешься на обед с Шарлоттой?

— Нет, я позвонила и отменила встречу...

— Даже так? А почему?

— Янис... нам надо поговорить... Приезжай сюда, пообедаем вместе... Ну пожалуйста! Мне нужно многое тебе сказать.

— Что случилось?

— Не паникуй... Мне просто надо с тобой встретиться, вот и все.

Я вздохнул:

— Ладно! Сейчас буду!

Я схватил бумажник, ключи, куртку, шлем и захлопнул за собой дверь. Сбежал с шестого этажа и толкнул входную дверь. Первое, что я заметил, была мигающая вывеска табачной лавки. Я встал к ней спиной, сделал десять шагов в направлении мотоцикла, потом развернулся. "Да гори оно все огнем! Никто не узнает!" — пробурчал я. С наслаждением вдохнув специфический запах магазинчика, я погрузился в обычную для него атмосферу азарта вокруг тотализатора. Вот уже пять лет, как я обхожу стороной это место и так отстал от жизни, что едва не устроил скандал, когда увидел жалкую горстку монеток — сдачу с десяти евро, которыми я расплатился за сигареты и зажигалку. Я уже почти жалел о покупке. Выйдя на улицу, я еще помедлил и неторопливо добрел до мотоцикла, сжимая в руке мягкую пачку. Бросив взгляд на часы, я понял, что время у меня есть. Дрожащими руками я разорвал целлофан, почуял аромат табака, жадно втянул его. Пять лет воздержания разлетятся с дымом прямо сейчас. Я заозирался, опасаясь, как бы меня не застукали, но не заметил поблизости ни одного знакомого лица. Я вел себя как подросток, решившийся втихомолку выкурить на пустыре первую в жизни сигарету. Вот только когда я был подростком, меня особо не контролировали, поскольку родители были людьми терпимыми. Я вынул сигарету, зажал ее губами, фильтр показался мне чуть ли не сладким, хотя я знал, что это бред и сигареты — *леденцы для рака*. Щелчок зажигалки прозвучал мелодичнее, чем лучший из лучших пассажей Херби Хэнкока. Я зажмурился и сделал первую затяжку, она ободрала мне горло, и меня чуть не вырвало. Но как же это было классно! Всё-всё: запах, дым, который ел глаза, тепло сигареты, зажатой между пальцами. И пока я курил впервые после такого долгого перерыва, я не думал ни о чем другом. Зато, как только окурок полетел на мостовую, перед моим мысленным взором всплыло разочарованное лицо Веры. Все-таки я последний кретин. Но слишком поздно, уже ничего не изменишь. К тому же я был не способен убедить себя в том, что эта единственная сигарета — лишь маленькая уступка слабости и второй не будет.

Я порылся в кармане джинсов и чудом нашел коробочку леденцов.

Когда двадцать минут спустя я стоял перед входом в агентство, мне чудилось, будто каждый сантиметр моей кожи источает запах табака. Вера еще занималась клиентами. Она заметила меня, и я жестом показал, что подожду в ресторане. Там я сразу взял кружку пива, чтобы не думать о том, как сильно мне хочется курить, и замаскировать запах курева изо рта. Облокотившись о стойку, я смотрел, как она переходит дорогу. Верин вид сразу выдал ее: походка оставалась такой же легкой, как всегда, но обычно прямая спина сгорбилась, да и улыбка была какой-то искусственной. Она, правда, сделалась шире при виде меня. Вера быстро подошла ко мне, я едва успел сделать последний глоток пива до того, как она меня поцеловала.

— Как дела? — спросил я, отбрасывая у нее со лба вечно падавшую на глаза прядь волос.

— Все в порядке, я рада, что мы вместе пообедаем.

— Может, и рада, но общения с Шарлоттой тебе будет не хватать.

— Для меня это сейчас не главное! — возразила она.

— Представляю, что она тебе устроила.

Вера еле слышно хихикнула.

— Все не так страшно, я собралась с духом и объяснила ей ситуацию… последние перемены… ну, все это…

— Да? И что она?

— Давай сперва сядем.

Она взяла меня за руку, ту самую, которой я полчаса назад держал сигарету, стиснула мои пальцы и увлекла на закрытую террасу. По пути она остановилась и поздоровалась с официантом, который нашел нам столик подальше от других. Несколько секунд ее взгляд блуждал где-то далеко.

— Так что Шарлотта? Наверняка у нее уже есть готовое и четкое мнение.

— Странно, но ее это огорчило, я имею в виду ссору с Люком. Она не понимает, что случилось.

Если бы только она одна!

— Когда ты с ней встретишься?

— Не знаю, скоро... Да ладно, это меня меньше всего волнует...

Впрочем, как и меня. Мы замолчали. Вера открыла меню и притворилась, будто изучает его. Спрятавшись за своим меню, я наблюдал за ней и заметил, что она, скорее всего, пролежала всю ночь без сна. Впрочем, я тоже до утра следил за медленно ползущей стрелкой будильника. Сейчас у нее под глазами были темные круги в пол-лица, а красивый загар побледнел. Официант принял у нас заказ. Я добавил графинчик красного вина к бутылке воды, которой хотела ограничиться жена.

— Я догадываюсь, что ты хотела поговорить со мной не о Шарлотте, Вера. Давай не будем ходить вокруг да около.

Она наморщила нос. Мы долго смотрели друг другу в глаза, мне стало легче, вернулась совсем было пропавшая уверенность в себе. Она умела проделывать такое со мной. Само ее присутствие умиротворяло, и так было с первой минуты нашей первой встречи. Зачем же я избегал ее, если ей известны ответы? Ее лицо было немного грустным, однако на нем была написана и готовность к бою, которая, я знал, всегда означала, что Вера приняла серьезное решение.

— Выслушай меня. И пожалуйста, не перебивай после каждой фразы...

Я кивнул. Нам принесли вино, я разлил его по бокалам и сделал большой глоток:

— Давай.

Она глубоко вздохнула, наверняка чтобы набраться храбрости.

— Ты хочешь защитить нас, детей и меня, беспокоишься за нас. Я знаю тебя как облупленного... Знаю, что для тебя наша семья и наше счастье — это самое главное. Но если не будешь счастлив ты, мы тоже не будем. Ты должен вбить себе это в башку! У меня такое впечатление, что ты утратил веру в себя и свои профессиональные способности. Иначе почему бы ты стал отказывался открыть собственное дело?

Я нащупал в кармане сигаретную пачку и сглотнул слюну, перед тем как ответить ей.

— Я тебе уже говорил вчера, у меня не хватит пороху, риск слишком велик! Я даже не знаю, способен ли я на это!

— Способен, Янис, еще как способен! И в глубине души ты это знаешь! Ты используешь деньги как предлог, лишь бы не ввязываться в бой!

Ощущение, что я жалкий тип и мокрая курица, стало еще острее.

— Ты думаешь, я испугался?

— Да! Из-за брата, который регулярно вытирал

об тебя ноги, а потом вообще закрыл проект твоей жизни!

— А если я с треском провалюсь?

— Ты не провалишься! Ты способный, сколько раз мне придется это повторять? Ты работящий, смелый, и я знаю, что ты в лепешку расшибешься ради клиентов. Ты умеешь их уговаривать, и у тебя есть необычные идеи. Вспомни реакцию Тристана, когда он увидел, что ты сделал с нашей квартирой. И потом, когда он слушал твои предложения по проекту. Забудь о моем брате, который хотел тебя принизить. Не поддавайся, не позволяй ему выиграть и отодвинуть тебя на исходную позицию. Давай! Я верю в тебя. И буду помогать, поддерживать.

— А деньги?

Последний неопровержимый аргумент. Но я отдавал себе отчет, что со вчерашнего вечера он звучит неубедительно.

— Засунь на время гордость в карман. И вообще, не все такие, как Люк. Иди к Тристану, выслушай, что он предлагает, потому что он готов помочь. Ты сам слышал вчера...

О да, я хорошо слышал. Будь я один на свете, я бы принял его предложение, не раздумывая.

— К тому же я ведь работаю, и у нас будет моя зарплата, пока у тебя не появятся деньги. Никто не собирается меня увольнять, так что мы немножко затянем пояса и все, ничего страшного. Прошу тебя, не отказывайся от своей мечты, тем более ради нас. Ты говорил, что хочешь что-то сделать до того, как тебе исполнится сорок, так вот он, твой шанс. Ты уже проявил себя, и тебе не хватает лишь последнего толчка, чтобы начать собственное дело. Не упусти момент. Иди вперед!

Я допил свой бокал и сразу налил еще.

— Ты готова так рисковать ради меня?

Она покачала головой и закатила глаза:

— Но послушай, Янис, с каких небес ты свалился? Тебе же прекрасно известно, что скажи ты мне: брось все, мы отправляемся в кругосветное плавание на плоту, — и я тут же все брошу.

Была половина третьего, я только что проводил Веру до офиса. Она ободрила меня, придала сил и смелости, и я готов был решиться. Вера позволила мне сделать то, что я себе запрещал. Она подталкивала меня, добиваясь, чтобы я себя преодолел. Что ж, я буду на высоте, и она сможет мной гордиться. Я сел на мотоцикл, но не двинулся с места, а сначала позвонил Тристану. Он ответил после первого звонка.

— Когда ты сможешь меня принять? — спросил я, опуская вступительные любезности.

Он недолго помолчал, а затем выдохнул:

— Сейчас.

— Где ты?

Еще несколько мгновений молчания.

— В нашем доме, с одним из твоих конкурентов.

— Предупреди их, что контракт отхватил никому не известный новичок, — хвастливо среагировал я.

Он даже не притворился, будто удивлен.

— Приезжай через полчаса ко мне в офис.

— Уже еду.

Я отключился и тут же нажал на газ.

Офис Тристана находился в одном здании с юридической фирмой, специализирующейся на хозяйственном праве. Девушка у стойки попросила меня подождать. В таких местах я всегда чувствую себя не в своей тарелке, поэтому я переминался с ноги на ногу, засунув руки в карманы. Мимо проходили мужчины в офисных костюмах, при галстуках, и я в своих джинсах, майке, кроссовках и старой кожаной куртке выглядел случайным прохожим, которого непонятно как сюда занесло. Не самый подходящий прикид для серьезных деловых переговоров. Очень скоро Тристан вышел и сердечно приветствовал меня, как будто моего вчерашнего приступа паники не было и в помине. Он с улыбкой пожал мне руку.

— Вчера хорошо добрались? — спросил он.

— Ну да, — ответил я, ероша волосы.

— Пойдем со мной. Хочешь кофе?

— Пожалуй...

Он проводил меня в кабинет и снова ушел в приемную. Не вынимая рук из карманов, я выхаживал по безликому помещению, в котором царил идеальный порядок. В конце концов я остановился у окна, упорно смотрел на едущий внизу транспорт и принуждал себя дышать медленно. В какой-то момент зашевелились остатки страха и ощущение, что мне здесь не место. Нужно было взять с собой Веру. Не обливался бы сейчас потом и не терзался головной болью.

— Садись, — пригласил Тристан.

Я не слышал, как он возвратился. Я отошел от окна, а он поставил на письменный стол два эспрессо и уселся в кресло. Собравшись с духом, я кинулся в омут:

— Прошу прощения за наше вчерашнее бегство.

— Не переживай. Я сам виноват, набросился на тебя, к тому же все, что я говорил, было слишком неожиданно.

— Неожиданно — слабо сказано! — иронически заметил я. — Не нужно было так реагировать, но, честно говоря, для такого человека, как я, предложение, сделанное таким человеком, как ты, было абсолютно... э-э-э... ну, в общем, я даже не знаю, что тебе сказать!

Он скривился:

— Сядь наконец, у меня от твоего расхаживания мысли путаются.

Мы долго не отрывали глаз друг от друга. Если я сяду, это будет означать, что я готов выслушать его и, следовательно, совершить решающий прыжок. Ринуться в неизвестность. Во мне боролись искушение и страх. Тристан был невозмутим. Его терпение потрясало меня, на месте Тристана я бы уже давно взорвался, имея дело с таким шутом гороховым, как я.

— Прошу тебя, Янис. Ты можешь меня выслушать, это тебя ни к чему не обяжет.

В конце концов, он прав. Я встряхнулся и сел к столу напротив него. Попытался принять небрежную позу, но результат, скорее всего, получился не ахти, поскольку я чувствовал себя зажатым, не знал, куда девать свои ножищи. Тристан глотнул кофе и продолжал молчать, внимательно рассматривая меня. Потом уселся в своем кресле поглубже, задумчиво потер подбородок и начал. Он объяснил мне, что его бизнес заключается в том, чтобы делать ставки на перспективное недвижимое имущество, и потому он с тем же успехом может поставить на перспективного человека, в особенности если его интересует сфера деятельности такого человека. Ведь главная цель — чтобы деньги приносили прибыль. Сдача в аренду принадлежащих ему жилых и коммерческих площадей — его хлеб, источник пополнения кошелька, и, значит, эта недвижимость должна быть безупречной. После этого я удостоился комплиментов. С самой первой нашей встречи ему понравился мой взгляд на вещи, а мой бьющий через край энтузиазм не только не испугал его, но и сыграл в мою пользу. Тот факт, что я самоучка и знаком с самыми разными специальностями, это большой плюс, тогда как он сам долго и много учился, но ничего не умеет делать своими руками, потому что все на него падало с неба. Да, наш разрыв с Люком огорчает его, но он считает это открывшейся возможностью, которой я должен воспользоваться. Он признался, что лет пять назад пережил всем известный кризис сорокалетия с его непременным ощущением зависимости от всех и каждого, из-за чего и сменил род занятий. Ему показалось, что он заметил у меня такие же сомнения, такие же переживания. Легким кивком я подтвердил, что он все правильно понял. И вот, сложив два и два, он вчера пришел к выводу, что готов меня поддержать. Да, он понимает, что, если смотреть со стороны, он ведет себя безответственно и безрассудно, предлагая предоставить мне кредитные гарантии при том, что мы едва знаем друг друга, но ему наплевать на то, кто и как к этому отнесется, и у него есть средства, чтобы помочь мне. Вот почему он отказывается упускать свой шанс... а заодно и мой.

И что я могу на это возразить, спросил он. Ничего, естественно. Снова помолчав, он добавил:

— Янис, я понимаю, что ты уходил из бюро своего родственника не для того, чтобы обзавестись новым боссом. Ты должен быть сам себе хозяином. Я не стану совать нос в твои дела, никаких двусмысленностей между нами по этому вопросу, согласен? Ты будешь целиком и полностью свободен.

Несмотря на его вроде бы искренность, наверняка тут таится какая-то ловушка. Скорее всего, он тоже считает меня лохом. Как-то все слишком красиво, слишком гладко. Тристан не меценат, я в этом уверен, иначе он бы не добился того, чего добился.

— А какая тебе от этого выгода? Не просто же из любви к искусству... Наверняка ты чего-то ждешь от меня?

— Ты прав, в бизнесе ничто не делается бескорыстно. На что готов я, тебе известно, теперь твоя очередь. Что ты мне предложишь взамен?

Все, больше я не мог усидеть на месте. Влип, я окончательно влип и намерен ввязаться в бой, делать то, что хочу, и не позволять страху диктовать мне, как себя вести. Слова, произнесенные Верой несколькими часами раньше, вспомнились мне, и я мысленно хохотнул. После чего сосредоточился: нужно было думать быстро и интенсивно. Откровенно говоря, ничего похожего на бизнес-план у меня не было! Он не являлся мне даже в самых безумных мечтах. К счастью, я имел возможность начать не на пустом месте. Работая с Люком, я накопил кое-какие знания.

— Не собираюсь строить воздушные замки, — заявил я. — Даже если выложусь на триста процентов, провал не исключен. Я начинаю с нуля. У меня нет заказчиков, кроме тебя, и я не собираюсь уводить их у Люка. Ты это понимаешь?

— Ты здравомыслящий и честный человек, что однозначно свидетельствует в твою пользу. Мне это в тебе нравится.

— Давай ненадолго обойдемся без реверансов, Тристан! — перебил я его, повысив голос.

Мы с вызовом уставились друг на друга. Он по-прежнему сохранял невозмутимость, а я дергался. Что может заставить его дрогнуть, что способно вывести его из равновесия? Немногое — по крайней мере, так мне казалось. Я постепенно тоже успокоился и продолжил:

— Похоже, ты не понимаешь. Я пытаюсь объяснить тебе, что первой прибыли мне, возможно, придется ждать долго.

— Таковы правила игры. Продолжай.

Черт, у него есть ответ на все.

— Иными словами, я не могу обещать тебе проценты, во всяком случае, пока не пройдет какое-то время и я не буду в состоянии объективно оценить положение дел.

— Давай полгода подождем, а потом уже будем оценивать. Не дави сам на себя. Дай себе волю, Янис, прошу тебя, не накладывай на себя ограничения из-за денег! Двигайся вперед!

Я был ошеломлен. Он вручал мне ключи от рая. Кто мог на такое надеяться?!

— Хорошо. Но для начала давай не забывать о твоей основной деятельности, то есть, заказывая работы в качестве владельца недвижимости, ты не будешь выплачивать мне гонорар, я буду вести подряд бесплатно. Ты считаешь такой уговор справедливым?

У него на лице расцвела кривая ухмылка, такая же, как вчера, очень похожая на гримасу удовлетворения.

— Более чем справедливо, другого я не ждал.

Он встал, обошел письменный стол и приблизился ко мне. Его лицо было серьезным, но в глазах сверкал победный огонек. Он был таким раскрепощенным, будто проделывает подобное каждый день и взять на себя финансовую ответственность за малознакомого человека — самая что ни на есть обыденная вещь. Обалденный тип. Он протянул мне руку. Я ее пожал.

— Я правда рад ввязаться в эту авантюру вместе с тобой. Подозреваю, что многому научусь, — сказал он.

— Благодарю тебя, — ответил я, высвобождая руку.

— Итак, Янис, если хочешь устроить себе кабинет здесь, могу предоставить тебе помещение.

— Спасибо, но у меня есть бесплатный вариант!

Прикольно будет включить мою берлогу в свой новый бизнес. *Спасибо вам, папа с мамой.*

— Да?.. Отлично. Уверен, тебе не терпится приступить. У тебя есть адвокат? Знаешь кого-то, кто мог бы взять на себя регистрацию фирмы? Ты уже выбрал банк?

— Отвечаю: нет, нет и нет. Так что начинаю поиски.

— Не надо тебе морочиться с бумагами, у тебя и так будет достаточно дел. Я в этом разбираюсь и, как ты мог заметить, окружен специалистами по данным вопросам. Могу взять это на себя.

Я сплю и вижу сны.

— Э-э-э… не знаю…

— Ну, если такой вариант тебя не устраивает и ты намерен сам этим заняться… Я пойму тебя, если ты хочешь держать все под контролем.

— Нет… но… я боюсь злоупотреблять!..

— Можешь не бояться. У тебя найдется немного времени?

А на что еще мне сейчас может быть нужно время?!

— Да, найдется, конечно.

— Прекрасно! Пойду поищу свободного адвоката, который все тебе объяснит.

Он тут же исчез, а я как дурак остался один в кабинете с кашей в мозгах и смутным пониманием того, на что я сейчас подписался. Тем не менее я худо-бедно собрался с мыслями и сообразил отправить Вере сообщение с просьбой поставить в холодильник шампанское и подготовить на сегодняшний вечер праздничный ужин для детей. Она поймет. Следующие несколько часов я слушал юриста и Тристана, мобилизуя все свои умственные способности. Я прилагал нечеловеческие усилия, однако очень скоро запутался: юридический жаргон оказался для меня китайской грамотой. Узнав у меня, в каком режиме имущественных отношений мы заключали брак, Тристан посоветовал выбрать не тот банк, где был открыт семейный счет, чтобы ничего не смешивать и не втягивать Веру в мои финансовые дела. Он позвонил своему банкиру, через полчаса явился курьер с бумагами, которые я подписал не глядя. Я понимал, что события развиваются стремительно, возможно, слишком стремительно, а я действую не раздумывая, не взвешивая за и против, но остановиться я уже не мог. Пути назад больше не было. Возбуждение брало верх над здравым смыслом. Я хотел поскорее приступить, доказать себе, что справлюсь, не разочарую Веру, сделаю так, что она будет гордиться мной, Люк поймет, какой глупостью было недооценивать меня, а Тристан убедится, что поставил на правильную лошадку.

Я расстался с ними после восьми вечера, совершенно измочаленный, опустошенный, но с чувством облегчения: я наконец-то перешел к действиям. Мне удалось отодвинуть на время вполне объяснимый страх провала. У меня нет права на ошибку. Перед тем как ехать домой, я оперся о мотоцикл и выкурил вторую за день сигарету. В горле больше не царапало, глаза не щипало, и на этот раз меня не замутило. По дороге я сделал крюк и притормозил перед архитектурным бюро. Сквозь стекло шлема я увидел Люка, склонившегося над чертежным столом. Он явно нервничает, злится и наверняка проклинает меня, подумал я. Беда-беда… Люк поднял голову. Я был уверен, что он меня узнал. Я мысленно попрощался с ним, после чего нажал на газ.

Глава 7
Вера

Я была счастлива, что Янис так быстро воспрянул духом. Уже месяц он работал на собственную фирму, преображаясь с каждым днем. Энергии у него было хоть отбавляй. Очень кстати, потому что выкладывался он на полную катушку. Арендаторы его благодетеля хотели, чтобы все было сделано с размахом, но за непристойно малые деньги. Весь день Янис носился между холостяцкой берлогой, где он оборудовал себе офис, и площадкой, где велась реконструкция концепт-стора. В первые дни июля начались сами работы, и напряжение выросло на порядок. Не успел он перевести дух, чудом найдя мастеров, готовых работать все лето, как от радостного облегчения не осталось и следа. Он наконец-то приступил непосредственно к строительству, и это было прекрасно, однако вскоре все стало усложняться, постоянно всплывали новые проблемы. Не надо быть асом-профессионалом, чтобы догадаться, что реальность всегда расходится с планами. Янис проявлял высочайшую требовательность и особую тщательность, поскольку на кону стояла его будущая репутация. К тому же он жаждал произвести впечатление на Тристана, продемонстрировать, что тот не ошибся, помогая ему создать свой бизнес, и не зря оказывал финансовую поддержку. Янис проводил с Тристаном все больше времени и почти ежедневно рассказывал мне о нем. Их взаимопонимание, о котором я раньше только догадывалась, теперь бросалось в глаза. По моим наблюдениям, Тристан периодически играл роль своего рода коуча, он раскрепощал Яниса, обеспечивал ему мотивацию, подталкивающую вперед, к новым достижениям, раздвигая границы и помогая игнорировать препятствия. Что до меня, то случай встретиться с Тристаном все не представлялся, и меня это огорчало.

Загруженность Яниса, естественно, вынудила нас кое от чего отказаться и целиком перепланировать наш распорядок дня, но я с этим смирилась и поддерживала его, как могла. Тяжелее всего это переживали дети, которым было трудно понять, почему папа стал уделять им меньше внимания. Они постоянно теребили меня, хотели знать, где он и когда придет. Я делала все от меня зависящее, чтобы они меньше скучали без него, но не успевала играть с ними — по крайней мере столько, сколько раньше играл отец. Я, не жалуясь, полностью взвалила на себя быт, хоть это и не всегда было легко. Мне тоже не хватало Яниса, он пролетал мимо нас, словно стремительный порыв ветра. Но я знала, что наши жертвы того стоят. В особенности когда он был с нами и выглядел еще более увлеченным и веселым, чем раньше. Профессиональный расцвет оказывал сильнейшее влияние на его моральное состояние. Освободившись от давления Люка, он словно обрел крылья, и это делало меня счастливой.

Традиционный обед с Шарлоттой по вторникам был моим оазисом, и я всегда ждала его с нетерпением. Однако мне начинало казаться, что после ссоры с Люком в наших отношениях образовалась трещина. Мы избегали некоторых тем, ограничиваясь малозначащими сюжетами и новостями о детях. Она намекнула, что изредка пересекается с моим братом. Я не могла этого понять, воспринимала ее поведение как предательство, но удерживалась от выяснения отношений, поскольку серьезно опасалась, как бы ситуация не пошла вразнос.

Я ждала Шарлотту на нашей всегдашней веранде, радуясь долгожданным солнечным лучам. Она пришла, опоздав, как обычно, больше чем на четверть часа, подмигивая знакомым за соседними столиками и подходя к ним, чтобы обменяться поцелуями. Завершив в конце концов свой приветственный обход, Шарлотта чмокнула меня в щеку и села.

— Как дела, кузнечик?

— Все в порядке, хоть я и не знаю, как протяну два месяца детских каникул, стартующих уже этим вечером, — со смехом ответила я.

— Сегодня конец занятий?
— Да! — вздохнула я.

Она знаком подозвала официанта и заказала, как всегда, два "Цезаря" и два бокала белого вина.

— А что хорошего у тебя? — поинтересовалась я.
— Ничего особенного.

Она сняла темные очки и принялась меня изучать.

— Паршиво выглядишь!
— Спасибо, дорогая...
— Не намерена тебе врать и говорю, что вижу: тени под глазами и серый цвет лица. Что у тебя стряслось?

Я пожала плечами:

— Да ничего особенного. Я постоянно при деле в последние месяцы. Ты не знала?
— Янис?

Я тут же напряглась, готовясь дать отпор:

— Что — Янис? Он очень занят с тех пор, как работает на себя. На карту поставлено слишком много.
— Люк тоже едва выдерживает нагрузку, после того как его правая рука бросила его.
— Зачем ты мне это говоришь, Шарлотта? — сразу ощетинилась я.
— Не заводись. Я думала, тебе интересно узнать новости о брате. Ты же меня знаешь, люблю надавить на больное место.

Я избегала взгляда ее черных глаз.

— Вера, у тебя замордованный вид... и ты вся на нервах, — решительно подвела она итог. — Ты не в состоянии справляться в одиночку... Тебе нужна помощь, если Янис больше не занимается детьми.
— Не нужна мне никакая помощь, и я отлично справляюсь! Янис делает что может. Отдохну позже,

бывают такие периоды в жизни, когда не имеешь права плевать в потолок.

— Но...

— Никаких "но"! Тебе не понять. Впрочем, ничего удивительного, ведь ты заботишься только о себе любимой, вот тебе и кажутся непреодолимыми задачи, которые решаю я!

Зачем я так разговариваю с ней? Какая муха меня укусила? Я становлюсь неуправляемой.

— Необязательно говорить гадости, Вера. — Она растерянно смотрела на меня.

— Извини, я не хотела.

— Тебе повезло — чтобы меня обидеть, требуется гораздо больше. Но что с тобой происходит?

— Ничего, — вздохнула я. — С самого начала всей этой истории ты будто постоянно нас осуждаешь и пытаешься перемывать кости Янису у него за спиной. Ничего не понимаю. Я-то надеялась, что ты нас поддержишь. То, как ты себя ведешь, мне очень не нравится. Могла бы и сама догадаться, что я не выношу даже мысли о том, что кто-то может критиковать наше решение.

— Скорее, решение Яниса, чем твое. Или я ошибаюсь?

— Я подтолкнула его.

— И этот тип тоже? Тристан, кажется, так его зовут?

— Да, Тристан верит в него. Постарайся понять: Янис в этом нуждался. Он никогда не был так счастлив, и в этом отчасти заслуга Тристана. Он хороший человек.

Шарлотта вздохнула, я заподозрила, что ее что-то напрягает.

— Ну, как скажешь… Сменим тему, кузнечик. Так будет лучше.
— Согласна.

Вечером я вся кипела от злости. Но кое-что изменилось: эта злость была направлена уже не против Шарлотты, а против Яниса. Я бы все-таки предпочла, чтобы он был дома и помог мне объявить детям программу летних каникул, как у нас заведено. Дети попрощались со своими учителями и воспитательницами на два месяца и хотели знать, как мы планируем провести это лето. Я тянула время в надежде, что Янис скоро вернется… но напрасно. Ну вот, дальше откладывать некуда: ребята расправились с домашними бургерами — так мы отпраздновали окончание занятий — и сейчас сидели на диване со стаканами кока-колы. А я осталась один на один с нелегкой задачей — сообщить им неприятную новость. Несмотря на многочисленные попытки, мне не удалось дозвониться до Яниса. Они не сводили с меня глаз, пока я садилась на журнальный столик перед диваном. Сейчас их радостное возбуждение сдуется, как продырявленный воздушный шарик. Жоаким подтолкнул локтем брата и сердито зыркнул на Виолетту, чтобы младшие успокоились и я могла наконец-то заговорить.
— Давай, мама! Рассказывай!

Я глубоко вздохнула и начала. Было тяжело сознавать, что я их разочарую, что они огорчатся. И мне нужно сделать это в одиночку, без поддержки. Я не просчитала, как скажутся наши перемены на них, на их жизни и привычках.

— Ну вот, мои любимые… в этом году все будет немного по-другому. Папа перешел на новую работу…

— Да, мы знаем, — сухо перебил Жоаким.

Он очень злился на отца. Дети неблагодарны, и в этом часть их очарования. Но очень трудно принять, что, если ты мама или папа, у тебя нет права на ошибку. Как объяснить восьмилетнему мальчику, что иногда взрослые вынуждены уделять основное внимание не своим детям, а чему-то другому? Требовалась большая осторожность, крайняя осмотрительность, чтобы не уронить Яниса в их глазах. И все равно, как ни старайся, я нанесу удар по его репутации. Почему он не пришел? Я была уверена, что выдели он пару минут, чтобы объяснить сыну ситуацию, и все бы как-то уладилось.

— Ну да, — продолжила я. — Вам также известно, что он очень занят… поэтому мы… э-э-э… мы останемся в Париже на все лето…

— И что мы будем делать? — закричал Эрнест.

Старший тяжело вздохнул, что-то пробурчал себе под нос, постукивая ногой по полу. Относительно спокойной оставалась только Виолетта, четырехлетний возраст пока еще защищал ее. Однако, присмотревшись, я поняла, что она уловила недовольство своих братьев.

— Итак, начиная с завтрашнего дня и до моего отпуска вы ходите в городской летний лагерь на весь день. Там все будет примерно как в прошлые годы. А когда я освобожусь, мы вчетвером много чего придумаем, обещаю. Будет классно! Сами убедитесь! Пойдем в бассейн, в Ла-Виллет, прокатимся в Версаль…

— Но это не для каникул, мама! — прервал меня

Жоаким, повысив голос и вскакивая с дивана. — Мы там бываем и в учебном году.

— Пожалуйста, не разговаривай со мной таким тоном, Жожо. Махнем куда-нибудь на следующий год. И вообще, представь себе, есть много детей, которые никогда никуда на каникулах не ездят, но не закатывают истерик по этому поводу. Мы всего лишь просим вас немного потерпеть этим летом.

Я понимала, что просто смешна со своим фальшивым энтузиазмом и дешевыми уроками морали. Но я не могла себе позволить признаться, что у меня тоже разрывается сердце от того, что мы не отправимся, как каждый год, на поиски приключений. Не могла сказать им, что за неполный месяц, прожитый в таком ритме, я устала от того, что почти не вижу их отца. И что я не понимаю, почему он возвращается так поздно. Нет, я не должна все это им рассказывать.

— А почему нам не уехать вчетвером, без него? — предложил Жоаким.

— Хотите оставить папу тут одного?

Он насупился, Эрнест засопел, а Виолетта похлопала ресницами, и у нее задрожал подбородок.

— Обещаю, мы будем хорошо развлекаться, — уже мягче пообещала я.

— Ладно…

— Хотите сегодня вечером посмотреть кино? — предложила я, чтобы сменить тему и заодно отметить начало каникул.

— Нет, я пойду к себе в комнату, — ответил Жоаким, не удостоив меня взглядом.

Потом он обернулся к брату:

— Пошли?

Эрнест подчинился и побрел вслед за ним, виновато глянув на меня через плечо. Я со вздохом опустила голову.

— Мама, — позвала Виолетта тоненьким голоском. — Тебе грустно?

— Нет, не беспокойся. Ты тоже хочешь к себе?

— Только с тобой!

— Хорошо, иди, я сейчас приду.

Она встала с дивана, вприпрыжку подбежала ко мне и крепко поцеловала. На несколько секунд я отвлеклась, блаженно вдыхая сладкий детский запах, но вскоре она унеслась к себе в комнату. *Янис, где ты? Ты мне нужен. Мы не справимся, если ты не поймешь, что сейчас происходит в голове у твоих детей.* Я взяла себя в руки и отправилась к дочке в мир принцесс.

Под мое чтение Виолетта быстро уснула. Я дождалась десяти вечера и пошла выключать свет у мальчиков — мне не хватило смелости встретиться с ними раньше. Я была уверена, что к десяти они уже будут совсем сонными. И действительно, обошлось без единого протеста, как, впрочем, и без единого слова, адресованного мне. Когда я закрыла дверь их комнаты, на меня навалилось такое одиночество, что я решила: чем бесцельно слоняться по квартире, лучше пойти лечь. Я взяла со столика журнал, чтобы почитать его в ожидании Яниса. Мне было что ему сказать. В его интересах поторопиться, потому что нервы у меня и так на пределе. Чем он, интересно, занимается? Мог бы снизойти хотя бы до краткого звонка или ответа на мои многочисленные эсэмэски. Не бог весть какой труд!

Я успела укрыться одеялом, когда услышала, как громко хлопнула входная дверь. Вот только не хватало, чтобы он мне их разбудил! Я села, откинулась на спинку кровати и скрестила руки на груди. Он поднялся по лестнице, насвистывая.

— Ты здесь, Вера?

А где мне, по-твоему, быть?

— Здесь, — проворчала я.

— Извини, не заметил, как пролетело время.

Улыбаясь, Янис подошел к кровати и поцеловал меня в лоб. Потом, продолжая говорить, перебрался в ванную:

— Сегодня мы проделали офигенный кусок работы, почти все стены снесены. Это было гениально! И я решил позвать Тристана, чтобы он сам посмотрел, как идут дела. Видела бы ты его лицо…

Зато я видела лица наших детей.

— Представь, он просто обалдел, я так хохотал! После стройки мы зашли выпить в кафе по соседству, ну и немного задержались, чтобы перекусить…

Я перестала его слушать. Все равно не разобрать ни слова, потому что он начал чистить зубы. Кстати, непонятно, почему с таким остервенением. Наконец он прыгнул в кровать и погасил свет, не замечая, что я по-прежнему сижу и спать не собираюсь. Я ритмично стискивала и разжимала кулаки, чтобы не взорваться. Его беспечность приводила меня в отчаяние.

— Я как выжатый лимон. Завтра вернусь раньше, обещаю. И не беспокойся, я отведу ребят в школу.

Такого я не ожидала! Он попытался меня уложить. Я сопротивлялась.

— Ложись, — игриво подтолкнул он меня, приподнимая подол моей ночной рубашки.

— Янис… у детей сегодня начались каникулы, — холодно сообщила я.

Он подскочил и включил ночник:

— Как я мог забыть?! Вот кретин!

Я искоса бросила на него злой взгляд:

— Не стану спорить. Я пыталась позвонить тебе! Не заметил?

— Я забыл телефон в берлоге. Вера, я не знаю… прости меня… — Он яростно взъерошил волосы.

— Я им сказала…

— Что мы никуда не едем…

— Да. И это было ужасно тяжело, особенно с Жоакимом, он сильно разозлился… Эрнест тоже воспринял новость без восторга, а Виолетта не поняла толком, из-за чего братья подняли шум, но загрустила.

Он выпрямился в постели.

— Я оказался не готов к такому повороту.

— Это точно. Придется тебе наверстывать упущенное. Дети и так уже недовольны, что редко бывают с тобой. Понимаю, это не твоя вина, но, как ни крути, ты ими меньше занимаешься… А они не знают, где ты пропадаешь целыми днями.

— Я работаю! — возмущенно запротестовал он.

— Да, мне это известно. А вот им нет. Мы больше не приходим в ваше бюро, не встречаемся с Люком, но все, что мы им сообщили, это только то, что ты сменил место работы… Они растеряны.

Он потянулся ко мне, погладил по щеке.

— Я что-нибудь придумаю, обещаю…

— Надеюсь. А теперь пора спать.

Я вытянулась в кровати, оттолкнув его ногами, чтобы освободить место, и, не спрашивая, выключила свет. Я услышала вздох, потом он тоже забрался под одеяло. Обнял меня за талию, притянул к себе и прижался к моей спине.

— Сердишься? — прошептал он.

— А ты как думаешь?

Он уткнулся мне в шею, подавляя смешок, который вскоре превратился в приступ кашля.

— Простудился? — спросила я.

— Не знаю, может быть…

Этот кашель был мне знаком и вызывал воспоминания. Странно…

— Будь, пожалуйста, осторожен. Мне и так нелегко с детьми, не хватало еще, чтобы ты заболел и тоже свалился на меня.

— Ты действительно злишься?

— Всем трудно, Янис.

— Мы справимся. У меня все получится, клянусь тебе.

— Не сомневаюсь, но давай постараемся, чтобы за это не пришлось заплатить слишком дорого. Спокойной ночи.

Он промолчал, но еще крепче обнял меня.

Когда зазвонил будильник, Янис вскочил. Будто давно не спал и ждал только сигнала, чтобы подняться.

— Я быстренько в душ и займусь детьми.

Высунувшись из-под одеяла и не до конца разлепив веки, я увидела, как он достает из шкафа чистые джинсы и майку. Затем он наклонился, поцеловал меня и сбежал — прямо-таки сбежал, как мне показалось, — в ванную.

— Можешь еще немного подремать.

И исчез. Что он вообразил? Решил, что ли, будто достаточно приготовить завтрак, и все сразу станет на свои места, его отношения с детьми и со мной мгновенно наладятся? А для меня пять минут, сэкономленные на утренней программе, вообще мало что меняли, я не собиралась приходить на работу раньше положенного. Как только ванная освободилась, я встала под душ, но это не помогло сбросить напряжение, как обычно. Мне было не по себе, однако я не могла нащупать причину своего смутного беспокойства. Конечно, вчерашнее отсутствие Яниса и бурная реакция детей повлияли на мое настроение, но в глубине души я подозревала, что есть еще нечто, чему я не могу подыскать определение. Так и не разобравшись со своими ощущениями, я спустилась в гостиную, и меня встретили смех и радостные вопли детей. Неужели они так быстро обо всем забыли?

— Мама! — с криком бросился ко мне Эрнест.

— Что случилось?

— Мы не идем в лагерь!

Он побежал обратно на кухню.

— С какой такой радости? — Я последовала за ним.

Я поцеловала Жоакима и Виолетту и посмотрела на Яниса. У него было довольное лицо.

— Я забираю их на весь день, утро проведем в берлоге, а днем я организую экскурсию на стройку для наших подрастающих мастеров, — объявил он, явно гордясь собой.

Он хлопнул сыновей по ладоням.

— Я не уверена, что…

Янис обхватил мое лицо.

— Мы прекрасно проведем время вчетвером. Вчера я послушал тебя и понял, что очень соскучился по детям… так что совместим приятное с полезным. А заодно они узнают, чем я занимаюсь целыми днями.

Последняя фраза прозвучала гораздо более сухо: ему показалось, будто я вчера намекнула, что он не работает. Дурацкое недоразумение. Он отпустил меня и пошел наливать кофе, а я встретилась взглядом с Жоакимом и поняла, что одного дня в компании отца будет недостаточно и что он догадался, о чем я сейчас подумала. Наш старший иногда бывает излишне проницательным для своего возраста. Я села рядом с ними. Завтрак всегда был важным пунктом в распорядке дня нашей семьи: мы болтали, смеялись, заряжали друг друга хорошим настроением. Но сегодня утром я была скорее зрителем, чем действующим лицом. Я рассеянно грызла тост, пила кофе мелкими глоточками и слушала, чем они займутся на работе у Яниса. Жоаким, наплевав на обиды, не устоял, присоединился к общему веселью, и я была рада за него. Ликование детей достигло апогея, когда Янис пообещал купить им строительные каски. Эрнест и Жожо принялись носиться по квартире, Виолетта хлопала в ладоши и безостановочно кричала “спасибо, папа”. Я была уверена, что впереди их ждет отличный день, потому что Янис превратит в игровые площадки и свою берлогу, и стройку. Что же меня грызло? Почему я не могла разделить их радость? Откуда эта необъяснимая тревога?

За все утро, пока мы не вышли из дому, я практически не раскрыла рта. Машина была припаркована рядом с метро, так что я проводила их. По дороге Янис взял мою руку и сильно сжал. Я не отрывала глаз от детей, которые шли впереди и рассказывали друг другу какие-то истории.

— Все еще дуешься?

Я покосилась на мужа — его беспокойство было почти осязаемым. Что же я делаю? Терзать его упреками — не выход.

— Нет, просто задумалась.

— Хотел бы я знать, что за думы бродят в твоей хорошенькой головке…

— Ничего особенного…

— А если завтра мы устроим романтический вечер, ты мне расскажешь какие?

— Может, и расскажу, — ответила я кокетливо.

Это было сильнее меня. Не переношу, когда мы ссоримся или у нас разногласия. Да, я люблю и умею поворчать, но скандалы я ненавижу.

— Все утрясется, Вера. Обещаю.

— Ты это уже говорил. Давайте бегите, удачного вам дня.

Вот и наш автомобиль. Я повернулась к детям.

— А теперь поцелуйчики, — распорядилась я.

Дети меня расцеловали, и я взбодрилась. Янис обнял меня.

— Позвонишь днем, расскажешь? — спросила я.

— Естественно!

Я чмокнула его на ходу и направилась к метро, слыша за спиной их смех. Да, они прекрасно проведут день, и дети будут в восторге от общения с отцом. Разве не этого я хотела?!

Янис подключил меня к их совместному времяпрепровождению — слал мне одну за другой фотографии: дети рисуют за столом в берлоге, дети с касками в руках, дети с пакетиками фруктового пюре у входа на стройку. Как мне показалось, на одном снимке промелькнул Тристан. У меня защемило сердце: Янис чаще и дольше общается с этим человеком, чем со мной. С человеком, о котором я только и слышу и которого видела всего дважды.

Вечером я вышла с работы и позвонила Янису перед тем, как спуститься в метро.

— Судя по всему, вы сегодня неплохо развлеклись, — заметила я, когда он ответил.

— Веселились как психи! Но нам тебя не хватало. Вот если бы ты была с нами… Тебе понравились фотки?

— Да, спасибо! Тристан заходил?

— Дети от него в таком восторге! Ты себе не представляешь!

— Прекрасно. Что вы сейчас делаете? Мне заехать за ними?

— Я подумал, что лучше бы нам провести этот вечер вместе в нашей берлоге. Так что давай приезжай к нам!

— Гениально! Заскочу в магазин и буду у вас!

Я добиралась довольно долго. В конце концов, торопиться мне некуда. Дети меня не ждут, они с Янисом, который наслаждается общением с ними и одновременно работает. А у меня появилась возможность немного прогуляться и проветрить голову. Последние сутки вымотали мне всю душу. Я обязана взять себя в руки, нельзя набрасываться на Яниса при малейшем неверном шаге, нужно быть справедливой, ведь именно я подтолкнула его к созданию собственной фирмы. И обижаться на него из-за каникул я тоже не имею права — опять же сама предложила никуда не ехать. А в Шарлоттином поведении он вообще не виноват. Мне нужно любой ценой вернуться к своему обычному состоянию: жить сегодняшним днем и не заморачиваться по любому поводу. Мы всегда так поступали, особенно я. В какой-то момент я непроизвольно ускорила шаг, захотелось побыстрее очутиться рядом с ними, мне это было необходимо. К тому же стояла отличная погода, тепло, так что мы сможем выпить аперитив и даже, чем черт не шутит, поужинать во дворе. Несколько лет назад я поставила перед дверью маленький столик и металлические складные стулья. Как и у нас в доме, Янис тут охотно всем все чинил и налаживал. Начал он еще подростком, когда жил с родителями, и продолжал потом, когда переоборудовал мастерскую в холостяцкое жилье и перебрался туда. Потом мы с ним переехали в собственную квартиру, а его родители в дом престарелых, но он по-прежнему помогал соседям, так что наши дети могли играть во дворе, а мы — пить там летом аперитив, и никто не возражал. Я зашла по дороге в здешний итальянский магазинчик и в булочную. Моя карточка раскалилась: сегодня у нас будут на ужин мясные деликатесы и сыры, а дети будут грызть хлебные палочки гриссини, дожидаясь, пока разогреется пицца из кулинарии. Настоящий каникулярный ужин. Когда до берлоги оставалось метров пятьдесят, я увидела сквозь солнечные очки приближающийся темный силуэт. Подойдя ближе, я узнала Тристана. Вероятно, Янис пригласил его присоединиться к нам, что не очень-то меня и удивило… Промелькнувшее разочарование сразу рассеялось: плевать, здесь он или нет, главное, мы пятеро собрались вместе. Я была права, накупив всего с избытком. Мы шли навстречу друг другу; он узнал меня, его губы слегка искривились в улыбке, он приветственно помахал, я ответила кивком, поскольку руки у меня были заняты пакетами с продуктами. У двери дома я оказалась первой, и он ускорил шаг.

— Добрый вечер, Вера, — поздоровался он, забирая у меня пакеты.

— Спасибо! Здравствуй, Тристан! Рада снова встретиться!

Мы расцеловались, я открыла дверь и продолжила:

— Давно пора было.

— Ты точно не будешь против, если я присоединюсь к вам? Ты уверена, что не помешаю?

— Уверена, не помешаешь…

— Папа! — завопил Эрнест, когда мы входили во двор. — Пришли мама с Тристаном!

Извинившись перед последним, я бросилась к детям, которые уже мчались ко мне. Мне захотелось их потрогать, "почувствовать". Виолетта прыгнула мне на руки, Эрнест вцепился в ноги, а Жоаким ко мне прислонился.

— Какая встреча! Вижу, ваш боевой дух на высоте!

Вся троица заговорила хором, перебивая друг друга и громкими голосами пересказывая сегодняшние приключения. Я не понимала ни слова, но было ясно, что они счастливы, и я почувствовала новый прилив энергии. Виолетта заглянула мне за спину, и ее рот растянулся в улыбке, которая притворялась робкой, но таковой отнюдь не была.

— У тебя все хорошо, принцессочка? — услышала я голос Тристана.

Дочка расплылась в блаженной улыбке.

— А как вы, мальчики? — продолжил он.

Янис вышел во двор и, широко шагая, присоединился к нам. Он ласкал меня взглядом и сиял. Совсем не стесняясь Тристана, он крепко поцеловал меня в губы. Я зажмурилась и охнула от удовольствия.

— Все о'кей? — шепнул он мне на ухо.

— Да, насчет сегодняшнего вечера — это удачная идея.

Он подмигнул и переключился на Тристана.

— Круто, что ты пришел! — объявил он, хлопая гостя по спине. — Ладно, пора выпить!

Я рассмеялась:

— Дай нам опомниться!

Я поставила Виолетту на землю и вспомнила, что руки Тристана все еще заняты моими покупками.

— Занести все это в дом? — предложил он, когда я посмотрела на него.

Я забрала пакеты.

— Теперь я сама справлюсь, спасибо за помощь!

Я перешагнула порог берлоги, Янис позвал меня:
— Я поставил шампанское в холодильник, ты там найдешь!
— По какому случаю? — поинтересовалась я, покосившись на него через плечо.
— Ни по какому!

Войдя в комнату, я еле сдержалась, чтобы никак не прокомментировать бардак, который устроили отнюдь не дети, если не считать конфетных фантиков, разбросанных, словно камушки мальчика-с-пальчика! На полу возле холодильника я нашла даже наброски сметы, листки бумаги, покрытые нацарапанными в спешке записями, и эскизы чертежей. Я сложила все это в стопку и перенесла на стол, за которым Янис, как предполагалось, работает. Потом я открыла маленький откидной столик, прикрепленный к стене, и принялась выкладывать на тарелки закуски и готовить аперитивы. Ко мне сразу примчались дети:
— Что мы сегодня будем есть?
— Пиццу, но только не сейчас! Вы же не станете на каникулах ужинать в полвосьмого вечера!

Жоаким расцвел и выглядел гораздо спокойнее, чем накануне. Гора с плеч!
— Бегите, играйте, я приготовлю аперитив и для вас!
— Ура!

Они убежали. Зря я так сильно беспокоюсь за них, любая мелочь может доставить им удовольствие, и все в нашей семье хорошо. Я нашла стакан с оставшимся на донышке белым вином — Янис принялся за выпивку, не дожидаясь нас. Допью, пока буду разворачивать пакеты с колбасами.
— Вера?

Держа в руках доску для нарезки, я повернулась к входу. В дверях стоял Тристан.

— Я могу тебе помочь?

— Нет, спасибо. Хотя… да, погоди. Можешь позвать Яниса?

— Он говорит по телефону.

— Ну и ладно, — пожала я плечами. — Да ты заходи!

Я летала по комнате, доставала тарелки, приборы, бокалы. Приготовила узкие бокалы для шампанского и высыпала в большой салатник чипсы для детей.

— Это по работе? — поинтересовалась я.

— Думаю, да.

Наблюдая за тем, как Тристан перемещается по комнате, я догадалась, что он часто здесь бывает. Выходило, что он непрерывно рядом с нами. Я заметила, что, пока я готовлю ужин, он меня изучает.

— Уверена, что не можешь мне ничего поручить?

— Нет-нет, честное слово.

Я присмотрелась к нему. Оказывается, я уже успела забыть, насколько чужеродным элементом выглядит среди нас этот человек с его черными костюмами, серьезным лицом, подчеркнуто правильной речью, сдержанно-элегантными манерами. И его непринужденность ничего не меняет. Я знала его только по рассказам Яниса. Скользя по нему взглядом, я в какой-то момент поняла, что должна сказать ему кое-что. Сейчас, возможно, как раз удобный случай. Я бросила готовить и направилась к нему. Он отступил на два шага.

— Тристан, я хотела поблагодарить тебя за то, что ты сделал…

Он вперился в меня своими черными глазами.

— Я считаю, важно, чтобы ты это знал. Спасибо тебе за Яниса... он никогда не был таким счастливым.

Тристан подошел к двери и стал наблюдать за Янисом, который все еще говорил во дворе по телефону, бурно жестикулируя. О чем мог раздумывать Тристан? По моему впечатлению, он тщательно взвешивал каждое свою фразу, каждое слово.

— Знаешь, — ответил он после паузы, показавшейся мне нескончаемой, — когда я вижу, что он уже сделал и сколько энергии вкладывает в работу, я ничуть не сожалею о своем поступке. Я полностью доверяю твоему мужу, он далеко пойдет. Я в этом уверен.

Я услышала, как он глубоко вздохнул. Затем оторвался от окна, сделал несколько шагов ко мне, после чего с улыбкой продолжил:

— Впрочем, могу вернуть тебе комплимент.

— Ты о чем? — не поняла я.

— Ты поддерживаешь Яниса. Я знаю, он мне говорил. По его словам, ты взяла на себя все семейные обязанности, чтобы он мог целиком посвятить себя работе. Так что если у него все получится, то в значительной мере благодаря тебе, а я так, всего лишь поручитель. Более того, если мои инвестиции в проект однажды принесут прибыль, это я должен буду его благодарить. И заодно скажу спасибо тебе.

— Я не рассматривала ситуацию под этим углом, — смущенно ответила я.

Он едва слышно хохотнул:

— Я был почти уверен, что ты мне так ответишь. Вы двое — отличная команда.

— Э-э-э...

— Тристан? — прервала нас Виолетта.

Я с трудом сдержала смех, когда увидела ее в строительной каске размеров на десять больше, чем нужно.

— Как ты думаешь, принцессы такое носят? — спросила она его.

Он наклонился к ней.

— Ты единственная и неповторимая. И это делает тебя самой прекрасной.

Она еще больше расцвела. И тут уж я не сдержалась и расхохоталась.

— Умеешь ты ее очаровать, у тебя особый талант, — заметила я, возвращаясь к тарелкам.

— Долго ты еще будешь заигрывать с моей дочкой? — подхватил Янис, входя в дом.

Тристан тоже засмеялся и выпрямился. Янис бросил телефон на стол поверх бумаг, протянул ко мне руки, обнял, поцеловал в шею.

— Что-то в горле пересохло, — пожаловалась я.

— И у меня тоже! Давай уже откроем это шампанское!

С подносом закусок я вышла во двор, ко мне тут же подбежали дети, а мужчины занялись нашими бокалами.

В половине десятого мы все еще сидели во дворе, но стали говорить тише. Виолетта только что уснула у меня на коленях, мальчики играли в комнате. Я рассеянно гладила дочку по волосам, прихлебывая розовое вино.

— Прекрасный вечер получился, — заметила я. — Но все же, Янис, пора укладывать детей.

— Ты права, сегодня не выходной, а завтра на работу, и я не смогу взять их с собой. Так что — в летний лагерь. Но я постараюсь еще посидеть с ними до твоего отпуска.

— Сделаешь, что сможешь. После сегодняшнего дня с тобой они уже заметно повеселели, — успокоила я Яниса, ласково глядя на него.

Он осторожно убрал с моего лба прядь волос.

— А что у тебя, Тристан? Куда поедешь в отпуск?

— У нашей семьи дом на нормандском побережье, я там проведу август. Это удобно, можно при необходимости подскочить в Париж.

— Поедешь с дочками?

— Обычно мы так и делаем, но только если удается убедить их, что им не будет скучно просидеть со мной целых две недели. И можешь поверить, я никогда не знаю заранее, удастся ли мне!

Он засмеялся, но голос его был грустным.

— Но разве им не хочется пообщаться с отцом?!

— Если бы я сам был не таким скучным или вел светскую жизнь, им бы это понравилось больше! — отметил он со смехом. — В таком возрасте, чтобы занять и развлечь их, недостаточно просмотра "Клуба Микки-Мауса" или мороженого на набережной после ужина. А поскольку мы видимся не слишком часто, я побаиваюсь давать им чересчур много свободы.

— Ты уже придумал, чем их занять? — спросил Янис.

— Ни в коей мере! Если у тебя найдутся идеи, буду благодарен!

— Можешь на меня рассчитывать, как только — так сразу!

Наш гость хлопнул себя по ляжкам и поднялся:

— Пойду. Возвращайтесь домой.

— Да, пора, — согласился Янис.

Он тоже встал и собрал бокалы. Потом наклонился и поцеловал меня в лоб:

— Сиди, мы сами все сделаем.

Не скажу, чтоб было неприятно сидеть и наблюдать, как муж и его новый лучший друг убирают со стола. Они сложили остатки нашего ужина, что-то обсуждая и смеясь. Тристан вошел в нашу жизнь так легко и естественно; мне было трудно осознать, что мы знакомы всего лишь два месяца. Я услышала, как Жоаким рассказывает ему, что учится играть на тромбоне. Выходит, ему с Тристаном легко, а то ведь наш старший сын мало кого к себе подпускает. В общем, Тристан полностью завоевал детей. Мне это нравилось и до некоторой степени успокаивало — по характеру я человек недоверчивый.

Минут пятнадцать спустя Янис запер берлогу, повесив на плечо мою сумку. Держа на руках спящую Виолетту, я осторожно, чтобы не разбудить ее, встала, и наша маленькая компания двинулась к выходу. Тристан проводил нас до машины.

— Большое спасибо за прекрасный вечер, — поблагодарил наш гость.

Он вздохнул и с довольной улыбкой внимательно посмотрел на нас. Я подумала, что он явно растроган и, может, даже счастлив. Но догадаться, что у него на уме, было трудно: Тристан — человек закрытый и, по всей вероятности, очень одинокий, мелькнула у меня мысль. Судя по его поведению, ему больше всего не хватает дочерей, что бы он ни говорил. Я была рада, что он провел этот вечер с нашей семьей. Он взъерошил волосы мальчикам, легонько и ласково провел ладонью по голове Виолетты и поцеловал меня.

— Счастливо добраться, — сказала я.

Пока мы устраивались в машине, Янис и Тристан попрощались и обменялись парочкой соображений насчет работ в концепт-сторе.

— До скорого! — махнул рукой Тристан.

Из окна машины я смотрела, как он уходит. Мы уже почти тронулись, и тут я увидела, что Тристан бежит к нам.

— Подожди, Янис, он, наверное, что-то забыл.

Я опустила стекло, Тристан согнулся пополам и заглянул в окно:

— Извините, что задерживаю, но я тут подумал, что забыл вам кое-что предложить.

— Давай, предлагай, — подбодрил его Янис.

— Я знаю, что из-за работы вы никуда не едете, но, возможно, вам захочется подышать свежим воздухом хотя бы во время длинных выходных. Мой дом в Нормандии всегда открыт для вас. У меня достаточно комнат, чтобы расквартировать целый полк. Обидно не воспользоваться. Могу дать вам ключи, на случай если меня там не будет. Главное, не стесняйтесь. Договорились?

Я онемела. Янис ответил Тристану, крепко сжав его руку:

— Вау, ты — лучший! Не могу сказать “нет”. Мы серьезно обдумаем твое предложение. Спасибо!

Тристана его ответ обрадовал.

— Пожалуйста, мне было бы очень приятно. Вера? — позвал он и постарался поймать мой взгляд. — Ты тоже подумаешь?

Меня поразила исходившая от него властность.

— Да, — выдохнула я. — Большое спасибо.

— Хорошо. Оставляю вас, отправляйтесь укладывать детей!

Он легонько хлопнул по дверце машины и удалился. Янис завел мотор и встроился в поток. Когда машина проезжала мимо Тристана, он энергично помахал нам.

— Совершенно невероятный парень, — заявил Янис.

— Согласна с тобой, — пробормотала я.

— Папа! Мама! — позвал нас Жоаким. — Мы поедем на каникулы к Тристану?

Ну почему дети всегда слышат то, что не предназначено для их ушей?!

— Может, на несколько дней, сынок, — ответил его отец.

Мне не спалось, но я старалась не шевелиться, чтобы не разбудить Яниса. Увы, как выяснилось, старалась я плохо — он повернулся на другой бок и притянул меня к себе:

— О чем ты думаешь?

— О разном.

— А именно?

— О твоей работе, об отпуске, о Тристане… Не знала, что ты рассказал ему, как у нас складывается лето.

— Ой, наверное, проскользнуло в каком-то разговоре, я даже не заметил.

— Ты действительно по-настоящему ладишь с ним?

— Ну конечно. Тебя что-то смущает?

— Нет-нет, что ты! Я просто задумалась о конфликте интересов. Он твой поручитель в банке… и в то же время вы друзья…

— Я тоже задавал себе этот вопрос. И даже с ним обсуждал. Мы решили, что не будем смешивать эти два аспекта. Вспомни, сегодня вечером мы практически не говорили о стройке.

— Получается, вы болтаете обо всем!

— Ага, как две старые сплетницы!

— Я не шучу, Янис!

Я выпрямилась и постаралась разглядеть его в темноте. Он включил ночник и, не отрывая головы от подушки, внимательно посмотрел на меня:

— Даже если бы он не поддержал мою затею, наши отношения были бы такими же. Он очень быстро стал моим приятелем! А контакт между нами установился еще раньше. Вспомни, как он приходил сюда, как мы были у него в гостях…

Я вздохнула:

— Да, я знаю. Но все равно мне это кажется странным, ничего не могу поделать.

— Ты ему не доверяешь?

— Да… нет… Не могу сказать. Я недостаточно хорошо знаю его.

— Но тебе он вроде тоже симпатичен.

— Не спорю, — признала я. — Однако… предложение пожить в его доме в Нормандии… Явный перебор!

— Ты считаешь, это слишком? — Янис тоже сел и приложил ладонь к моей щеке. — Во-первых, мы пока не дали согласия. Но если думать о детях, то, может, и стоило бы. Несколько дней на пляже пойдут им на пользу, разве нет? Да и тебе тоже. Не станешь же ты утверждать, что это не так?

Я кивнула. Он, несомненно, прав.

— И с Люком вышел облом… — продолжил он.

— И, представляешь, я к тому же поцапалась с Шарлоттой.

Он что-то пробурчал и добавил:

— Меня она тоже в последнее время достает. Но, знаешь, вполне возможно, что хорошие люди, которые не собираются тебя предавать или подставлять, все-таки существуют и мы встретили как раз такого человека в лице Тристана.

— В это трудно поверить, — неуверенно заметила я. — Но ты наверняка прав. Я что-то стала замыкаться в себе, и это нехорошо…

— Я всегда прав!

Он стал целовать меня — сначала просто ласково, потом все настойчивее. Ему известно и как успокоить меня, и как распалить. Он опрокинул меня на спину и лег сверху.

— Будем радоваться тому, что есть, согласна? Мы всегда так делали.

— Да.

— Тогда я приступаю прямо сейчас и пользуюсь твоей бессонницей, — сообщил он и прильнул к моим губам.

Я забыла обо всех своих вопросах и сомнениях.

Глава 8
Вера

Я существовала на пределе. Все у меня было на исходе: нервы, физические силы, терпение. Никогда раньше я так не ненавидела лето. Весь июль я только и делала, что куда-то бежала, отводила детей в лагерь, забирала их оттуда, в промежутках занималась домом и работала в агентстве, где осталась одна на три недели, пока моя коллега в отпуске. И дома я тоже была одна! Я держалась только благодаря надежде, что отдышусь, когда начнется отпуск. Но когда этот день наконец-то настал, мало что изменилось: ребята не забыли моего обещания переключиться на них и развлекаться с ними, чтобы компенсировать отказ от летнего путешествия. Я поминутно проклинала себя за неосторожно вырвавшиеся слова: мы с утра до вечера куда-нибудь ходили. Поваляться утром в постели? Исключено! Я была так измотана, что не разлепляла веки, когда Янис вставал на рассвете и шел на работу, но всегда находился кто-нибудь из развеселой троицы, чтобы разбудить меня, используя нашу кровать в качестве батута. Никогда бы не подумала, что это может быть так тяжело. Я уже почти мечтала о возвращении на работу и начале занятий. Срывалась по пустякам, орала на детей, не могла справиться с раздражением и все сильнее злилась на Яниса, редко появлявшегося дома. Стычки с Шарлоттой не облегчали жизнь. Я отменяла одну за другой наши обеденные встречи под тем предлогом, что мне не на кого оставить детей. Но всякий раз, когда я звонила, чтобы ее предупредить, она ругала Яниса на чем свет стоит и обвиняла меня в том, что я отдаю "своим малолеткам" слишком много сил. Я возмущалась, она подливала масла в огонь рассказами о Люке, а я еще больше нервничала, сражаясь с переживаниями из-за потери брата. Она раздраженно вздыхала, когда я по неосторожности произносила имя Тристана, и я в ярости бросала трубку. Я чувствовала свою правоту: она не в состоянии понять, что иногда просто нет возможности выкроить время для себя. К счастью, Шарлотта не знала, что все наше общение со знакомыми свелось к регулярным ужинам с Тристаном, иначе она бы просто слетела с катушек! И устроила бы мне сцену ревности, она на такое вполне способна. Несмотря на сдержанное отношение к Тристану, я не могла не признать, что встречаться с новыми людьми — и, значит, с ним — приятно, такие встречи расширяют горизонт. И если говорить честно, то по отношению к нам он вел себя безукоризненно, мы не слышали от него ни одного критического замечания по поводу того, как мы организуем свою жизнь. К тому же он упорно подталкивал Яниса вперед, советуя ни перед чем не останавливаться. Но какая-то настороженность все-таки во мне оставалась, она была сильнее меня, стала моей второй натурой. Кто бы ни приближался к моему мужу, я чувствовала угрозу, ведь он мог так или иначе причинить ему вред. Я постоянно боролась с желанием защитить Яниса, напоминала себе, что он уже взрослый мальчик, а я просто глупая трусиха. С ним я свои переживания не обсуждала, он бы ничего не понял, и я не хотела попусту тревожить его. Потому что он тоже был измотан. Накладки на стройке — когда серьезные, когда не очень — следовали одна за другой; он, правда, всякий раз все улаживал, но какой ценой! Его работоспособность потрясала. Я была под сильным впечатлением от того, что мой муж делал в данный момент, вопреки всем трудностям и семейным проблемам. Мои заботы казались пустячными по сравнению с тем грузом, который тащил он, поэтому я держала при себе свои тревоги и недовольство. Янис занимался активным поиском других клиентов — невозможно же ограничиться единственным заказом. В спешном порядке разрабатывал проекты, готовил чертежи. Его неутомимое упорство начинало приносить плоды — он уже подписал два контракта, еще несколько маячило на горизонте. Так что всегда имелись убедительные предлоги, чтобы открыть шампанское. Оно разряжало атмосферу, привносило в нашу жизнь праздник. К тому же Янисовых заработков теперь хватало не только на хлеб с маслом. Но меня волновала бледность, непривычная для его смуглой кожи. Он еще и похудел, а накачанные на стройплощадках мышцы, которыми он так гордился, таяли с каждым днем. Темные круги под глазами превратились в набрякшие мешки! Он менялся, но эта новая печать усталости не портила Яниса, а лишь усиливала его харизму и делала его, на мой взгляд, еще более привлекательным. Вечером в постели мы ограничивались легким поцелуем, ни на что другое сил не было. Нам как-то удавалось смеяться над этим, мы обещали друг другу, что нагоним упущенное, когда все утрясется, и были счастливы тем, что мы вместе, в одной упряжке, и участвуем в головокружительном приключении.

Этим вечером, вконец измочаленная, я свалилась на диван. На мне была только легкая рубашка, почти ничего не прикрывавшая. В самый раз для жаркого лета. Окна я держала нараспашку, чтобы устроить какой-никакой сквозняк. Весь день дети были перевозбуждены, требовали отца, злились на меня и на “дебильные развлечения”, которые я им предлагала. Судя по их настроению, даже отвези я их в Диснейленд, они все равно заявили бы, что это фигня! Их неблагодарность приводила меня в отчаяние. Ужин сопровождался криками, я чуть не сорвала голос. Потом все трое перешли в комнату мальчишек и собрались включить на планшете мультик, что могло бы подарить мне драгоценный миг тишины, если бы не катастрофическое развитие их дискуссии о том, что следует смотреть. От Яниса ни звука, хотя было уже почти девять вечера. Я надеялась, что он не слишком задержится, и так вчера явился невесть когда. Как и в предыдущие дни. Я раздраженно вздохнула и покосилась на телефон, чувствуя закипающую злость, и уже собиралась позвонить и все ему высказать, когда открылась входная дверь. Мне показалось, что он еще больше сгорбился, его лицо было замкнутым и озабоченным. Я тут же снова разозлилась, но уже на себя.

— Эй! — позвала я. — Все в порядке? Фигово выглядишь.

Он повернулся ко мне, хмыкнул при виде моей томной позы и побрел ко мне нарочито медленно и лениво. Его клоунада успокоила меня, я решила, что зря напридумывала всякие страсти. Дойдя до дивана, он рухнул на него и уткнулся лицом мне в грудь. Я провела пальцами по его волосам и извлекла несколько крошек штукатурки. Он поднял голову:

— Привет.

Потом взобрался на меня и поцеловал. Я подняла бровь:

— Опять мятные леденцы?

— Я подсел на них.

— Выбери какие-нибудь другие, ненавижу этот запах!

Он засмеялся. Тут до него донеслись детские вопли, и он застыл. Я вздохнула.

— И так они вели себя весь день? — спросил Янис.

— Сейчас еще ничего, — пожала я плечами.

— Черт побери! Блин!

Он встал с дивана, распрямил спину, нашел в себе силы, чтобы добрести до детской комнаты, и резко распахнул дверь.

— Сейчас же успокойтесь и прекратите орать! — рявкнул он.

Как ни странно, они замолкли. Обычно он сам заводил их, провоцировал на шумные игры и крайне редко повышал голос. Чтобы заставить его прикрикнуть, им нужно было сильно постараться. Почему же сегодня хватило двух минут, чтобы вывести его из терпения? Он продолжал ругать детей за то, что они плохо себя ведут, отравляют мне отпуск, вечно всем недовольны. Я подумала, что еще немного — и он обвинит их во всех своих проблемах на стройке, и решила, что пора вмешаться. Хотя одному богу известно, с какой радостью я бы этого не делала. Вот только на сей раз он зашел слишком далеко. Войдя в комнату и остановившись в дверном проеме, я оценила обстановку и пришла в ужас: мертвенно-бледный, с каплями пота на лбу Янис, Эрнест и Виолетта в слезах и Жоаким, обнимающий за плечи младшую сестру, словно желая защитить ее. В его голубых глазах назревала буря.

— Ладно, всё, марш в постель! — скомандовала я. — Папа устал.

Мама тоже…

— Но, мама!..

Я предостерегающе подняла руку:

— Стоп! Никаких “но”, Жожо! Прошу тебя!

Сын испепелил меня взглядом.

— Я уложу их, — предложил Янис.

— Нет, нет, я сама, — возразила я, отталкивая его. — Иди прими душ, тебе станет лучше. Сдохнуть можно от этой жары. Она бьет по нервам.

— Ну да.

Он посмотрел на детей, его лицо смягчилось, но на нем проступила грусть.

— Спокойной ночи, — сказал он.

Пусть и нехотя, но они позволили ему себя поцеловать. Когда отец ушел, они выдохнули. У меня сжалось сердце — я поняла, что они почувствовали облегчение, избавившись от Яниса. Мягко, но настойчиво я подтолкнула их к ванной. Они чистили зубы в глухом молчании, как вдруг Виолетта не выдержала:

— Почему папа такой злой?

Я знала, что этим кончится. Присев перед ней на корточки, я попыталась заступиться за Яниса:

— Папа не злой, никогда так не говори, пожалуйста.

Я переключилась на братьев:

— К вам это тоже относится. Понятно? Папа устал. Я, кстати, тоже. Я понимаю, что вам нелегко, но мы делаем что можем.

Они приуныли. Первой я уложила Виолетту, она сунула большой палец в рот и потерлась носом о любимого мишку, в ее глазах еще стояли слезы. Она потребовала, чтобы я оставалась с ней дольше обычного и много-много раз целовала. Я посидела с ней, чуть погодя встала и осторожно прикрыла за собой дверь. На душе было неспокойно и очень грустно. Мои старшие, скрестив руки на груди, сидели рядышком на нижнем ярусе своей двухэтажной кровати. Оба такие же хмурые, как и я.

— Пустите меня.

Они неохотно отодвинулись друг от друга, и я села между ними.

— Ладно! Не хотите спать, можете играть или читать. Но я не должна вас слышать, и никаких ссор. Договорились?

— Да, мама, — хором ответили они.

— Я скоро зайду к вам.

Я поцеловала каждого из них в макушку, после чего оставила в покое. Янис в шортах и без майки, еще влажный после душа, стоял на кухне. Он только что открыл бутылку пива. Осушил ее в три глотка, открыл следующую.

— Хочешь?

Не дожидаясь ответа, он протянул мне бутылку. Я подошла к кухонному столу, чтобы приготовить ужин, и отпила немного.

— Ты голоден? — спросила я.

— Нет, не очень.

— Греческий салат подойдет?

— Мне все равно. Вполне подойдет.

С бутылкой в руке он подошел к открытому окну, оперся о подоконник.

— Извини, что наорал на детей, — произнес он после долгого молчания. — Я не должен был на них набрасываться.

— Они в последнее время как с цепи сорвались, правда. Да и я часто на них покрикиваю... Но ты немного переборщил.

— Честно говоря, Вера, я не понимаю, как ты выдерживаешь с ними целый день.

— А куда я денусь? Нельзя же отправить их на все лето в лагерь, только чтобы мне было удобно.

— Я тебе за это очень благодарен.

Я шагнула к нему, стала совсем рядом, погладила по груди, обняла за шею. Он положил руки мне на талию.

— Мы знали, что эти два месяца будут тяжелыми, —

сказала я ему. — Но я считаю, что есть ради чего мучиться.

Он поставил пиво на подоконник и нежно провел пальцами по моей щеке:

— Тристан звонил сегодня.

Я удивилась, не понимая, какое отношение имеет Тристан к нашему разговору о детях.

— Да, и?..

— Он повторил предложение приехать на несколько дней к нему.

— И что ты ответил?

— Что я поговорю с тобой сегодня вечером.

— Не знаю, что сказать... Мне все же неловко.

Недоверчивость снова тут как тут.

— Мы никогда не были халявщиками... Но если вдруг подвернулась такая возможность...

Я хихикнула.

— На ближайший уикенд приходится пятнадцатое августа[1], понедельник выходной, на стройке никого не будет. Завтра пятница, я могу туда заехать утром, все проверить — и в дорогу. Четыре дня всего-то, вернее даже три с половиной, ничего страшного. Я думаю, никто не назовет нас прихлебателями!

Он готов был пожертвовать ради семьи несколькими рабочими днями. Янис всегда умел исправлять свои ошибки красиво. И мне, конечно, было приятно, что он старается для нас.

— Ну и ну, ты уже все обдумал!

— Честно говоря, если бы я не наорал, как псих, на детей, то выкинул бы это из головы. Но пора глот-

1 Во Франции 15 августа, праздник Вознесения Богоматери, — выходной день.

нуть свежего воздуха, боюсь, без этого нам не вытянуть. Я посмотрел прогноз, все выходные в Париже будет духота, дышать нечем, а на нормандском побережье шикарная погода.

Я глубоко вздохнула, избегая смотреть на него. Итак, я угодила в ловушку, и мне нечего возразить, разве что поделиться с ним своими параноидальными подозрениями, которые казались мне самой все более нелепыми!

— Ты предпочитаешь, чтобы я поискал гостиницу? — предложил он.

— Ну, это уж совсем глупо… В особенности если мы поселимся в пятидесяти метрах от него.

— Ага, ты сама сказала. К тому же для тебя это возможность лучше узнать Тристана, так тебе будет спокойнее.

Я прочла на его лице насмешку, он шутливо вздернул бровь. Мой муж явно о чем-то догадался.

— А с какой стати мне волноваться?!

— Ага! Думаешь, я не заметил выражение твоего лица?!

— Да нет…

Янис расхохотался. Окончательное решение принято: мы едем к Тристану.

Глава 9
Вера

Запоздалый отъезд. Пробки на магистрали *A13*. Взвинченные дети на заднем сиденье "вольво". Янис: солнечные очки на носу, руки на руле, довольное выражение лица. Я: босые ноги, задранные на приборную доску. Пока все нормально. За одним исключением — я была в стрессе. Я нервничала, тряслась, как бы дети не слишком баловались у Тристана, волновалась, что они начнут плохо себя вести, я, соответственно, буду на взводе и отравлю отдых Янису. И он пожалеет о том, что бросил стройку. Меня мучил страх, что мне там будет плохо. А еще я очень боялась узнать, что на самом деле Тристан — гнусный тип. И жалела, что отвергла Янисово предложение заказать гостиницу, как мы обычно делаем. Теперь мы ни минуты не сможем провести в кругу семьи, без посторонних, впятером, чтобы набраться сил и спокойно побыть вместе. В общем, меня накрыла паника. Я вздрогнула, когда Янис положил мне ладонь на бедро и погладил:

— Нам будет хорошо, обещаю.

Я вздохнула и заставила себя улыбнуться в ответ:

— Да, конечно.

Он легонько постучал пальцем мне по лбу:

— Давай переключайся! Погоди, есть идея.

Он резко свернул и съехал с шоссе. Дети завопили, я обозвала его психом. Янис громко расхохотался, явно довольный собой. Он повез нас деревенскими дорогами, объяснив, что мы никуда не торопимся и нормандский бокаж может сыграть роль декораций для безмятежной вылазки на природу. После этих слов он включил специальную "каникулярную песню", свою песню-талисман — *Sunny* в исполнении Марвина Гэя. И принялся подпевать, бросая на меня приглашающие взгляды. Я в конце концов сдалась и запела вместе с ним:

Sunny, thank you for the sunshine bouquet…
Sunny, thank you for that smile upon your face.
Sunny, thank you for that gleam that flows with grace.
You're my spark of nature's fire.
You're my sweet complete desire.
Sunny one so true, I love you…

Я чувствовала, что он счастлив и раскован, и это подняло мне настроение. Потом Янис сделал звук тише и оглянулся через плечо:

— Ваш черед, ребята!

Я тоже посмотрела на них и увидела, что они извиваются, пытаясь извлечь из-под сиденья большой пакет.

— Это тебе, мама!

Я взяла пакет дрожащими руками:

— Что это?

— Открывай! Не могли же мы проигнорировать традицию маминого каникулярного наряда!

— Ни за что на свете! — отозвались дети.

Я была растрогана и с трудом справлялась с наплывающими слезами и угрызениями совести. Я просто обязана прекратить упреки. Он нашел время, чтобы купить мне "платье на каникулы". Начало этой традиции Янис положил в наш первый отпуск после рождения Жоакима. Я считала себя уродливой, толстой, ныла, что летом мне нечего надеть. Накануне нашего отъезда он пришел домой, обвешанный пакетами. И с тех пор каждый год бегал по магазинам в поисках "того самого платья". Платья, в котором хотел видеть меня во время отпуска.

— Давай скорее, мама! — поторопила меня Виолетта. — Мне не терпится! Покажи свой наряд принцессы!

Я разинула рот, развернув это обалденное чудо — платье кинозвезды пятидесятых из хлопка в красно-белую клетку.

— Где ты раскопал это?

— Секрет...

— Ты считаешь, что мы можем себе позволить?

— Ты заслуживаешь самого лучшего!

Я бросилась к нему, обхватила за шею, поцеловала в щеку.

— Ты, случаем, не забыла, что я за рулем?

— Ну и что? Я тебя люблю.

Он подмигнул мне. Я положила платье на приборную доску и сняла майку.

— Не дождешься, пока приедем? — Янис умирал со смеху.

— И речи быть не может!

Я сбросила шорты и, выгибаясь, умудрилась натянуть платье. Завязав сзади на шее бант, я опустила козырек с зеркалом и надела солнечные очки. Затем с трудом, но все же сумела положить ногу на ногу, выпрямилась, не забыв отвести плечи назад и выпятить грудь, после чего состроила плутоватую гримаску и покосилась на Яниса.

— Соблазняешь? — прошептал он. — Сегодня вечером оно быстро слетит на пол. Я уже хочу в постель!

Я снова наклонилась к нему и поцеловала:

— И я тоже, представь себе.

Он искривился, пытаясь осторожно высвободиться, я отодвинулась от него, чтобы не мешать.

— Ребята! Мама — настоящая звезда.

Я обернулась к ним.

— Какая ты красивая, мама!

— Совсем принцесса!

— Спасибо, мои любимые!

Дорога на каникулы наконец-то стала дорогой на каникулы. Я постепенно возвращалась к самой себе и приходила к выводу, что наша семья тоже вновь обрела себя. Со страхами покончено! Я еще раз включила Янисову песню, и мы принялись распевать дуэтом во все горло.

Мы добрались до Кабура только в восьмом часу. Мы так надолго застряли на узких проселочных дорогах, что Янис дал мне свой телефон и попросил отправить Тристану смс, чтобы предупредить о нашем опоздании. В ответ тот сообщил, что ворота будут открыты и мы можем спокойно заезжать. Янис сразу нашел дом. Перед тем как выпустить детей из машины, я проверила, как они выглядят. Интенсивная дрессировка не потребовалась, они и так держались довольно спокойно, хотя и чувствовалось, что им необходима разрядка, да и просто размять ноги не помешает. Наша банда вывалилась из автомобиля и сразу нарушила покой большого двора. Снаружи дом казался огромным и довольно суровым. У меня даже холодок пробежал по спине. Это было типичное местное строение: фахверки, несколько этажей, ступеньки, ведущие к крыльцу. Ставни были частично закрыты. Если бы я проходила мимо, то решила бы, что дом уже давно пустует и, может даже, заброшен. Достаточно было оценить запущенность сада. Жоаким и Эрнест следовали по пятам за Янисом, который направился к большой лестнице, ведущей ко входу. Я задержалась у машины, борясь с приступом страха: мы не привыкли к такой обстановке. Виолетта засеменила ко мне и просунула маленькую ладошку в мою руку. Я переключила внимание на дочку и поняла, что дом произвел на нее впечатление, а то и слегка напугал. Она удивленно таращила на меня растерянные глазищи:

— Где я буду спать, мама?

— Посмотрим. Но ты не волнуйся, мы будем рядом с тобой.

— Хорошо.

Вот только я ее знаю: она не считала, что все хорошо.

— Эй, привет, Тристан! — возвестил Янис о нашем приезде.

Навстречу нам по ступенькам сбегал приветливо улыбающийся хозяин. Я сразу отметила, что на отдыхе он держится не более раскованно, чем в Париже. Похоже, он не слышал о существовании бермуд и маек. От его наряда — полотняные брюки, рубашка с длинными, лишь слегка подвернутыми рукавами и топ-сайдеры — мне самой стало жарко. Они с Янисом обнялись.

— Хорошо доехали? — спросил он. — Правильно сделали, что не торопились.

Таща Виолетту за руку, я подошла к ним. Пусть он срочно назовет ее несколько раз принцессочкой, чтобы она вновь обрела уверенность.

— Добрый вечер, Вера, ты как?

— Отлично. Привет! Спасибо, что пригласил, — ответила я, рассматривая дом.

— Давайте закончим с благодарностями.

Он нагнулся и всмотрелся в Виолетту, которая все еще держалась за мою юбку, после чего присел перед ней на корточки:

— Что-то не так, принцессочка?

— Твой дом такой большой.

Он едва слышно рассмеялся:

— Может, ты этого не знаешь, но я тоже папа, и у меня есть две большие принцессы. Я спросил у них, разрешат ли они тебе пожить в их комнате.

— Ой, и они согласились?

Он растроганно улыбнулся ей:

— Да, они ответили “да”. Ты можешь даже брать их наряды, если захочешь.

— Правда?
— Пойдем проверим?
Виолетта перевела взгляд на меня:
— Можно?
— Конечно.
Сперва она взяла за руку Тристана, но продолжала цепляться за мою ладонь, что было странно. Однако вскоре она отпустила меня и пошла с ним.
— Только сначала я помогу папе и маме отнести вещи, — предупредил он.
Виолетта кивнула. Тристан выпрямился. Я беззвучно, одними губами поблагодарила его, он в ответ пожал плечами. К нам присоединился Янис, и мы втроем достали из машины вещи, пока ребята исследовали сад. Муж воспользовался случаем, чтобы вручить Тристану коробку марочного вина, купленного специально для него сегодня утром, когда Янис выбирал мне платье. Потом Тристан повел нас внутрь. Прихожая, где мы поставили свои сумки рядом с центральной деревянной лестницей, была ощутимо больше нашей гостиной. Знакомство с домом продолжилось в гигантской гостиной и смежной с ней столовой, из которой был выход на такую же необъятную кухню. Мебели в комнатах было немного, только строго необходимый для жизни минимум и ничего лишнего, ни малейшего индивидуального штриха. Сразу чувствовалось, что Тристан редко сюда приезжает. Это очень меня удивило, в особенности когда передо мной открылся великолепный вид на океан. Большие двустворчатые окна в пол и эркер в гостиной выходили на крытую террасу, опоясывающую здание. Достаточно было спуститься на не-

сколько ступенек, чтобы попасть с нее во второй сад. Меньше размером, чем тот, по которому мы шли от ворот, но такой же запущенный, этот сад вел прямо на набережную и пляж.

— Ну и ну, приятель! — воскликнул Янис. — Тебя послушать, так здесь должна быть какая-то жалкая хижина, а на самом деле это буржуйская вилла!

Как это похоже на Яниса! Я колебалась: то ли закатить глаза к небу, то ли расхохотаться. Тристан сохранял невозмутимость.

— Знаешь, я тут ни при чем, — ответил он, как обычно, сдержанно. — Это дом моих родителей.

Янис подошел к нему:

— Нет, серьезно, я не прикалываюсь. Я просто в шоке и очень тебе благодарен за то, что ты нас пригласил. Ты всегда знаешь, что именно нужно человеку в данный конкретный момент.

— Я тебе уже говорил, было бы глупостью не воспользоваться. А мне это только в удовольствие! Хотите подняться в свои комнаты? — предложил он детям.

Тристан увлек за собой всю троицу, а мы с Янисом последовали за ними, обнявшись и обмениваясь восхищенными и многозначительными взглядами. И все-таки в этом доме мне было неуютно, хотя я и не могла понять, что меня здесь гнетет. Все мне казалось старым, темным, как будто над нами нависала какая-то тень. Только паранормальных заморочек мне не хватало! Широкие ступени из навощенного дерева скрипели под нашими шагами. Паркет в коридоре наверху тоже издал скрип, когда мальчики побежали по нему. Тристан сообщил, что мы все поселимся на втором этаже, где и его комната, а третий этаж не используется. Обе детские спальни находятся напротив нашей с Янисом, и у нас будет общая ванная. Едва войдя к себе, Жоаким и Эрнест принялись скакать на кроватях.

— Успокойтесь, — приказала я. — Вы что-нибудь сломаете.

— Не волнуйся, Вера, — остановил меня Тристан. — Ничего этим кроватям не сделается. Они и не такое пережили!

Я не успела ничего больше ни узнать, ни спросить, потому что он взял Виолетту за руку и повел показывать комнату принцесс. Она изумленно раскрыла рот, а я сглотнула слюну. Две старинные парные кровати из белого дерева с украшенными резьбой спинками, с перинами и подушками, обтянутыми узорчатым либерти, занимали часть пространства, а все остальное место было отдано куклам. Только у окна стоял туалетный столик, зеркало которого обрамлял бледно-розовый тюль. О да, это была настоящая спальня принцесс, только чуть-чуть старомодная и слегка печальная, как у Спящей красавицы...

— Какая красота, мама!

— Да, моя дорогая. Тебе здесь будет хорошо, а наша с папой комната как раз напротив твоей.

Чуть позже, разложив вещи, я вышла в коридор. Пока я разбиралась с сумками, Янис играл в саду с детьми, я слышала, как они галдят и сходят с ума, и даже Тристан нет-нет да и составлял им компанию. Закрывая дверь, я обратила внимание, что последние несколько минут в доме царит тишина. Я шла по коридору, где явно не хватало света. Ощущение глухого безмолвия было неприятным, особенно на лестнице. Я даже испытала что-то похожее на облегчение, спустившись на первый этаж. Неужели я схожу с ума и меня теперь пугает абсолютно все? В гостиной тишина окончательно сбила меня с толку. Я подошла к открытому французскому окну: в саду никого.

— Куда они все подевались? — пробормотала я.

— На пляж.

Я подпрыгнула как ненормальная и тихонько вскрикнула, услышав за спиной голос Тристана. Резко обернулась, прижав руку к сердцу. Он сидел на диване с книжкой в руках. В комнате было так темно, что я не понимала, как он ухитряется читать.

— Извини, если напугал.

— Нет, что ты, ерунда, — с трудом ответила я, потому что у меня перехватило дыхание.

Он отложил книгу, поднялся с дивана и бесшумно приблизился ко мне.

— Они там. — Он встал за моей спиной и протянул руку над моим плечом. — Смотри. — Он указал на берег.

Разглядев вдали фигуру Яниса, который носился взад-вперед, я обрадовалась. С первого взгляда и не скажешь, кто больше бесился — малышня или папа. Я бы тоже с удовольствием побегала вместе с ними босиком по песку. Но, увы, надо было выполнять обязанности гостьи…

— Тебе, может, помочь с ужином? — предложила я, отходя от окна.

Привычная корявая усмешка.

— Иди к ним, я разберусь.

— Нет, погоди, мы и так у тебя в гостях, не хватало тебе заниматься готовкой, это я беру на себя.

— Сегодня я заказал ужин, в смысле… на троих. Скоро пойду за ним. Я только рассчитывал, что ты мне скажешь, чем угостить детей.

— Как мило, что ты подумал о них! Не волнуйся, есть простой выход. Макароны найдутся?

— "Алфавит", естественно!

Мы оба искренне рассмеялись, и смех помог мне сбросить напряжение.

— Как насчет масла и кетчупа? — отсмеявшись, спросила я.

— Думаю, тоже есть, и даже ветчина.

— Ну вот, проблема решена.

— Не теряй со мной времени, они наверняка тебя ждут. — Он мотнул головой в сторону пляжа.

Я радостно помахала ему:

— Большое спасибо. До скорого.

Не заставляя себя упрашивать, я сбежала вниз, выскочила в маленькую калитку и пересекла набережную. На пляже я сняла сандалии, с удовольствием погрузила пальцы ног в песок и наконец-то прониклась великолепным чувством лета. Я помчалась к своим, зовя их по именам. Мне стало легче, захотелось насладиться в полной мере несколькими днями свободы, веселья и смеха и не обращать внимания на неприятные флюиды, излучаемые домом. Янис заметил меня и побежал навстречу. Как только мы очутились рядом, он схватил меня за талию, приподнял и закружил. Когда он опустил меня на песок, я увидела, что он стоит лицом к набережной и машет рукой. Я обернулась: с террасы за нами наблюдал Тристан — он помахал в ответ и исчез в полутьме гостиной.

Тристан действительно позаботился об ужине — заказал огромное блюдо морепродуктов. Мы давно их не ели. Он становился все более раскрепощенным буквально с каждой минутой. А ведь я опасалась, что он окажет нам чопорный прием, будет вести себя чуть ли не как дворецкий в английской усадьбе, потому что каждый его жест, каждое слово и каждое действие всегда были выверенными до миллиметра. Выяснилось, что все не так, и он даже позволил Янису хозяйничать на кухне. “Домашний майонез — мое коронное блюдо”, — провозгласил муж, желая убедить Тристана. Я воспользовалась перерывом, чтобы уложить детей. Вопреки моим опасениям, Виолетта, почти не сопротивляясь, согласилась лечь, при условии что двери и в ее спальню, и в нашу останутся открытыми. Ничего удивительного. Когда я снова спустилась, моллюски ждали на столе в пластиковом блюде, так как мужчины решили обойтись без фарфоровой посуды. Здесь, на побережье, дары моря — обыденная пища, и они подумали, что сервировка должна соответствовать стилистике простого дружеского ужина. Тем более что такую еду обычно берут по очереди руками с общей тарелки. Естественно, это ломает лед и способствует установлению контакта. Мы приступили к ужину в хорошем настроении, дети были в спальнях, а первые бокалы вина добавили непринужденности. Если в планы Тристана входило простецкое застолье, то я его не разочарую: когда нужно выудить из ракушки морскую улитку или сломать клешню краба, всегда выясняется, что у меня руки не оттуда растут. Вот и сейчас очередной моллюск взлетел в воздух, промчался над столом и приземлился на паркет двумя метрами дальше. За столом надолго стало тихо. Я залилась краской, которой добавил яркости с трудом сдерживаемый смех. Первым сдался Янис, он так хохотал, что ему пришлось выйти из-за стола, чтобы успокоиться. Тристан тоже развеселился.

— Извини. — Янис всхлипывал от смеха. — Моя жена не умеет себя вести за столом!

— Нечего возводить на меня напраслину, я не могу быть одинаково талантливой во всем! — хихикая, возмутилась я.

— Не говори так, Вера, — прервал меня Тристан. — Твоя любовь к жизни — истинный талант! К тому же нужна некоторая привычка, чтобы справляться с этими штуковинами.

— Эй вы, юмористы, хватит! Хоть бы один из вас догадался налить мне вина, вместо того чтобы издеваться.

Мюскаде лилось рекой, бутылки опустошались, словно по мановению волшебной палочки. Мне почему-то казалось, что Тристан не способен держать алкоголь или, по крайней мере, не сможет выдержать Янисов ритм, — умение много выпить как-то не соответствовало моему представлению о нем. Наверняка я полна предрассудков. Ошибочность моих предположений вскоре проявилась в полной мере — муж встретил достойного компаньона по загулам.

Тристан как раз взял в руку бутылку, собираясь наполнить мой бокал, но оказалось, что она безнадежно пуста.

— Сиди, я знаю, куда идти, — остановил его Янис.

Он уже сделал несколько шагов к подвалу, потом вернулся, взял со стола орехокол и протянул Тристану:

— Вот тебе полезный совет. Сейчас она доедает улиток, но скоро захочет краба. Смени меня на посту, пока я хожу за выпивкой, и расколи ей клешню, иначе будет катастрофа — она уделает твои стенки соком.

Я показала ему язык, после чего сосредоточила внимание на Тристане. Он подождал, пока Янис удалится, и принялся за краба. На меня напал безумный хохот — сказывалось действие бессчетных бокалов белого, — потому что мой сосед по столу был не талантливее меня.

— Что, какие-то затруднения? — подколола я.

— Это просто безумие, — ответил он, изо всех сил давя на клешню. — Каменная она, что ли?

Он старался, как мог, но краб не поддавался, хотя у Тристана даже заболела рука. Возвратился, насвистывая, Янис. Оценив жалкие успехи приятеля, он рассмеялся.

— Без меня вам не справиться! Дай сюда! — приказал он.

— Удачи, — раздосадованно бросил Тристан.

Янис воспользовался возможностью проявить себя, напряг мышцы и одним ударом сломал клешню под восхищенным взглядом хозяина дома.

— Ну, кто тут самый сильный?

Вечер продолжался, мы непрерывно поддразнивали друг друга, нам было весело. Когда на пластиковом блюде остались лишь обрывки водорослей и лужица морской воды, я встала и с затуманенной алкогольными парами головой кое-как добрела, словно ступая по вате, до дивана, рухнула на него и почувствовала, что вот-вот лопну. Мужчины занялись уборкой, многозначительно посмеиваясь и обсуждая немногочисленные любовные приключения, вроде бы случавшиеся у Тристана после расставания с матерью его дочек. Закончив дела на кухне, они присоединились ко мне, оба с выпивкой в руке. Янис налил мне вина и протянул бокал. Я взяла его и сразу поставила на журнальный столик. Я знала: если я сейчас выпью, эта порция будет лишняя. Та самая, от которой, стоит только лечь, к горлу подкатывает тошнота, начинается морская болезнь, и всю ночь приходится провести, склонившись над унитазом. Мне нужно было говорить без умолку, чтобы остановить стремительно накатывающее опьянение.

— Послушай, Тристан, — спросила я. — Твои дочки приезжали? Ну и как? Ты справился?

Он на несколько секунд задумался, ушел мыслями куда-то далеко.

— Очень мило, что ты спросила меня, — ответил он после паузы, и я подумала, что его слабая улыбка пронизана грустью.

— Ничего удивительного. Ты же волновался из-за этого.

Тристан рассказал, что долго раздумывал над тем, как бы сделать так, чтобы дочки согласились пожить с ним и остались довольны. В результате он нашел идеальное решение: пригласил погостить вместе с ними парочку лучших подружек.

— Смелый человек — взвалить на себя четырех подростков! — воскликнула я.

— Барышень к тому же, — добавил Янис.

— Они жили сами по себе, я только обеспечивал их едой и приглядывал за ними. И оказался в чистом выигрыше, если не считать незначительной потери слуха, потому что они тарахтели без умолку. Зато когда я оставался наедине с Мари и Клариссой, они гораздо охотнее общались со своим старым папой, благодаря чему мы снова сблизились. Мы вместе веселились и даже смогли обсудить нашу семейную ситуацию, наш развод, и я сумел многое объяснить им. Так что вышло лучше некуда!

Он проявлял трогательную деликатность, нельзя было не догадаться, что он любит дочерей больше всего на свете, даже если не всегда знает, как с ними обращаться. Его старание сделать все правильно поразило меня до глубины души.

— Значит, ты счастлив?

Он зацепился пристальным взглядом за меня, потом покосился на Яниса, после чего выдал одну из своих извечных кривых ухмылок.

— Ну да, можно и так сказать. Давно у меня не было такого удачного лета.

— Что ж, отличный повод выпить! — объявил Янис, поднимая бокал.

Несмотря на не слишком ясное сознание, я заметила некоторую его нервозность: он продолжал болтать и шутить, но при этом ерзал на диване, опрокидывал бокал за бокалом еще быстрее обычного и беспрерывно теребил пальцы. Я тут же приписала это не до конца искорененному тику бывшего курильщика. Подобные вечера — как раз тот случай, когда возникает острое желание наплевать на все решения и взять сигарету, тем более что по вечерам, между аперитивом и сном, он раньше дымил как паровоз. Впрочем, я его прекрасно понимала, потому что в такие моменты жгучая потребность в куреве точно так же одолевала и меня. Вообще-то в последние дни у меня все чаще возникали подозрения — я даже была почти уверена, — что он сорвался: характерный кашель, мятные леденцы говорили сами за себя. Я бросила на него притворно грозный взгляд, он сразу просек, что я его раскусила, и подмигнул мне. Я догадывалась, что Тристан наблюдает за нами и пытается расшифровать, что такое мы втайне от него замышляем. Ну вот, мы с Янисом друг друга поняли, и теперь я могла спокойно откланяться и отправиться в постель. Давно пора, иначе завтра утром прощай ясность мыслей. Что может быть хуже похмелья, когда по постели скачут дети!

— Я пошла спать, на ногах не держусь, — сообщила я, вставая с дивана.

— Спокойной ночи, — пожелал Тристан.

— Спасибо.

Я поцеловала Яниса, намекая, что жду его. Не отрывая своих губ от моих, он прошелестел:

— Я скоро.

— Очень жду тебя…

Я помахала им и направилась к лестнице. Для сохранения равновесия пришлось держаться за перила. Поднявшись на второй этаж, я несколько раз глубоко вздохнула, чтобы собраться с силами, и отправилась проверять, как там дети. Заглянула по очереди в обе спальни: вся троица спала крепким сном. Я прислушивалась к каждому шороху, пока смывала макияж и чистила зубы, — хотелось, чтобы Янис поскорее пришел. Я нуждалась в его руках, в его теле — без этого мне не уснуть. Но его все не было, и мне пришлось в одиночестве отправиться через весь коридор в нашу спальню. Я быстро разделась и забралась в постель. Мне было как-то неспокойно в этом доме, и я оставила гореть свет. Я ждала, сражаясь со сном — веки норовили захлопнуться сами собой. Но сон все-таки оказался сильнее. Меня разбудили поцелуи и ласки Яниса. Он поймал мой сигнал, стащил с меня пижаму, и мы занялись любовью — молча, в полной тишине. Потом он нежно обнял меня, притянул к себе и укрыл простыней наши обнаженные тела.

— Извини, что так долго не шел, — прошептал он.

— Не страшно, если учесть, как ты меня разбудил. Как раз то, чего я хотела.

— Засыпай.

— Надо, наверное, пойти узнать, как там дети, особенно Виолетта.

— Не беспокойся, они спят, я проверял и оставил двери открытыми.

Следующие два дня были восхитительными. Мы с утра до вечера сидели на пляже, чтобы надышаться воздухом. Каждая минута в компании отца была для ребят счастьем. Я радовалась их улыбкам, когда Янис брал их на руки или носил на плечах. Да, я все понимаю, дело есть дело, но возвращение домой будет трудным, потому что Янис снова оставит нас, вернется на свою стройплощадку. И все же нам удалось урвать хоть немного радости, что уже хорошо. Тристан деликатно уходил, чтобы дать нам побыть в кругу семьи, и я наслаждалась такими моментами. Я, конечно, вела себя как законченная эгоистка, ведь он так радушно принимал нас у себя, тратя на нас собственный отпуск. Но я знала, что мы в этом отчаянно нуждаемся. Правда, иногда он возникал, словно по волшебству, рядом. Зачастую кто-то из детей окликал его, когда он спускался к нам на пляж. Но здесь ему явно было некомфортно, во всяком случае, он ни разу не пришел в плавках и не разулся. Это поражало Яниса, который всегда бы ходил босиком, будь это возможно. Тристан живо интересовался детскими замками из песка и, более того, участвовал в их возведении. Он был очень внимателен к нам с Янисом, старался, чтобы мы по максимуму воспользовались нашей маленькой передышкой. Однажды он даже предложил посидеть с детьми, чтобы мы немного побыли вдвоем. Он утверждал, что ему это совсем не в тягость, и взял с нас обещание не испытывать чувства вины. Не в силах отказаться, я с восторгом ухватилась за возможность остаться на несколько часов наедине с мужем, зная, что дети в безопасности под присмотром нашего радушного и заботливого хозяина. В целом жизнь с Тристаном была легкой, естественной. Мы не приверженцы отдыха в компании, но с ним все было как-то по-другому. Как будто мы уже не первый отпуск проводим вместе. Мы безудержно веселились, болтали на самые разные темы; добавляло непринужденности и вино, которое Янис исправно подливал нам и в качестве аперитивов, и за едой. Совместное времяпрепровождение позволило мне лучше узнать Тристана и избавиться ото всех подозрений на его счет. Почему я была столь недоверчива? В глубине души я восхищалась его беззаботностью. Ведь, насколько я знала, он — заваленный работой бизнесмен, но на отдыхе как будто даже не думал о делах. Хорошо бы в будущем Янис взял с него пример. Тристана ничто не раздражало: если я просила детей не шуметь в доме или в саду, он меня останавливал, говорил, что ему это не мешает. Мы оккупировали его жизненное пространство, но не слышали от него ни малейшего замечания. Он постоянно повторял, что дети могут делать что хотят. Да, дом по-прежнему порой вгонял меня в дрожь, но эти три дня были, несомненно, мне на пользу, я освобождалась от напряжения, накопившегося за прошедшие недели. И наконец-то смогла отвлечься от забот, с которыми, как мне в последнее время казалось, я не в силах справиться.

Отъезд был назначен на следующее утро, так как Янис решил провести лишний вечер на побережье, чтобы избежать пробок. Придется, конечно, подняться на рассвете, иначе он не успеет на стройку к половине девятого. Мы в последний раз искупались в море и всей семьей возвратились в дом. Тристан встречал нас на террасе, как всегда, когда мы приходили с пляжа, с аперитивом для всех, даже для детей, которые набросились на чипсы и воду с сиропом.

— Эй! — остановила я их, когда они уже были готовы умчаться в сад. — Что нужно сказать?

— Спасибо, Тристан! — прокричали они хором.

Мы втроем чокнулись.

— Море — отпад, надо было тебе поплавать с нами! — сообщил Янис Тристану.

— Все же немного прохладное, — возразила я.

Мое замечание вызвало у Тристана фирменную кривую ухмылку:

— Я еще успею, буду здесь до конца недели.

Я встретилась глазами с Янисом и догадалась, что ему не хватило этих слишком коротких каникул. Мне тоже было обидно, что все так быстро кончается, но я сумела себя убедить, что лучше это, чем ничего. Подумать только, я не хотела приезжать! Отказаться от отдыха здесь было бы той еще глупостью!

— Уверены, что не хотите остаться на несколько дней? — спросил нас Тристан.

— Желание-то у меня есть, — ответил Янис. — В особенности чтобы Вера с детьми еще отдохнули. Но время поджимает, мне кровь из носу нужно завтра с утра быть на месте.

Я взяла его за руку:

— Не беспокойся о нас. Мы прекрасно отдохнули. Ладно, пора идти собирать чемоданы.

Я тяжко вздохнула — трудно справляться с ленью.

— Вера, — позвал меня Тристан. — Если хочешь, оставайся с детьми, вы мне совсем не помешаете. А в пятницу вечером я вас отвезу в Париж.

Я разинула рот и резко обернулась к нему. Его лицо привычно перекосилось.

— Э-э-э… ох…

— Ты это всерьез? — изумился Янис, тогда как я не могла выдавить ни слова.

— Я же сказал! Мне будет только приятно. И вам не придется сидеть в душном Париже. Но решать, естественно, вам. Ты как, Вера?

Я пыталась поймать взгляд Яниса. Великодушие Тристана поразило меня, но я растерялась и не знала, как себя вести.

— Оставайся, если хочешь, — предложил Янис. — Я прихожу в ужас, когда думаю, что вы все лето проведете взаперти в четырех стенах. Будет супер, если вы побудете здесь еще несколько дней. Я же помню, насколько тяжело вам всем было до отъезда. Ты как?

Я постаралась собраться с мыслями. За окном счастливые дети с разрумянившимися лицами носились по саду. Конечно, им здесь хорошо, но без Яниса… нет, это невозможно.

— Спасибо тебе от всего сердца, Тристан, это так мило, — поблагодарила я мягко, — но я не могу бросить Яниса одного, не хочу, чтобы он возвращался в Париж без нас. Не будем менять планы.

— Но Вера! Это же бред! — возмутился Янис.

Я положила ему руку на плечо:

— Я приняла решение. Честное слово, не вижу ничего плохого в том, чтобы вернуться в Париж. — Я поднялась. — Оставляю вас.

Янис заворчал, я засмеялась.

Десять минут спустя, стоя посреди комнаты, недовольно бурчала уже я. Как нам удалось за три дня устроить такой бардак? С ума сойти! Отделить чистое белье от грязного — настоящая головная боль, и я склонялась к мысли запихнуть в сумки чистое и грязное вперемешку, а дома все вместе постирать. Тем более что другого занятия, позволяющего отвлечься от детских воплей, у меня не будет. Сразу пропало всякое желание собираться. Я уселась на пол возле кровати, тяжело дыша. В коридоре раздались шаги.

— Раскисла? — спросил меня Янис, входя в комнату.

Я посмотрела на него: он сиял. Муж сел рядом и притянул меня к себе:

— Похоже, ты не в восторге от сборов.

— Кто бы спорил...

— Так почему ты не хочешь остаться?

Я теснее прижалась к нему:

— Не хочу, чтобы ты возвращался один, и не хочу быть тут без тебя. Ненавижу это!

— Я тоже...

Он отодвинулся, заглянул мне в глаза и отбросил прядь волос с моего лба.

— Послушай, Вера, я всю неделю буду вкалывать со страшной силой, из-за нескольких выходных я подзадержался. Ты только не думай ничего такого, я не жалею, что приехал, мы хоть немного пришли себя.

— Детям так хорошо с тобой, они все каникулы по тебе скучали.

Янис глубоко вздохнул:

— Я тоже, но так или иначе после нашего возвращения мы будем видеться нечасто, мне придется сутками торчать на работе. Так что лучше вам провести еще три дня в этом большом доме с выходом на пляж, чем взаперти в парижской квартире.

— Ну да, только...

Он легонько поцеловал меня в губы и потерся носом о мой нос:

— Меня тоже не радует расставание с вами. Если бы я мог остаться, я бы остался, поверь.

— Знаю, — пробормотала я.

— Тогда побудь здесь еще, ладно? — выдохнул он. — Ради меня...

Я больше не могла упираться. Подумаешь, всего три дня, как-нибудь выдержим, не умрем. К тому же так всем будет лучше: Янис спокойно поработает, не отбиваясь от моих упреков, дети наберутся сил у моря, а мне — при небольшом везении — не придется весь день орать на них. И я смогу подзарядиться энергией перед началом учебного года. Я кивнула. Янис посмотрел на меня с нежностью:

— Вот и прекрасно, я счастлив. Тристан — спаситель нашего лета.

— Это правда. Что б мы без него делали? Но... как я буду без тебя?

— Тем радостнее будет наша встреча. — Он поцеловал меня, я ответила на поцелуй.

— Пошли, скажем детям, — прошептала я. — И нашему спасителю!

Узнав новость, дети завопили от восторга, и все мои сомнения окончательно развеялись.

— Поблагодарите Тристана, — переждав бурю эмоций, сказала я.

Они помчались к нему, подпрыгнули, повисли на нем. Их реакция растрогала Тристана. Редко я видела у него такую открытую улыбку. Даже всегда суровое лицо на мгновение смягчилось. Я подошла к ним.

— Дайте ему вздохнуть! — смеясь, велела я своим разбойникам.

Они отпустили Тристана и рванули к Янису.

— Это было более чем щедрое приглашение. Спасибо тебе, — поблагодарил тот нашего хозяина.

— Да ладно, мне самому это доставляет удовольствие.

Я подняла руку:

— В качестве компенсации ты пускаешь меня на кухню, отныне я буду за нее отвечать, и это не обсуждается.

Он засмеялся, а я тут же отправилась готовить ужин. Если это смахивало на бегство, ничего не поделаешь. Весь вечер Янис не отходил от меня ни на шаг. Он помогал мне и с ужином, и с детьми, за столом садился рядом со мной — в отличие от прошлых вечеров, когда занимал место на другом конце стола. Я же старалась убедительно изображать хорошее настроение. Но душа была не на месте, какая-то непонятная тоска навалилась на меня. Я старалась скрывать ее, чтобы не обижать Тристана, ведь он ни в чем не виноват.

— Ладно, некоторым завтра вкалывать! — заявил Янис, когда мы пили на террасе кофе без кофеина.

Он встал, Тристан последовал его примеру.

— Спасибо за прием! Отдаю их под твою опеку.

— Можешь на меня положиться.

— Потому-то я их и оставляю! Встретимся в пятницу, когда ты их привезешь.

Янис взял меня за руку. Я покосилась на Тристана.

— Спокойной ночи, — сказала я ему.

— До завтра, Вера.

Мы с Янисом поцеловали крепко спавших детей. Янис задержался возле их кроватей, шепча на ухо какие-то нежные слова. Сейчас он окончательно осознал, что не увидит их целых три дня, чего до сих пор никогда не случалось. Когда мы легли, он притянул меня к себе и обнял.

— Обещай, что используешь эти дни на полную катушку, несмотря на то, что меня не будет.

— С чего бы мне воротить нос, когда выпал такой шанс?!

— Если понадобится помощь с ребятами, обратись к Тристану. Он для них царь и бог.

— Как-нибудь справлюсь.

— Я знаю, но мне хочется, чтобы ты тоже отдохнула.

— Все будет хорошо, не волнуйся. Просто мы будем по тебе скучать… я буду скучать…

— Я тоже. Но, знаешь, я воспользуюсь вашим отсутствием и буду пахать, не переводя дух, а в пятницу, когда вы приедете, буду ждать вас дома, и мы проведем все выходные вместе, не расставаясь ни на минуту.

— Обещаешь?

— Ну конечно…

— Значит, я спокойна, — согласилась я и поцеловала его в шею.

Глава 10
Вера

“Вольво” скрылся за поворотом. Покрышки завизжали на гравии, хотя Янис очень старался не разбудить всех в шесть утра. Он пытался помешать мне подняться вместе с ним, но я сделала по-своему и теперь торчала, дрожа от холода, на крыльце и боролась с наплывающими слезами. Окончательно замерзнув, я вернулась в дом. Бессмысленно стоять на улице — он уже далеко. Вот только трудновато согреться, ступая босыми ногами по цементным плитам прихожей, а затем кухни. Я поставила пустую кофейную чашку Яниса в раковину, налила себе еще кофе и села на деревянный табурет у окна. Я смотрела на пляж и не видела его. Впрочем, там нечего было разглядывать, если не считать терзаемого бессонницей старика, выгуливающего пса — своего ровесника. Сегодня пейзаж оставлял меня равнодушной. Мне было о чем подумать, кроме него, например, о детях, которые еще спали, а первым вопросом, когда они проснутся, будет “Где папа?”.

Потому что у детского сна имеется одна неудобная особенность — он стирает из их памяти некоторые события. Я думала и о Янисе, который в одиночестве едет сейчас по шоссе и наверняка беспокоится о том, что его ждет в ближайшие дни на стройке. Если вчера он грустил из-за расставания с нами, то сегодня утром уже был полон энтузиазма и мыслями далеко от нас, далеко от меня. Я затосковала, меня мучил вопрос, почему возвращение в Париж без нас едва ли не обрадовало его. Да что я здесь делаю? На берегу моря, в доме друга и благодетеля Яниса, с детьми, но без мужа? Ситуация показалась мне абсурдной, едва ли не гротескной. И тем не менее мне это не приснилось, я действительно согласилась остаться, так как хотела еще немного насладиться пляжем. Ведь я обязана думать о детях, обеспечить им полноценные каникулы. Да и нет оснований чего-то бояться, все должно быть хорошо и у нас, и у Яниса. Да, он побудет в одиночестве до конца недели, но не так уж это страшно. Я услышала, как кто-то скребется в дверь.

— Доброе утро, Вера, надеюсь, не напугал тебя.

Я оглянулась: на пороге кухни стоял Тристан с еще влажными после душа волосами. Помещение наполнил аромат ветивера. Я заметила, что интенсивность его парфюма всегда была одинаковой, независимо от времени суток.

— Доброе утро, Тристан. Извини, если мы с Янисом тебя разбудили.

— Вовсе нет, я уже не спал. Он нормально уехал?

— Ну да.

Тристан прошелся по кухне.

— Есть горячий кофе. Хочешь?

Он благодарно кивнул, а я снова переключилась на созерцание пляжа, который по-прежнему мало интересовал меня.

— Налить тебе еще?

Он стоял прямо за мной с кофейником в руке.

— Да, спасибо.

Я отвернулась от окна и посмотрела на него. Он оперся одной рукой об эмалированную раковину, а в другой держал чашку.

— Ты так рано встал?! — удивилась я.

— У меня вообще короткий сон. А почему бы тебе не пойти еще поспать?

— Неохота, — ответила я и сосредоточилась на содержимом своей чашки.

Несколько минут прошли в полном молчании.

— Знаешь, Вера, я не обижусь, если ты не в настроении.

Я удивленно подняла голову.

— Насколько я понял, вы редко расстаетесь с Янисом. Имеешь право грустить.

— Мы для тебя — открытая книга, — посмеиваясь, ответила я.

— Мне еще многое нужно узнать! Какая у вас программа на сегодня?

— Ничего выдающегося. Замки из песка и купание!

— Они будут счастливы.

— Для того я здесь и осталась.

— Если захочешь съездить куда-нибудь, можешь взять мою машину.

Я уже готова была поблагодарить его в очередной раз за то, что он для нас делает, но запнулась. У меня снова всплыли подозрения на его счет.

— Почему ты так заботишься о нас?

Вопрос вырвался сам собой, я готова была отшлепать себя по губам. Он отошел от раковины, сел на высокий табурет напротив меня, поставил кофе, положил ладони на стол и заглянул мне в глаза:

— Тебя это напрягает?

Я решила идти напролом. В сложившейся ситуации лучше вскрыть нарыв.

— У меня это вызывает вопросы.

— Нет никакой загадки.

— Ты так думаешь?

— Ты себя спрашивала когда-нибудь, почему тот или иной человек расположил тебя к себе? У тебя есть рациональное обоснование твоей дружбы с Шарлоттой? Я же не ошибаюсь, твою лучшую подругу зовут Шарлотта?

— Да.

— Итак, знаешь ли ты, почему дружишь с ней? Если не считать воспоминаний о вашей первой встрече.

— Нет, так само собой получилось, и все.

— Так вот, что касается отношений между нами, для начала между мной и Янисом — который сразу привлек мое внимание своим профессионализмом, — я не пытаюсь найти им объяснений. Не пытаюсь анализировать, почему мы отлично ладим с ним и, следовательно, с тобой тоже. Я подозреваю, Вера, что ты не отдаешь себе отчета в том, какие вы на самом деле. Мне невероятно повезло, что вы вошли в мою жизнь.

Я пожала плечами — комплимент смутил меня.

— Это не объясняет твою щедрость.

— Это не щедрость. Это норма. Мой бизнес с Янисом представляет собой обычное капиталовложение, а инвестирование в проекты — моя работа, тут нет ничего щедрого, и я не смешиваю работу и дружбу. Далее, насчет дома. Мне повезло иметь его, так что же подозрительного в том, чтобы предложить друзьям воспользоваться им? Разве на моем месте ты бы так не поступила?

Я старалась не смотреть на него.

— Да, ты прав. Прости, что пыталась отыскать какой-то подвох.

— Не извиняйся и, главное, не испытывай неловкости из-за того, что задала мне вопрос. На самом деле это скорее здоровая реакция. Я бы реагировал точно так же.

Я выступила как полная дура. Обычно специалист по бестактным вопросам у нас Янис. Только что я блистательно исполнила его роль, а между тем наше с детьми пребывание наедине с хозяином едва началось.

— Хочешь еще о чем-нибудь спросить? — поинтересовался он с довольной ухмылкой. — Если да, лучше сделать это сейчас — пока дети спят, кофе есть, а я готов отвечать.

Он встал, принес кофейник и наполнил наши чашки, после чего вернулся на прежнее место.

— Да ну?! — подначила я. — Любые вопросы, какие захочу?

— Давай оставим немного на потом, в ближайшие дни нам тоже надо будет о чем-то разговаривать.

— О'кей, начнем с мягкого варианта. Расскажи мне историю этого дома. Я знаю о нем только то, что это семейное достояние.

— Хитрая какая, решила одним выстрелом двух зайцев убить: разузнать и о доме, и о семье.

Он считал меня умнее, чем я была на самом деле. Мне даже в голову не пришло таким образом выуживать информацию о его происхождении.

— Боюсь тебя разочаровать, в моей истории ничего интересного нет.

— Позволь мне самой решать.

Я узнала, что у него четыре брата и Тристан самый младший. Дом, где мы проводили отпуск, принадлежит всем четверым, но пользуется им только он, поскольку остальные переехали на юг. Он считает, что относится к категории счастливчиков: обеспеченные, но строгие родители воспитывали детей в атмосфере культа успеха и упорного труда: учеба в лучших частных школах, каникулы на берегу моря с обязательными уроками парусного спорта и тенниса. Теперь я понимала, откуда взялись его утонченные манеры и налет старомодности. Из рассказа следовало, что он мало что решал сам, его будущее было заранее просчитано родителями.

— Какой ужас — быть сыном богачей. — Он саркастически усмехнулся. — Это так скучно и почти всегда приводит впоследствии к тяжелому кризису среднего возраста.

— Я с тобой не согласна. Знаешь, совершенно не важно, из богатой ты семьи или из рабочей, происхождение роли не играет, кризис сорокалетних приходит без приглашения! Посмотри на Яниса!

Появилась уже привычная ухмылка.

— Что ты имеешь в виду?

— Вы очень похожи. Оба стремитесь к самореализации, обоим необходим вызов, чтобы доказывать себе и другим свою состоятельность, оба должны непрерывно демонстрировать окружающим, что способны добиться успеха собственными силами.

— И что в этом плохого?

— Ничего, конечно. И не мне вас судить. Я тебя понимаю, и не важно, что тебя побудило сменить профессию. Если бы я считала, что амбиции Яниса — это плохо, я бы не поддерживала его. Не скрою, это не всегда просто, но игра стоит свеч.

Он кивнул. Постоял, уставившись в окно, и снова повернулся ко мне:

— Мне не так повезло, как Янису.

Я не сдержала любопытства:

— То есть?

— В отличие от тебя, моя бывшая жена не смирилась с переменами в моих занятиях, и уж тем более в моем характере. А одного без другого не бывает. Когда меняешь сферу деятельности, это оказывает влияние и на твою личность, и на семейную жизнь. Короче... вскоре эта самая семейная жизнь превратилась в непрерывный поток упреков и непонимания с обеих сторон. Постоянные конфликты и стычки стали вредить дочкам, и я в конце концов ушел.

— Прости меня...

— Не извиняйся, это старая история. И ваша пара нисколько не похожа на нашу.

Шумное появление детей прервало наш разговор. Я пообещала себе, что обязательно продолжу эту тему, которая оказалась как минимум интересной, хоть и непростой. Янис уже явно менялся. Но как далеко это зайдет?

Когда мы возвращались вечером с пляжа, Тристан был на террасе и оживленно разговаривал с кем-то по телефону. Он нам подмигнул, а я подтолкнула ребят к лестнице, чтобы не мешали ему. Наверху я сразу запустила всю троицу в ванну, что, как выяснилось, было не самым удачным решением, поскольку ванная комната вскоре превратилась в бассейн. Они со смехом и воплями обливали друг друга. Как вдруг настала глухая тишина — это водой окатили меня. Они таращились на меня, гадая, какая кара сейчас последует. Я расхохоталась и присоединилась к битве. И наплевать, что промокшее платье облепило меня, точно следуя всем изгибам тела. А пол я вытру позже. Я все-таки как-то ухитрилась намазать их гелем для душа и вымыть волосы шампунем.

— Вера?

— Да, Тристан, — ответила я, обернувшись к двери.

Он просунул голову в дверной проем, расплылся в добродушной улыбке при виде открывшегося перед ним зрелища и тщательно рассмотрел каждого из четверых участников. Я покраснела, поняв, что после водяного сражения выгляжу почти голой.

— Если тебе нужна ванная, потерпи немного.

— Нет, все в порядке. Я зашел, чтобы передать: Янис велел поцеловать тебя и детей.

— Да-а-а? — протянула я, медленно выпрямляясь. — Ты...

— Я разговаривал с ним по проекту.

Сегодня я получила от мужа только эсэмэску — утром он сообщил мне, что благополучно добрался до Парижа. И в течение дня я не могла до него дозвониться.

— У него все в порядке?

— Он носится туда-сюда, но вроде справляется. Позвонит тебе вечером.

— Спасибо за сообщение.

— Не за что.

Он уже выходил из ванной, когда я его остановила:

— Погоди, Тристан! Могу я попросить тебя об услуге?

Он вернулся:

— Конечно, пожалуйста.

— Не возражаешь, если я отправлю к тебе ребят, чтобы ты посидел с ними, пока я справлюсь с разгромом и спокойно приму душ?

Его взгляд остановился на детях, после чего возвратился ко мне и скользнул от собранных в хвост волос вниз, к ногам. Мне стало совсем неловко.

— Знаю, я так промокла, как будто уже побывала под душем, но честно говоря...

— С удовольствием! Дети, жду вас в гостиной!

С этими словами он исчез. Я быстренько упаковала их в пижамы и проводила всю банду до лестницы, получив от каждого обещание хорошо себя вести и слушаться Тристана. Как только раздался щебет Виолетты, требующей, чтобы ее считали принцессой, я добежала до нашей спальни и схватила мобильник. Села на кровать и позвонила Янису. После нескольких звонков включился автоответчик:

Это я. Ну-у... э-э-э... мне повезло меньше, чем Тристану. Он выступил посланником... Мне хо-

телось услышать твой голос и узнать, как ты там…
Целую, до скорого.

Я повесила трубку. На душе снова стало тяжело, я по нему скучала и чувствовала себя покинутой.

Весь вечер я косилась на телефон. У детей был боевой настрой, и я предпочитала держать их поближе к себе. Тристан стал настоящим героем для Жоакима, показав ему свою коллекцию джазового винила. Я рассеянно слушала их беседу о музыке вообще и тромбоне в частности, играя с младшими в "Семь семей". Так мы и сидели, пока Виолетта не уснула, прижавшись ко мне, а Эрнест не начал клевать носом.

— Жоаким, мы идем спать.

— Нет, мама, я хочу еще побыть с Тристаном. Он разбирается в музыке почти как папа!

Я ласково посмотрела на сына:

— Уже поздно.

— Не переживай, парень, — успокоил Тристан. — Продолжим завтра.

— Правда? — спросил мой старшенький с сияющими глазами.

— Клянусь, — сказал Тристан, ероша его волосы.

Жоаким подошел ко мне. Я взяла на руки Виолетту и обратилась к хозяину:

— Я уже не спущусь. До завтра. Спокойной ночи.

— Спасибо, тебе тоже.

Я помахала рукой и стала подниматься в окружении моей троицы.

Устроившись на кровати, я снова попыталась

дозвониться Янису и долго слушала гудки, прежде чем он ответил. Похоже, он не рвется поговорить со мной.

— Ты уже легла? — поинтересовался он.

— Да.

— Я так и думал, что ты именно сейчас позвонишь.

Я удержалась от замечания, что неплохо бы ему самому это сделать.

— Как прошел день?

— Прекрасно!

— Тристан сказал, что у тебя была сплошная беготня. Я несколько раз пыталась тебя поймать. Какие-то проблемы на стройке?

— Да нет, все как обычно. Дело движется. У меня в работе уйма задумок.

— Дома все в порядке?

— Я не дома.

— А почему? И где ты тогда?

— В берлоге, так удобнее. Не нужно тратить время на переезды. Ладно… расскажи лучше о детях. Если верить Тристану, вы провели весь день на пляже. Он прислал мне кучу фото.

Вот так так! Он нас снимал, а я об этом и не подозревала. Не знаю, что и думать. Мне стало стыдно, что сама я о снимках для Яниса не подумала. Хорошо, что Тристан догадался. Я делилась с мужем новостями, которые, скорее всего, были ему известны. До меня доносились звуки: он что-то перебирал у себя в квартире, пил, как мне показалось, пиво и слушал мой рассказ. По крайней мере, я надеялась, что он его слушает. Вскоре он принялся зевать.

— Иди ложись, ты валишься с ног.

— Не буду спорить. Извини… А ты как, сможешь уснуть?

— Не знаю.

— Постарайся…

— Ага… Целую. Позвонишь завтра, когда встанешь?

— Нет, дам тебе поспать. Лови момент. Созвонимся позже.

Я не хотела заканчивать разговор. Однако Янис уже был где-то далеко.

— Янис, я по-прежнему слышу нашу музыку, — пролепетала я тонким голоском, и мне показалось, будто я клянчу у него немного любви.

— Я тоже. Спи сладко.

Я угадала в его голосе нежность, но он быстро положил трубку. Несколько секунд я не отрывала глаз от телефона, внутри у меня все сжалось. Я лежала не двигаясь, а затем все же выключила свет и свернулась под простыней в клубочек. Янис был где-то далеко, и мне это не нравилось. Впервые в жизни меня терзала мысль, что он меня бросил, до сих пор он никогда не оставлял нас без крайней необходимости. А сейчас мне чудилось, будто Яниса устраивает, что мы не путаемся у него под ногами. Раньше ему всегда было о чем со мной поговорить, мы с удовольствием обсуждали события прошедшего дня. Но вот сегодня у него много разного случилось, а он предпочел максимально сократить общение. Я прокрутила в памяти последние разговоры и пришла к выводу, что он все реже рассказывает мне о работе. Совсем недавно он не скупился на подробности, а теперь... Мне еще повезло, что дети побывали на стройке и тем самым засвидетельствовали существование будущего концепт-стора, иначе я могла бы засомневаться в его реальности. При этом я знала, что Янис так себя ведет потому, что у него неподъемный проект и он думает только о работе. Меня придавило одиночество и настигала паранойя. Пора образумиться любой ценой. Я была напряжена, ловила малейшие шорохи в доме, вертелась и крутилась с боку на бок. Мне никак не удавалось удобно улечься, расслабиться и отогнать тягостные мысли. Но главное, у меня не получалось заснуть, когда я не чувствовала Яниса рядом. Случаи, когда мы не спали вместе, можно было пересчитать на пальцах одной руки. Я закрыла глаза, думая о нем. Наверняка он сейчас лежит одетый на диване в своей холостяцкой квартире, уносясь в мечты, с початой банкой пива, оставленной на журнальном столике. Картинка была не слишком привлекательная, но я удерживала ее, не позволяла расплыться, стараясь не упустить убегающий сон и не зацикливаться на мучительном подозрении, что он не нуждается в моем присутствии, чтобы уснуть. Мой сон наяву прервали шаги на лестнице, скрип паркета, звук открывающейся, а потом закрывающейся двери в ванную, которая снова открылась и закрылась немного погодя. После этого хлопнула дверь спальни. Тристан тоже пошел спать. Я, по крайней мере, не одна в этой огромной мрачной усадьбе. Это меня до некоторой степени успокоило, хотя в самой ситуации было нечто странное.

Я проснулась, не имея представления о том, который час. Я спала на месте Яниса, обхватив руками его подушку. Судя по моей усталости, было еще очень рано. Я перевернулась на другой бок, не выбираясь из уютного тепла постели, посмотрела в окно и удивилась лучам высоко поднявшегося солнца, которые пробивались сквозь щели в ставнях. Я перевела взгляд на дверь — она была закрыта! Меня охватила паника: где дети?! Я сбросила простыню, выскочила из кровати, с грохотом распахнула дверь и стала их звать. Молчание. Я врывалась поочередно в их спальни, как буйнопомешанная, но видела только пустые кровати. Я скатилась по лестнице и, задыхаясь, влетела на кухню.

— Что с тобой, мама?

Моя троица чинно сидела за столом с чашками горячего какао, круассанами и шоколадными булочками в плетеной корзинке.

— Знаешь, где мы были, мама? Ходили в булочную с Тристаном! — продолжила Виолетта, не дав мне и слова вставить.

— Доброе утро, Вера, — поздоровался Тристан.

Мои плечи опустились, я провела рукой по взъерошенным волосам.

— Привет, — выдохнула я.

Он подошел ко мне, на его лице было написано раскаяние.

— Я услышал, что они проснулись, поднялся на второй этаж, ты не подавала признаков жизни, поэтому я позволил себе закрыть твою дверь, чтобы ты выспалась. И я подумал, что они обрадуются, если к завтраку будут булочки. Надеюсь, ты не против.

— Нет… просто я не думала, что спала так долго.

— По всей вероятности, ты в этом нуждалась. Налить тебе кофе?

— Большое спасибо. За все!

Я присоединилась к детям за столом и проснулась окончательно меньше чем через полминуты, когда Виолетта вскарабкалась мне на колени и потянула за полу пижамы, которая распахнулась, едва не обнажив грудь! Я застегнула пуговицу со скоростью света. Щеки у меня запылали — ведь Тристан мог заметить мелькнувшее между отворотами пижамы тело. Я взяла у него чашку, не поднимая глаз. Он вернулся на то же место, где стоял накануне, прислонился спиной к раковине и начал беседу о музыке с млеющим от счастья Жоакимом. Я ела круассан и болтала с Эрнестом и Виолеттой. Зазвонил мобильник Тристана. Увидев высветившееся имя, он удовлетворенно кивнул и ответил. Я не могла не прислушаться.

— Мы завтракаем, — сообщил он собеседнику, после чего расхохотался. — Да, сейчас передам ей трубку.

Он протянул мне трубку:

— Это Янис, он пытался тебе дозвониться.

— Ой, я забыла свой в спальне. — Я взяла телефон из рук Тристана. — Алло!

— Спишь как сурок?

— Похоже на то.

— В любом случае ты же довольна, что осталась?! Тристан заботится о вас.

Я покосилась на нашего хозяина, он внимательно наблюдал за мной.

— Да, ты прав. А ты хорошо выспался?

— Придавил пару часиков, мне хватает. Сегодня я был на стройке уже в семь утра.

— Зачем так рано?

— Много работы.

Дети поняли, что я разговариваю с папой, и затеяли ссору, выясняя, кто из них первым поговорит с ним. Я тут же перестала что-либо слышать.

— Янис, скажи им что-нибудь.

Его ответ не достиг моих ушей, поскольку мобильный вырвали у меня из рук. Все трое затараторили хором и вскоре начали болтать всякую чушь, только чтобы выпендриться. Я немного подождала, но вскоре решила, что пора вмешаться:

— Так, давайте прощайтесь с папой.

Недовольная Виолетта отдала телефон, после чего сползла с моих колен на пол и отошла в противоположный конец комнаты дуться. Я только что обидела нашу принцессу!

— Очень рад, что они не скучают, — прокомментировал Янис. — Убедилась, что я был прав и эти несколько лишних дней — то, что им надо? А ты получила возможность выспаться.

— Да...

В трубке слышался ужасный шум.

— Пора заканчивать.

— Уже? — вздохнула я.

— У меня суперважная встреча, расскажу после, когда разберусь. Хотелось до этого услышать ваши голоса. Созвонимся вечером. Целую тебя, хорошего дня.

Он разъединился, не дожидаясь моего ответа. Какая муха его укусила?

— Вера? Все в порядке? — спросил Тристан.

Я так глубоко погрузилась в свои мысли, что не заметила, как дети убежали с кухни. Со мной остался только он.

— Да, да, все хорошо… Просто я беспокоюсь о Янисе.

— Почему?

Я сделала глоток кофе и заглянула ему в глаза:

— Ты мне скажешь, если у него будут проблемы, то есть, ты понимаешь, серьезные проблемы на стройке?

Он озадаченно нахмурил брови.

— Я знаю, это противоречит принципу, о котором ты вчера упоминал, — никогда не смешивать бизнес и дружбу, — но в последнее время мне кажется, что Янис что-то скрывает от меня, и я никак не могу избавиться от этой мысли. Он не такой, как обычно.

— Зря беспокоишься. Янис работает как каторжный, хочет добиться успеха. Это ведь его собственный проект, неудивительно, что он кажется тебе не таким, как всегда. Он ведь еще ни разу не был в такой ситуации. Да, я знаю, это трудно, но не накручивай себя. Не может же он рассказывать тебе все вплоть до мельчайших подробностей.

— Но ты, будучи посвящен во все страшные тайны, можешь мне однозначно подтвердить, что не происходит ничего серьезного?

— Насколько мне известно, все развивается лучше некуда. Ты себе напридумывала, правда!

Оставалось надеяться, что его слова меня успокоят. Впрочем, какой у меня выбор?

Вечер четверга. Всего лишь сутки — и мы будем дома, вместе с Янисом. Семья воссоединится, жизнь войдет в свою колею. Мы снова сможем разговаривать друг с другом нормально, а не на бегу по телефону, я наконец-то сама все увижу и смогу убедиться, что ничего не случилось и мне не из-за чего дергаться. На следующей неделе мы возобновим движение по привычному маршруту: дом — летний лагерь — работа, и так до начала школьных занятий. Возобновятся и мои обеды с Шарлоттой. По крайней мере, я на это надеялась. Как мы могли до такого дойти? Почему перестали понимать и уважать друг друга? Мне недоставало возможности смеяться с ней, делиться своими новостями и сомнениями. Я должна сделать все, чтобы мы снова нашли общий язык, восстановили прежние отношения. Нужно срочно услышать ее голос, подумала я, ушла в сад и позвонила.

— Привет! — весело воскликнула я, как только она ответила.

— О, какой сюрприз! А я уж думала, дашь ли ты когда-нибудь о себе знать!

А кто мешал тебе самой поинтересоваться?

— Милая реакция! Очень приятно! Ты же знаешь, каково это — управляться летом с детьми… Но я все время вспоминала о тебе, и мне захотелось пригласить тебя на ужин в субботу вечером. К нам домой. Кстати, ты давно не виделась с Янисом.

— Хорошая идея, — ответила она, но я не услышала энтузиазма в ее голосе. — Когда ты выходишь на работу?

— В понедельник.

— Мы…

Надо мной пролетела чайка, заглушив своим криком слова Шарлотты.

— Прости, я не расслышала. Что ты сказала?

— Вы все-таки уехали на каникулы?

— Всего на несколько дней.

— Могла бы сказать! Вы где?

— Мы сначала выбрались только на выходные, а потом Янис вернулся без нас, а мы остались еще немного отдохнуть. Завтра я возвращаюсь с детьми и Тристаном.

Произнеся его имя, я поняла, что ничего хорошего из этого не выйдет. И не ошиблась.

— Могу я узнать, при чем здесь этот тип! — заорала она.

Ее агрессивность была не только невыносимой, но и непонятной. Я подтолкнула ногой камушек и принялась расхаживать взад-вперед по саду.

— Он пригласил нас в свой дом на нормандском побережье, чтобы мы немного подышали свежим воздухом, — бесстрастно ответила я.

— Если вы в заднице, могла бы попросить о помощи меня, а не этого невесть откуда свалившегося клоуна!

Я резко остановилась.

— Ты о чем? Почему ты решила, что мы в заднице? Просто Янис завален работой! И не притворяйся, будто тебе это неизвестно! — Я начала нервничать и заговорила на повышенных тонах. — Я вообще не понимаю, в чем проблема!

— Это не аргумент! Со мной-то вы никогда не отдыхали.

— Должна заметить, ты сама об этом никогда раньше не заговаривала! Где тут тема, Шарлотта? Ты злишься, потому что у нас есть еще друзья помимо тебя?

— Представь себе, да! Я ревную! У меня такое впечатление, что он значит для вас больше, чем я!

— Не болтай глупости! Он симпатичный и, между прочим, не осуждает нас, как некоторые. И вообще у тебя нет на нас монополии!

— По-моему, тебя заносит, Вера!

— Хватит! Я хотела узнать, как у тебя дела, поболтать и не собиралась ссориться. И вот что я сделаю: приглашу его к нам на ужин в субботу, ты с ним познакомишься, это тебя успокоит. А там, может, вы еще подружитесь.

— Лучше умереть! Если он у вас будет, я не приду, об этом не может быть и речи!

Да что с ней такое? Она с катушек слетела, честное слово!

— Почему?

— Потому что мне нечего делать с этим субъектом! Он меня не интересует!

— То есть тебе наплевать на часть нашей жизни?! Послушай, я больше не могу, надоели твои упреки, твое отсутствие интереса к Янису и его фирме, твое недовольство по любому поводу. Я не узнаю тебя. Что с тобой стряслось? Что мы тебе сделали, в конце концов?

Я услышала, как она тяжело вздохнула:

— Во вторник пообедаем и все обсудим.

— Нет! Я не позволю тебе увильнуть! Отвечай мне! Я хочу знать, что происходит!

Новый вздох.

— Ты знаешь, я всегда любила Яниса, я просто обожаю твоего мужа, он делает тебя счастливой, лучшего отца для ваших детей не пожелаешь, но он большой подросток. И даже не пробуй возражать!

— Опять за свое! Тем более чья бы корова мычала!

— До сих пор меня это просто забавляло, — продолжала она, проигнорировав мое замечание. — Ваша оторванность от реальности и его безответственное поведение не имели особого значения. Сейчас все изменилось. Уволившись, он повел себя как капризный ребенок и увлекает в свое падение тебя. А ты ничего не замечаешь! Хуже того, ты сама протягиваешь палку, которой тебя же будут бить!

— Замолчи! — закричала я. — Как ты можешь говорить о нем такое?

— Помолчать придется тебе! Ты же хотела узнать, что со мной стряслось, вот и узнай. Выслушай меня до конца. Ты поддерживаешь своего мужа, и это нормально, было бы удивительно, если бы ты этого не делала, но всякой поддержке полагается свой предел, иначе безответственность грозит стать самоубийственной. Он загонит вас в такое дерьмо, которому нет названия! Твой брат все объяснил мне. Ты хотя бы знаешь, что происходит сейчас с его стройкой? А сегодня ты мне сообщаешь, что он бросил тебя и детей с неким перцем, о котором вам толком ничего не известно! Если честно, он совсем больной, твой супруг. Я отказываюсь молча наблюдать за тем, как ты летишь в пропасть, хоть и понимаю, что, выложив все, что у меня накипело в последние несколько недель, я потеряю твою дружбу. Ничего не поделаешь, приходится выбирать, и я предпочитаю рискнуть, а не промолчать, потому что я никогда не прощу себе, что не предупредила тебя.

Я зажмурилась и несколько раз вдохнула и выдохнула, чтобы собраться с силами. Никогда бы не подумала, что такое возможно.

— Я скажу тебе кое-что, Шарлотта. Ты права только в одном: ты действительно потеряла мою дружбу. До свидания.

Я прервала разговор и изо всех сил стиснула в руке телефон, пытаясь совладать с охватившей меня дрожью. По щекам покатились крупные слезы. Я была безнадежно одинока, мы с Янисом были безнадежно одиноки.

— Вера? — услышала я за спиной голос Тристана.

Опять я не слышала, как он подошел. Как ему удается настолько бесшумно двигаться? Какое счастье, что он здесь. Я выпрямилась и быстро вытерла щеки, остерегаясь поворачиваться к нему лицом.

— Где дети? — спросила я срывающимся голосом.

— Не беспокойся. Они ужинают на кухне. Я взял на себя смелость увести их из сада.

— Спасибо. Пойду к ним.

Я обогнула его и, пряча глаза, побежала в дом. Я должна быть рядом с детьми, вместо того чтобы пережевывать печальные мысли об искалеченной, утраченной, испоганенной дружбе.

— Ты плакала, мама? — встретил меня встревоженным вопросом Жоаким.

— Нет, мне соринка в глаз попала, — соврала я, отводя взгляд.

— Мама? — повторил он еще более обеспокоенным голосом.

Я села к столу рядом с ним, положила ладонь на его загорелый лоб, погладила по голове и улыбнулась ему — нежно и успокаивающе, как я надеялась.

— Не волнуйся, Жожо, милый. Это все взрослые дела.

Он встал и придвинул губы к моему уху.

— Мы больше не увидим Шарлотту, — прошептал он. — Как было с Люком…

— Все это сложно, — ответила я. — Давай доедай свой ужин.

Он обнял меня, как это сделал бы взрослый, утешающий ребенка.

— Наплевать, мама, мы пятеро всегда будем вместе.

Я похлопала ресницами, пытаясь удержать слезы. Он снова сел. За каникулы Жоаким вырос — так бывало каждым летом, — вот только на этот раз он стал более зрелым, а может, и более серьезным, хотя мне не хотелось так думать.

— Как насчет мороженого на десерт? — Я постаралась, чтобы мой голос прозвучал весело.

Их радость — мой лучший антидепрессант. В ответ грянуло дружное "Да!!!". Пока я раскладывала мороженое по вазочкам, все трое столпились вокруг меня, словно галчата, разевающие клювы в ожидании кормежки. Когда вазочки были дочиста вылизаны, дети помогли мне убрать со стола — с подачи старшего, который догадался, что мама нуждается в помощи. Младшие подчинились, не препираясь.

После того как кухня засияла чистотой, я повела своих отпрысков к себе спальню и предложила устроиться у меня на кровати. Их ждал сюрприз: я спрятала планшет на дне сумки, чтобы чада хоть несколько дней отдохнули от него. Кстати, здесь, у моря, они, похоже, напрочь забыли о мультиках. При виде гаджета дети засияли.

— Вот, держите, но решайте все вопросы мирно, никаких ссор, никаких криков. Чтобы я не пожалела о том, что дала вам планшет, договорились?

— Договорились, мама!

— Будьте умниками, я пошла.

В гостиной на диване сидел Тристан с книгой в руках. На журнальном столике стоял поднос с двумя бокалами вина.

— Угощайся, — предложил он, не отрываясь от чтения.

Я не колебалась ни секунды: взбодриться было необходимо. Сбросив сандалии и усевшись с ногами на банкетку в эркере, я повернулась лицом к морю и прихлебывала вино мелкими глоточками. Скоро солнце окончательно исчезнет за горизонтом.

— Тристан, — окликнула я его после долгого молчания.

— Да.

Я поймала на себе его любопытный взгляд.

— Ты когда-нибудь пожалеешь, что пригласил нас.

— Исключено.

— Ты такой милый, а мы — серьезная обуза, признай! — засмеялась я, хоть мне было не до смеха.

— Вы с Янисом сейчас противостоите трудностям, с которыми я сталкивался в прошлом. А ваши дети очень милые! Так что не переживай.

Мой бокал опустел. Он это заметил и встал, пошел ненадолго на кухню и вернулся с бутылкой. Подошел к эркеру и налил мне вина.

— Спасибо, — кивнула я.

Подлив вина и себе, он снова сел на диван. Я долго покачивала и крутила бледно-желтую жидкость в бокале, нюхала ее, затем отпила немного.

— Если бы не ты, у нас бы больше не было друзей, мы с Янисом остались бы одни... Ой, не надо было мне это говорить, а то как бы ты не испугался и тоже не исчез в один прекрасный день, — попыталась пошутить я.

— Даже не рассчитывай, — возразил он, и в его голосе прозвучала ирония. — Не в моем стиле. А если серьезно, я слышал обрывки твоего разговора. Все в порядке? Это была твоя подруга Шарлотта?

— Она самая. Сговорилась с моим братом... Вывалила кучу гадостей про Яниса. Получается, она его никогда всерьез не воспринимала, считала шутом гороховым, шалым сумасбродом и никогда не доверяла ему.

Тристан устроился на диване поудобнее и сделал глоток вина. Я впервые видела его в такой непринужденной позе, довольно элегантной, впрочем. Мне было легко изливать душу, поскольку чувствовалось, что ему интересно, он обдумывает услышанное, как если бы я говорила о самых важных на свете вещах. Он посмотрел на меня в упор своими черными глазами:

— Возможно, Шарлотта из тех людей, кто противится переменам. Она чувствует, что перед вами открываются новые перспективы и вы движетесь к успеху… Такие вещи некоторых пугают. Дай поработать времени, и она успокоится. То же самое с твоим братом: когда он увидит, чего добился Янис, он признает, что был неправ. Не забывай, я с ним знаком, и он произвел на меня впечатление умного человека. Рано или поздно он сообразит, кого потерял.

— Спасибо, что стараешься подбодрить меня, но я не очень в это верю. Теперь я знаю, что мой брат ревнивец, и Шарлотта такая же! Представляешь, она мне устроила сцену из-за того, что мы провели несколько дней у тебя в гостях. Даже отказалась знакомиться с тобой! Что на нее нашло, загадка…

— Ух ты, очень жаль, я с удовольствием встретился бы с ней… Однако, Вера, тебе не в чем себя упрекнуть, ты пыталась все уладить, включить их в свою новую жизнь.

Тристан допил вино, не сводя с меня глаз, но я была почти уверена, что мыслями он далеко и интенсивно над чем-то размышляет. Никогда не встречала такого уравновешенного, такого терпеливого человека. Пусть ему недостает непосредственности, но нельзя не признать, что он умеет успокоить и внушить надежду. Чем дольше я общалась с ним, тем лучше понимала, почему Янис так расположен к Тристану. Напрасно я сомневалась в нем!

— Могу я быть честным с тобой? — спросил он, помолчав.

— Конечно! Мне кажется, ты единственный, кто честен с нами, так что вперед.

Он усмехнулся.

— Что бы ты по этому поводу ни думала, ваша жизнь меняется, — заговорил он серьезным голосом. — Янис меняется. Ты, Вера, меняешься. В такие моменты у людей происходит переоценка ценностей, они отдаляются от тех, кто еще недавно играл важную роль в их жизни. Потому что взаимопонимание исчезло, или просто потому, что у тех и у других, как неожиданно выясняется, разные приоритеты. Вы с Янисом, и в первую очередь ты, завяжете новые отношения. Но ты будешь по-прежнему любить своих старых друзей, а они тебя.

— Об этом тяжело говорить и даже думать, но я все чаще сомневаюсь в искренности их любви, во всяком случае, мне подчас начинает казаться… что меня предали.

— Это нормально… Все было бы по-другому, предоставь Люк Янису больше возможностей проявить себя… но, ты знаешь, это так по-человечески — испугаться, что у тебя отберут лидирующую позицию… Он напирал на якобы свойственную Янису безответственность, чтобы скрыть в тени его талант. Я вовсе не осуждаю его. Понимаешь, когда чувствуешь угрозу тому, что ты выстроил, начинаешь защищаться любыми способами.

Я вздохнула и повернулась к окну. Было почти совсем темно.

— Вера, могу я позволить себе последнее замечание?

— Давай, я слушаю. — Я снова перевела на него взгляд.

— Не трать ни силы, ни время на то, чтобы злиться на них, ты только попусту портишь себе нервы. Лучше по максимуму используй возможности, которые открывает перед тобой ваша новая жизнь.

— Ты прав, так я и буду поступать!

Назавтра правоту Тристана подтвердил здоровый румянец готовых запрыгнуть в машину детей, довольных своими каникулами и радостно предвкушавших встречу с отцом, от которой их отделяло всего несколько часов. Да, действительно, мы должны воспользоваться новым поворотом нашей судьбы по максимуму. Тристан появился в дверях с дорожной сумкой в руках, а наши вещи уже лежали в багажнике. Он переоделся и снова предстал в своем всегдашнем облике уверенного в себе делового мужчины: строгий костюм и белая рубашка вернулись. Тристан запер дом и присоединился к нам.

— Усаживайтесь, — пригласил он, открывая багажник.

Застегивая ремни, я присмотрелась к детям: они вроде настроились вести себя тихо. Лишь бы их хватило на всю дорогу. Я в последний раз оглянулась на дом, к мрачной строгости которого почти привыкла. Эти несколько дней были неким удивительным, но скорее приятным отступлением от рутины. Как будто пребывание на этой вилле, которая в первый вечер повергла меня в ужас, представляло собой неизбежный в пути вираж. Я села в машину одновременно с Тристаном. Мы переглянулись.

— Ничего не забыла? — спросил он.

— Нет, перед уходом я еще раз все проверила. Но прости, не успела прибрать за нами, даже снять постельное белье...

— Все нормально, Вера. Завтра придет уборщица.

Он завел мотор, и тот бесшумно заработал. Его черный пикап с тонированными стеклами был настоящей гостиной на колесах. Такой комфорт нам в новинку! Как только мы отъехали от дома, я отправила Янису эсэмэску:

> Тронулись в путь, должны быть к 22.30, мечтаю о скорой встрече, надела отпускное платье.

Мне хотелось понравиться Янису в первую же минуту, как только он меня увидит, а поскольку "эффект кинозвезды" был уже на нем опробован, выбор наряда не составил труда. Через несколько минут я получила ответ:

> Для нашей встречи лучше не придумаешь... У меня тут намечается нечто грандиозное!!! Изо всех сил постараюсь быть дома к вашему приезду, но не уверен.

Я тут же попросила объяснить, но он больше не подавал признаков жизни. Я уже начала привыкать...

Первую половину пути Эрнест и Виолетта смотрели на планшете мультики, а Жоаким, устроившись на краешке сиденья, чтобы быть поближе к Тристану, оживленно беседовал с ним о тромбоне. Я слушала их, уткнувшись носом в окно, сжимая в руке телефон и надеясь узнать от Яниса новости. Потом голоса на заднем сиденье стали понемногу стихать, после чего окончательно смолкли. Я обернулась — вся троица спала.

— Наконец-то ты сможешь спокойно вести машину, — прошептала я Тристану.

— Он так увлечен, просто невероятно. Сообщил, что Янис водит его каждую неделю на занятия.

— Да! Не знаю только, как мы будем справляться в новом учебном году... Его интерес к тромбону и джазу — это от Яниса, он давал ему слушать записи с самого рождения.

— Почему? Даже я, отчаянный поклонник джаза, не пытался приохотить к нему дочек.

— Янис всегда жалел, что в детстве не учился музыке, и мечтал, чтобы ею занимался кто-то из детей. Поскольку Жоаким сразу же увлекся, он его поддерживает. А еще, я думаю, это такое их общее дело, увлечение, которое отец разделяет с сыном.

— Жоаким по секрету сообщил мне, что Янис обещал купить ему новый тромбон.

— Наш Жожо никогда ничего не забывает, — засмеялась я. — Но, знаешь, это правда...

Мы снова замолчали. По мере приближения к Парижу желание поскорее увидеть Яниса нарастало, но оно не помешало мне тоже задремать. Вспышки оранжевого света, вонзившиеся в веки, вернули меня к действительности. К моему огромному удивлению, мы уже выезжали из туннеля Сен-Клу. Я обрадовалась раскинувшемуся перед нами ярко освещенному Парижу, выпрямилась и повернулась к Тристану. Его лицо оставалось серьезным.

— Извини, что вырубилась.

Он хмыкнул:

— Правильно сделала. Я в машине не разговариваю.

— Предупрежу Яниса, что мы подъезжаем.

Муж на звонок не ответил.

— Попробую позже, — прошептала я.

Меня охватило чувство неловкости, чтобы не сказать стыда. Что такого можно делать в десять сорок пять вечера, что помешало бы ответить на звонок? Он о нас забыл, или что? Может, не услышал, потому что готовил квартиру к нашему возвращению? И о чем таком фантастическом он мне сегодня писал? Я перегнулась через спинку к заднему сиденью, дети так и не шелохнулись, ничто не нарушило их сон.

Минут через двадцать Тристан остановился перед нашим домом.

— Кажется, никого нет, — заметил он, скользнув взглядом по темным окнам.

— Похоже на то. Не понимаю, где он задерживается. Ладно, разбужу ребят, — ответила я, отстегнув свой ремень и приготовившись выйти из машины.

Я хотела лишь одного: как можно быстрее подняться в нашу квартиру и самой убедиться в том, что Яниса там нет.

— Подожди. — Тристан придержал меня за руку. — Ты же не думаешь, что я оставлю тебя на улице с чемоданами и детьми?

— Я разберусь, — ответила я, пряча глаза.

Не обращая внимания на мои слова, он припарковался на стоянке чуть в стороне от дома.

— Присмотри за машиной. Я отнесу вещи наверх и спущусь за вами.

— Но...

— Не надо, ничего не говори.

Я в очередной раз схватилась за телефон и позвонила Янису. Голосовая почта. Так, спокойно, не будем нервничать, наверняка есть какая-то разумная причина. Как только Тристан вернулся, я вышла из машины, открыла заднюю дверцу и как можно осторожнее разбудила детей.

— Ты займись мальчиками, а я отнесу Виолетту. Это подарит мне приятные воспоминания, — попробовал пошутить он.

— Спасибо.

Мальчишки выбрались из машины, едва разлепив веки и недовольно ворча. А дочка даже не открыла глаза, только доверчиво прильнула к несущему ее Тристану. Мы с трудом, но все же уместились в лифте. Жоаким и Эрнест держались на ногах только благодаря тому, что прислонились ко мне, а я — потому что они придавили меня к Тристану. Дорожные сумки ждали нас перед дверью.

Квартира была погружена во тьму, но я не стала зажигать свет, чтобы не разбудить детей окончательно. У нас было нестерпимо жарко, по всей вероятности, за неделю окна не открывались ни разу, как если бы квартира была насовсем покинута ее обитателями. Мне было неуютно в своем — в нашем — доме. Я задыхалась. Мне недоставало Яниса. Да где же он? Это было невыносимо, невозможно. Я дотащила мальчиков до спальни, помогла им стянуть шорты, и они рухнули на кровать. Тристана я нашла в коридоре.

— Дай мне ее. — Я протянула руки.

— Я положу ее в постель.

— Спасибо, иди за мной.

Он осторожно уложил Виолетту и пропустил меня к кровати, я сняла с нее юбку, сандалии и накрыла простыней.

— Папа… а где папа? — пробормотала она.

— Он скоро придет. Ты встретишься с ним утром. Спи.

— А Тристан?

Я оглянулась, Тристан стоял в дверном проеме. Он подошел к кровати:

— Пусть тебе приснится хороший сон, принцессочка.

Она просияла, закрыла глаза и легла на бок, держа в руках плюшевого мишку. Тристан вышел из комнаты, я поцеловала дочку и последовала за ним. Аккуратно прикрыв дверь, я присоединилась к нему в гостиной, где уже горел свет и были распахнуты окна.

— Большое спасибо за помощь, — прошептала я.

Он пожал плечами:

— Да это нормально, друзья всегда так делают.

— Хочешь что-то выпить, например… кофе, вина…

Он собирался ответить, когда входная дверь с грохотом распахнулась. Еще не увидев его, я уже заулыбалась так, что едва не вывихнула челюсть. Янис влетел в гостиную с бутылкой шампанского в руке, задыхаясь, со следами усталости на лице, расхристанный, но веселый. Он хлопнул по плечу Тристана, тот от неожиданности покачнулся и удивленно посмотрел на него, а Янис бросился ко мне, по дороге поставив на стол бутылку. Он подхватил меня на руки и закружил, платье завернулось вокруг моих ног.

— Я скучал по тебе, — объявил он.

— Потрясающая встреча!

— Прости-прости-прости, хотя у меня есть оправдание: я только что подписал новый контракт. Это надо отпраздновать, нет возражений?

— Да ты что? Фантастика!

Янис со вкусом расцеловал меня, все еще держа на руках. Мятные леденцы, которые он наверняка не вынимал изо рта, пока добирался домой, не помогли, и дыхание выдало его. Губительный коктейль: алкоголь и… табак. Нюх меня не подвел. Он, несомненно, уже давно начал отмечать договор. Когда он отпустил меня, я вспомнила, что мы не одни, и решила отложить разборки на потом. Янис окинул меня взглядом, не преминув зыркнуть в декольте.

— Да, я выбрал правильное платье, — сладко пропел он мне на ухо, не обращая внимания на Тристана.

Ну вот, как обычно, сработало его умение получить прощение, заставив меня потерять голову! Когда он был таким счастливым, всякое желание закатывать истерику пропадало. Да, всю неделю он почти не общался с нами, но этому есть простое и понятное объяснение. Он выкладывался на работе, отчаянно рвался к цели, и его усилия, судя по всему, принесли плоды. Ради этого стоило пойти на какие-то жертвы. Я снова оказалась не на высоте: он пахал как каторжный, а я выдумывала невесть что и всюду искала подвох. Янис подошел к Тристану и обнял его:

— Очень рад, что застал тебя! Выпей с нами шампанского! В конце концов, это и тебя касается!

— Нет, я пойду, а вы празднуйте вашу встречу и хорошую новость!
— Собираешься сбежать, как застуканный на месте преступления грабитель? И речи быть не может!

Янис открыл бутылку, шампанское вырвалось наружу и забрызгало все вокруг, он этого даже не заметил и наполнил три бокала до краев. Мы встали вокруг центрального островка и чокнулись. Мне вдруг показалось, что мы выглядим довольно глупо, стоя вот так, втроем. Сама ситуация, подумала я, какая-то фальшивая, хотя и непонятно почему. Шампанское загорчило, его было трудно глотать, и я быстро захмелела. Я была счастлива, что мы с Янисом снова вместе, но меня выбила из колеи не самая удачная встреча, которую он нам устроил.

— Ты, по крайней мере, использовал дни, проведенные в одиночестве, на полную катушку! — похвалил Тристан.
— Ты прав, — согласился Янис, ероша волосы. — Но мы все-таки не будем слишком часто повторять этот эксперимент. Мне их ужасно не хватало.

Он погрозил мне пальцем.

— Твой бизнес развивается, и это хорошо, — продолжил Тристан.

Янис пожал плечами и показал глазами на меня:

— Они не слишком тебе докучали?

Тристан заговорщически посмотрел на меня, я ему подмигнула и обогнула кухонный островок, чтобы подойти как можно ближе к Янису, прижаться к нему. Зачем все эти дни я была так далеко от него?

— Вовсе нет, скорее наоборот — это я должен благодарить тебя за то, что ты оставил со мной свою семью. Так приятно видеть, что дом снова наполнился жизнью.

Я наблюдала за Тристаном: он одним духом проглотил свое шампанское. Да, подумала я, ему сейчас неуютно с нами.

— А теперь я вас оставлю. Завтра утром забираю дочек.

Он мне немного рассказал о них, и у меня сложилось впечатление, что он очень скучает по девочкам.

— В понедельник у нас встреча на площадке со столярами, — сообщил Янис. — Хорошо бы ты пришел. После нее обсуждается сценарий открытия, и будет логично, если ты как владелец здания выскажешь свои пожелания.

— Раз ты так считаешь, я готов. Обязательно буду.

Мы с Янисом проводили его до дверей.

— Хорошо тебе доехать, — попрощалась я. — И удачных выходных с девочками, получи удовольствие от общения. Когда Мари и Кларисса будут у тебя в следующий раз, приходите к нам в гости, будет классно познакомиться с ними.

У него загорелись глаза, он едва скрывал волнение.

— Да, — выдохнул он. — Мне тоже будет приятно, организуем встречу как можно скорее.

— И... Тристан... еще раз спасибо за все.

Я подошла к нему и поцеловала. Я привязалась к нему, он стал частью нашей семьи. Мои опасения развеялись. Он мазнул рукой по моему плечу.

— Говорю тебе от чистого сердца, — искренне заявила я, — это счастье — иметь такого друга, как ты.

— Это мне повезло, что я однажды встретил Яниса.

Я отодвинулась от него и уступила место Янису, который пренебрег застенчивостью Тристана, стиснул его в своих медвежьих объятиях и наградил смачным поцелуем:

— Спасибо, приятель!

Тристан спрятался за своей классической ухмылкой, она была частью его, я к ней привыкла, она начала мне нравиться, и, главное, я больше не пыталась ее расшифровать. Он попятился, не отрывая от нас взгляда, и открыл дверь.

— Скоро встретимся? — неожиданно обеспокоенно спросил он.

С чего вдруг такой вопрос? Как будто могли быть сомнения...

— А как же, конечно! — хором ответили мы.

Тристан вышел, и входная дверь захлопнулась за ним. Янис поймал мой взгляд и больше не отпускал. Мы застыли на месте и стояли так, пока не стихли шаги Тристана. Когда на лестничной клетке воцарилась тишина, мы набросились друг на друга. Янис снова взял меня на руки, но в этот раз я обвила ногами его бедра. Я гладила Яниса по лицу, по волосам, торопилась поднять майку, все четыре дня я тосковала по его телу. Руки Яниса скользнули под платье, сжали мои бедра. Мы буквально пожирали друг друга поцелуями и, на секунду отрываясь, чтобы глотнуть воздуха, повторяли, как сильно мы скучали. Немного погодя он прислонил меня к стенке и отодвинулся. Я потянулась к нему, мне хотелось, чтобы он целовал меня еще и еще. Он провел ладонью по моей щеке.

— Поднимайся, я сейчас к тебе приду. Хочу проверить, как там дети, а потом уж займусь тобой, — промурлыкал он.

— Ну и ладно. — Я притворилась, будто обиделась.

Он поставил меня на пол, чтобы выдвинуть лестницу, и не сразу отпустил меня в спальню, а сначала прижался губами к моей шее.

— Давай быстрей, — попросила я.

— Не бойся, — успокоил он, легонько шлепнув меня.

Потом я лежала рядом с ним, тяжело дыша, наши влажные тела прилипли друг к другу. Я положила подбородок ему на грудь, он откинул мне со лба прядь волос, убрал ее за ухо, вздохнул, улыбнулся. Тяжесть, давившая на меня все эти дни, исчезла, наша семья воссоединилась, и я тоже как будто снова обрела себя. Дети спали в своих кроватях, у нас дома, не боясь оставаться за закрытой дверью. Мы с Янисом только что с азартом занимались любовью в собственной спальне под крышей.

Пусть даже он и не тратил времени зря в наше отсутствие, но теперь все вошло в привычное русло. Я была готова позволить событиям идти своим ходом, подчиниться обстоятельствам и раз и навсегда забыть свои опасения.

Я вскочила с кровати.

— Ты куда? — Янис сел.

— Иду за шампанским!

Перед тем как спуститься по лестнице, я открыла окно в крыше, чтобы впустить свежий воздух. Внизу я вынула из холодильника бутылку и уже поставила ногу на первую ступеньку, как вдруг перед моим внутренним взором промелькнула сцена сегодняшнего прихода Яниса. Я развернулась и пошла проверять карманы его кожаной куртки, где сразу отыскала орудие преступления. Мы вернулись на пять лет назад. Знакомая мягкая красная пачка "Мальборо". Я обязана как-то сдержать его, чтобы он не начал курить так же много, как раньше. И кстати, до того, как взяться за него, неплохо бы понять, способна ли я сама устоять?

— Сигарета после любви, — объявила я с порога спальни.

Было темно, но это не помешало мне заметить, что он резко побледнел. Я рассмеялась и бросила ему пачку в лицо:

— Да ладно! Что ты так смотришь?! Неужели ты думал, что я тебя рано или поздно не вычислю?

Он заерзал, ему было неловко.

— Прости… я знаю, это свинство… но понимаешь… из-за стресса на работе, на стройке…

Я забралась под простыню и протянула ему бутылку, он взял ее и тут же поставил на прикроватную тумбочку. Я уютно устроилась в его объятиях, рассеянно провела ладонью по его груди и сразу ощутила исходящее от него напряжение.

— Эй, я не собираюсь устраивать скандал! — попыталась я успокоить его. — Но все-таки это полный идиотизм.

— Ну да, я знаю. Но… ты рылась в моей куртке?

— Рылась — это громко сказано. А что, тебя это напрягает? — Я приподнялась.

— Нет… э-э-э… конечно нет…

— Янис, когда ты пришел, от тебя разило табаком! От мятных леденцов толку чуть.

Он провел рукой по волосам, на губах появилась притворно смущенная улыбка. Я расхохоталась:

— Да ты настоящий мальчишка! Обещаю не наказывать тебя. Когда ты собирался признаться?

— Никогда.

Он вскарабкался на меня и принялся щекотать.

— Послушай, можно мне выкурить сигаретку в кровати?

— Нет, естественно! Лучше выпей.

Он поцеловал меня и отпустил.

— Я прощен? Знаю, знаю, я последний кретин.

Он так резко перешел от шутки к полной серьезности, что я не смогла усомниться в искренности его вопроса.

— Конечно же я тебя прощаю, но когда в следующий раз тебе будет в чем признаваться, сделай это сам, не дожидайся, пока я поймаю тебя! Ладно, для чего я ходила за шампанским! Нам нужно отпраздновать невероятную, потрясающую вещь! Как подумаю, что у тебя появились новые клиенты… Расскажи мне! Хочу все знать!

Он передал мне шампанское, я сделала глоток и возвратила ему бутылку. Было заметно, что история с сигаретами по-прежнему огорчает его. Какое-то безумие — так переживать из-за этого! Можно подумать, он боится меня! Я должна вернуть его улыбку, причем как можно быстрее.

— Ты хоть понимаешь, что с тобой происходит?

Он пожал плечами.

— Ты выиграл. Я так горжусь тобой... Это же грандиозно! Ты уверенно идешь к успеху. Заказы уже начали сыпаться, и реконструкция концепт-стора наверняка принесет новые...

— Ох, знаешь... Посмотрим... никогда ни в чем нельзя быть уверенным.

Откуда такая сдержанность? Почему мне кажется, что он где-то далеко? Ощущение было мимолетным, но я успела его уловить. Он был здесь и не здесь. Он был счастлив, но как бы и не совсем.

— Да нет же, это гениально! Ты виртуозно утер нос всем, кто не верил в тебя. Спасибо, что ты даешь нам это пережить, спасибо, что увлек нас с детьми за собой, в свой проект.

— И кто тут самый сильный?

Он послал мне сияющую улыбку. Но меня она, увы, не убедила, поскольку мне пришлось поработать до седьмого пота, чтобы добиться ее, и мои опасения снова вышли на сцену. Он стал другим, и он что-то от меня скрывал.

Глава 11
Янис

Я бесшумно прикрыл входную дверь и со вздохом прислонился к ней. Моя задача — никого не разбудить. Час ночи, и мне удалось без приключений добраться на мотоцикле до дома. Чтобы не нарушать заведенный в семье порядок, в первые дни нового учебного года я добросовестно выполнял отцовские обязанности. Но вскоре стал избегать, как мог, и детей и жену. Было начало октября, и это продолжалось больше месяца. Сегодня, как и в прошлые вечера, я постарался разминуться с домашними. Не хотел встречаться с ними взглядами, боялся, как бы меня не разоблачили.

Сбросив обувь, я вошел в гостиную и включил свет только на кухне — мне его было более чем достаточно. Я открыл окно: благодаря свежему воздуху я, быть может, не буду казаться себе таким мерзким. Мне чудилось, что я грязный, вонючий. Я принялся расхаживать по гостиной, цепляясь взглядом за все, что в ней было: детские ранцы, Верину сумочку, покореженный тромбон Жоакима, разбросанные по дивану подушки, отпускные фотографии, которые Вера напечатала несколько дней назад, детали лего, корону принцессы… Струйка пота скатилась по моей спине, пальцы дрожали. Эти обыденные предметы осуждали меня, напоминали, что я сейчас все разрушаю собственными руками. Бутылка виски рядом с телевизором гипнотизировала: хорошая порция мне не повредит. И кто его знает, может, я наконец-то смогу уснуть? Чтобы еще немного оттянуть момент, когда придется подниматься к Вере, я выкурил сигарету у открытого окна. Но все равно когда-то нужно будет лечь, моя жена наделена своего рода радаром и способна проснуться, почувствовав, что меня нет рядом. А может, и лучше будет, если она спустится в гостиную? Увидев меня, она обязательно спросит, почему у меня такая помятая физиономия, и я наконец ей во всем признаюсь. И вздохну свободнее. Перед тем как подняться по лестнице, я заглянул к детям: вся троица мирно посапывала. Я бы отдал что угодно, чтобы оказаться на их месте, ведь глупости, совершаемые детьми, не имеют таких последствий, как идиотизм взрослых. Поднявшись в спальню, я бесшумно разделся. Вот она, ирония судьбы: с тех пор как я постоянно шифруюсь, у меня открылся дар деликатности. Я подобрался к кровати и наклонился над Верой — ее лицо было безмятежным, а дыхание спокойным. Господи, какая же она красивая! Как я мог сделать ей такое? Почему я ее так подставил? Как она может ничего не замечать? Неужели настолько доверяет мне, что даже не догадывается, какое зло я причиняю прямо сейчас и ей и детям? Я забрался под одеяло, но устроился на самом краешке кровати. Держаться как можно дальше от нее. Однако тут включился ее чертов радар.

— Янис? — пробормотала она. — Ты пришел?

Она распласталась по моей спине, обхватив руками за талию. Я был недостоин ее прикосновения.

— Все в порядке? Как прошел день? Доволен?

Она нежно поцеловала меня в спину и настойчиво погладила по животу, а я сжал кулаки и осторожно отодвинул ее:

— Супер.

Она вздохнула и повернулась на другой бок:

— Вот и прекрасно. Спи скорее, ты наверняка еле жив.

— Уже сплю.

Она снова погрузилась в сон. Моя ложь пока держалась: она считала, что я сижу в берлоге и усердно тружусь над проектами для следующих заказов, чтобы нагнать время, которое ушло на надзор за отделочными работами в концепт-сторе. В действительности все было не так. Я и впрямь торчал в своей берлоге, только я там усердно пил, чтобы попытаться забыть, в какое жуткое дерьмо вляпался, но это мне ни на секунду не удавалось. Вопреки внушительным объемам поглощаемого спиртного, голова оставалась ясной, и я понимал, что на всех парах мчусь к катастрофе. До сих пор я как-то справлялся, но долго это не продлится. Завершение отделки концепт-стора обеспечивало мне убедительный предлог, чтобы почти не бывать дома, не видеться ни с женой, ни с детьми. Но это ненадолго. Через неделю состоится торжественное открытие. В этот вечер, я уверен, мне удастся пустить пыль в глаза, шампанское будет литься рекой, ко мне явится толпа гостей, меня будут поздравлять, обхаживать, как утверждают владельцы концепт-стора, которые собираются представить меня потенциальным заказчикам. Я буду красоваться, ходить гоголем, то есть делать все, чего от меня ждут. Однако риск разоблачения никуда не денется. Кто придет на прием? Кто готов заявиться туда и припереть меня к стенке?

В баре на первом этаже, где состоится мероприятие, перед гостями предстанет двенадцатиметровая стойка из красного дерева, которую спроектировал я, и пальма в центре здания, упирающаяся в стеклянный световой фонарь с переплетами из алюминия, полностью заменивший прежнюю обычную крышу. К моей величайшей радости, у клиентов была гигантомания, и я откликнулся на их ожидания, причем сразу же. Поэтому они и подписали договор аренды с Тристаном. Все три последних месяца они приходили в восторг при каждом визите и просили добавить еще что-нибудь эдакое. И я, как последний дебил, выдавал идею за идеей, убеждал их, что все очень просто и все можно сделать. Я рвался вперед, играл мускулами... Если бы я только знал... Я их осчастливил, благодаря мне их ждет грандиозный успех, беспрерывно повторяли они. Я не мог жаться и экономить на качестве материалов. Стоило мне заметить, что у нас не самая лучшая плитка, фурнитура, краска или еще что-то, и я тут же оформлял новый заказ. Если в процессе работы кто-то из мастеров предлагал мне некое усовершенствование, повышающее качество, но требующее доплаты, я говорил "вперед!". А ведь попадались и не самые добросовестные, те, кто халтурил, те, кого я не успел проконтролировать, потому что у меня была тысяча дел. Колоссальный проект, в одиночку за всем не проследишь! Несколько раз приходилось искать фирмы, которые брались исправить косяки, уложившись при этом в сроки. Что, естественно, стоило дороже. Я превысил смету, деньги утекали со скоростью звука, и я не мог понять, как это происходит. Успешное продвижение проекта прикрывало меня, камуфлировало дерьмовую ситуацию, в которую я вляпался. Правда, были и те, кто меня раскусил... Пока еще мне удавалось вести себя как обычно, оставаться тем Янисом, каким меня всегда знали... А я изрядно изменился... Превратился в виртуозного ловкача, делающего все, чтобы правда не достигла Вериных ушей. По утрам, стоило ей отвернуться, я выдергивал из розетки стационарный телефон, чтобы вечером она не услышала на автоответчике компрометирующее меня сообщение. Мобильник был переполнен непринятыми вызовами моих мучителей, я перестал даже считать их. Раз в неделю, опрокинув несколько кружек пива, я набирался смелости и перезванивал, чтобы обсудить их претензии. Я стремился насколько можно отложить момент, когда в известность будет поставлен Тристан, и придумывал разные небылицы. Представить себе, что произойдет, когда правда выйдет наружу, я не решался. Как я мог так обмануть его? Человека, который все преподнес мне на серебряном блюдечке: свою нерушимую дружбу, свое полное доверие. Каждую ночь, наблюдая за стрелкой, движущейся по циферблату будильника, я напрягал свои кретинские мозги в поисках выхода из положения. Я обязан исправить допущенные ошибки.

— Янис! Ау! Ты еще с нами?

Я поднял голову, склоненную над чашкой кофе. Мои стеклянные, налившиеся кровью глаза остановились на Вере, на ее лице читалось недоумение. Она не понимала, что со мной происходит. Бесконечная бессонница и похмелье начинали сказываться на моем облике.

— Чего? — пробурчал я.

— Ты сегодня спал, или как?

— Да, да... Что ты хотела мне сказать?

— Ты помнишь, что сегодня к нам на ужин придет Тристан?

— Естественно, помню! — ответил я, хотя напрочь об этом забыл.

Ох, черт! Опять придется притворяться. Ни минуты передышки.

Я постарался изобразить радость.

— Я испугалась, — вздохнула она. — За тобой вино по дороге с работы. Не затруднит?

У меня есть запасы в берлоге.

— Да, конечно, вино прихвачу. Еще что-то нужно?

— Не забудь зайти за костюмом для открытия, вчера закончили подгонку.

Я с усилием сглотнул, подумав о том, что придется задействовать все актерские таланты в полную силу, чтобы не выдать себя. Поскольку важнее всего было поддерживать легенду, я не сумел найти убедительных доводов и отказаться от Вериного предложения потратиться на новый костюм к торжественному открытию — нужно было соответствовать уровню мероприятия и произвести впечатление на клиентов. Чтобы она ничего не заподозрила, я купил один из самых дорогих — и соответствующие туфли к нему, — а заодно подарил ей новое роскошное платье. Я проваливался все глубже и глубже.

— Зайду.

Я поднялся и хлопнул в ладоши, изображая веселое настроение:

— Готовы, ребята?

Я отводил их по утрам в школу и сад и ходил с Жоакимом на занятия по тромбону — это были мои единственные семейные обязанности, которые я пока еще выполнял. После возвращения из отпуска Вера практически ни о чем меня не просила, она решила освободить меня от всех хлопот и полностью взвалила дом на себя, ни разу не запротестовав. А я врал ей, и чем дальше, тем больше. Как обычно по утрам, она проводила нас до входной двери, поцеловала детей, после чего повернулась ко мне, погладила по щеке и окинула нежным взглядом:

— Уж как-нибудь постарайся прийти сегодня не так поздно, а то ты совсем измученный какой-то…

— Да, постараюсь. Обещаю тебе.

Я быстро поцеловал ее в губы и увлек детей к лифту.

Я справился с собой и выполнил обещание. Ровно в двадцать тридцать я толкнул дверь квартиры, держа в руках коробку с вином. Войдя, я сразу услышал смех Веры и Тристана. Прежняя Верина настороженность по отношению к нему огорчала меня, тем более что я не понимал, как можно не поддаться его обаянию. Но каникулы раскололи лед, уже хорошо. С потерей Люка и Шарлотты мы остались одни, в особенности Вера. И виноват был я. Поэтому меня успокоило — хотя бы временно, — что она нашла в Тристане внимательного и благожелательного слушателя. У меня задрожали руки. Я набрал побольше воздуха в легкие, выдохнул и вошел в гостиную:

— Эй! Могли бы подождать меня с аперитивом!

Вера просияла, подошла ко мне своей пританцовывающей походкой и погладила по щеке, как сегодня утром:

— Спасибо, что так рано.

Она меня поцеловала.

— Я в этом нуждался, — прошептал я.

Тристан направился ко мне, косясь на коробку с вином, которую я поставил на стол. Он с лета был в отличной форме, всегда довольный, воодушевленный. И становился более открытым.

— Ух, ты даешь, — одобрительно прокомментировал он. — Есть что праздновать?

— Финиш через неделю.

Он пристально посмотрел на меня. Победный огонь, который запылал в его взгляде, неожиданно испугал меня.

— Последний рывок перед финишем. Можешь собой гордиться.

Сзади возникла Вера, обвила руками мою талию и, поднявшись на цыпочки, ухитрилась положить подбородок мне на плечо. Они зажали меня между собой, эти двое, которым я лгал. Я чуть-чуть развернулся к жене, готовой рассмеяться.

— Подумать только, я ни разу там не была и не представляю, что он такое сотворил! — сообщила она Тристану. — Я тебе завидую!

— Знаешь, в последние три недели мне тоже запрещено приходить, — сообщил он.

— Значит, мы товарищи по несчастью!

— Только потому, что вы будете самыми почетными гостями на открытии. Ладно, пойду поздороваюсь с детьми.

— Э-э-э...

— Не беспокойся, я буду осторожен, не стану тормошить их перед сном.

После ужина мы перешли к дижестивам, что для меня означало изрядную порцию виски. Перед тем как сесть на диван рядом с Верой, я открыл окна, чтобы наконец-то выкурить сигарету, и перехватил полный зависти взгляд жены. Я знал, что ей это трудно дается, но не в силах был снова бросить. Единственное, что я мог, это максимально сдерживаться дома.

— Я хотел бы кое о чем попросить вас, — серьезным голосом объявил Тристан. — Думаю, это касается обоих.

— Слушаем тебя, — ответила Вера.

— Янис, ты планируешь пригласить на открытие Люка?

Я сделал большой глоток, затянулся сигаретой. Много дней подряд этот вопрос донимал меня, словно назойливый мотив. У Тристана было особое умение, даже талант давить на мои болевые точки и разворачивать лицом к реальности. Мне нравилось, что Вера всегда участвовала в таких разговорах. Он понял, что мы с ней единое целое, а уж в этом вопросе вообще ничего не решим друг без друга. Что, пожалуй, справедливо…

— Пока не знаю.

Вера взяла меня за руку, я всмотрелся в ее лицо. Грусть и беспокойство, которые я прочел на нем, причинили мне боль.

— Не знала, что ты об этом думал, — выдохнула она.

— Я предпочел ничего не говорить тебе, пока сам не уверен. Но если честно, сомневаюсь, что он придет.

— Не думаешь, что любопытство пересилит обиду? — парировал Тристан.

Я резко встал и зашагал к окну:

— Не знаю, как быть… Не рановато ли?

Я вопросительно посмотрел на Веру.

— Тебе решать, я не намерена давить. Но меня пугает сама мысль о встрече с ним, — призналась она.

Я обратился к Тристану:

— А ты что об этом думаешь?

Он допил свой кофе без кофеина, встал и, засунув руки в карманы костюмных брюк, с абсолютно спокойным лицом медленно заходил по гостиной. Я был настолько измочален, что его уверенность в себе гипнотизировала меня, а возможность положиться на его здравый смысл снимала часть груза с плеч.

— Янис, этот вечер — минута твоей славы, — помолчав, произнес он. — Чем ты рискуешь, приглашая его? Немногим, как мне кажется. Более того, это в твоих интересах.

— Ты о чем сейчас?

Он подошел ближе:

— Позвав его, ты покажешь, что перечеркнул все прошлые разногласия. Приглашение будет как протянутая рука. Подумай немного... ты наверняка однажды случайно встретишься с ним, или вы окажетесь соперниками в одном и том же тендере. Тебе выгодно, чтобы к этому моменту все уже было улажено, и пусть сердечные отношения между вами вряд ли возможны, по крайней мере, у тебя не будут чесаться кулаки, чтобы врезать ему.

Тристан сопроводил последнюю фразу фирменной хищной ухмылкой. Он меня слишком хорошо знал. Я рассмеялся.

— Покажи ему, что ты уверен в своей правоте, готов нести ответственность за свои решения и за новый статус и при этом не испытываешь к нему враждебности. Ведь все же именно так, правда?

— Конечно. Я перевернул страницу.

— Да, это нормально, что ты опасаешься встречи с ним лицом к лицу. Но не забывай, что сегодня ты сам себе начальник! Ты же ничего не боишься?

Еще как боюсь... что на открытии они на меня навалятся всем скопом...

— А чего мне бояться? — пожал я плечами.

— Ну, так давай, приглашай его. Ты не пожалеешь.

Подчеркиваю: это всего лишь моя точка зрения, напрямую меня это не касается. Но будь я на твоем месте, я бы поступил именно так.

С ним все становилось настолько простым.

Неделя пролетела так быстро, что я не успел оглянуться. Тем более найти какое-то решение. И вот настал день Д. Этот чертов день, о котором всего два месяца назад я отчаянно мечтал. Сегодня он стал моим личным адом, моей казнью под гром аплодисментов и плеск фонтана из шампанского. Поздним утром в полуобморочном состоянии — после первой на сегодня бутылки пива, выпитой в десять часов, и после того, как меня несколько раз вырвало, — я перешагнул порог концепт-стора. Шум отдавался в ушах ударами отбойного молотка. Вокруг гудел улей, не прекращалось броуновское движение бегающих по залам, сталкивающихся друг с другом, орущих и ругающихся людей. Мерчендайзеры завершали выкладку товара, задевая заканчивающих свою работу мастеров. Стойки с развешанными платьями и костюмами катились, лавируя, между ведрами с малярной краской. Обычное дело — последний взмах кисти всегда совпадет с приходом первых гостей. Это входит в правила игры. Будь все готово заранее, ситуации не хватило бы остроты. Перед служебным лифтом, обслуживающим все три этажа, образовался затор. Декораторы смахивали специальной тряпкой пыль с предметов один чуднее другого, и одновременно маляр отмывал пол, плеща на него воду. Стильные длинноногие девочки-продавщицы с презрением зыркали на парней в рабочих комбинезонах, хотя кое-кто из них наверняка завершит сегодняшний вечер в постели кого-нибудь из этих ребят. Тестирование звуковой аппаратуры за барной стойкой прерывалось грохотом перфоратора, и со всех сторон неслись вопли. Упаковки "Кроненбурга" соседствовали с ящиками "Моэт-э-Шандон". Культурный шок. Сшибка социумов. Ну а у меня кровь стучала в висках, пока я инкогнито или почти инкогнито бродил среди всего этого хаоса. Инкогнито для персонала концепт-стора, который узнает, кто я такой, только вечером. И совсем не инкогнито для все еще работавших мастеров, которые испепеляли меня взглядами, прозрачно намекая на свою готовность перейти к серьезным действиям. Даже не пытаясь оправдаться или ответить агрессивностью на агрессивность, я взял курс на центральную лестницу. На эту проклятую, сожравшую тысячи евро лестницу в индустриальном стиле из черного металла, которая спиралью огибала ствол пальмы. Поднимаясь по ступенькам, я скользил ладонью по прохладным металлическим перилам и цеплялся за них, потому что никакой другой точки опоры у меня не осталось. Я поднялся на последний уровень и облокотился о балюстраду. Открывающийся отсюда вид был великолепен. Если бы я не свалял дурака и сам себе не напакостил, я бы сейчас наслаждался зрелищем того, что сумел сотворить, организовать, построить. Я бы упивался уверенностью в том, что у меня есть будущее, что я смогу осуществить мечты Веры и детей. Вместо того чтобы передвигаться по концепт-стору, словно зомби, вжимаясь в стены, я шагал бы по нему победителем. Пожимал бы руки, хлопал кого-то по плечу, чокался с заканчивающими работу мастерами. Они бы повторяли, что ждут моего звонка, надеются, что я позову их в следующий раз, так как им понравилось работать со мной. Я бы сделал шикарный жест — заказал номер в самом роскошном отеле, чтобы провести ночь с Верой. Сегодня днем я бы пригласил Тристана на обед в ресторан с мишленовскими звездами, поблагодарил его и освободил от банковской гарантии. У меня во рту скопилась желчь, и я быстро сглотнул ее. Хозяева магазина увидели меня на моем капитанском мостике и предложили пообедать вместе с ними.

Семь вечера. Уже. Я по-прежнему сижу запершись в ванной у нас дома. Меня снова вырвало — остатками обеда и выпитым днем в берлоге, — и я умылся холодной водой. Я был уверен, что Вера ничего не услышала. Она уже была готова и давала указания няне. В костюмных брюках и голый до пояса, я оперся о край умывальника и с ужасом рассматривал свое отражение: жуткая физиономия, голубые глаза заплыли, щеки ввалились, кожа из смуглой превратилась в зеленовато-серую. Я сжал кулаки, и на руках надулись вены. Мне нужно продержаться ближайшие несколько часов, забыть о мрачном выражении лица, изображать из себя человека, у которого все тип-топ и которому удается все, за что он ни возьмется. К сожалению, у меня осталось единственное желание: зарыться куда-нибудь как можно глубже и рыдать, как ребенок. Жена позвала меня, пора было выходить на свет божий. На нашей кровати меня ждала отглаженная ею белая рубашка, черный галстук и пиджак. Через пять минут я спустился по складной лестнице, и меня удивила, а заодно и отвлекла от тоскливых мыслей полная тишина. Правда, длилась она не долго.

— Сюрприз! — пропели хором Вера с детьми.

Они развернули передо мной широченный бумажный транспарант с разноцветными рисунками один ярче другого и надписями “Браво, папа!”, “Ты лучший!” и “Я всегда буду слышать нашу музыку”.

— Папа! Папа!

Я был не в состоянии реагировать. Мне хотелось умереть.

— Янис! Эй! Почему ты молчишь?

Я поднял на них ничего не соображающий взгляд. Веру моя реакция сбила с толку, я это почувствовал, да и дети растерялись.

— Это великолепно, — с трудом выдавил я и прокашлялся, чтобы прийти в себя. — Спасибо! Самый прекрасный подарок из всех, что мне когда-либо преподносили.

— Мы подумали, ты сможешь повесить его в берлоге, — робко объяснила Вера.

И он будет постоянно напоминать мне, что я полное дерьмо.

— Классная идея! Завтра же отнесу. Идите ко мне!

Я распахнул объятия, дети бросились ко мне, обхватили за ноги, Вера прижалась к ним, и я обнял всех крепко-прекрепко, чтобы не завопить.

— Я не думала, что это тебя так растрогает, — прошептала Вера.

Я изо всех сил зажмурился и поцеловал ее в волосы, к которым она приколола розу, источающую сладкий аромат. Она подняла ко мне лицо и улыбнулась. Вера сияла, была неотразимой, и это разрывало мне сердце. Я такого не заслуживал.

— Пора идти. Можно подумать, ты изо всех сил стараешься опоздать!

Ее нетерпение и возбуждение должны были наполнить меня счастьем и гордостью, а стали ударами кинжала.

— Глотну чего-нибудь и пойдем.

Она тихонько засмеялась:

— Стресс?

Я посмотрел на нее:

— Скажу тебе честно, я — комок нервов, там будет полно народу… Мне страшно…

— С каких пор куча народу для тебя проблема? Ты же обожаешь подобные ситуации! Уверена, все пройдет хорошо!

— Ты права.

Я опустил руки, поцеловал детей и устремился за очередной дозой — без нее мне не выдержать.

Мы вошли и сразу попали в плотную толпу, которую пришлось расталкивать, чтобы пройти вперед. Впечатляющее количество гостей. Мои заказчики — из мира ночной жизни, и по случаю открытия концепт-стора они подняли на ноги всех, с кем имеют дело. Я отыскал их, чтобы сразу представить им Веру. Они внимательно изучили ее с ног с головы, не скрываясь и не смущаясь, после чего начали расточать мне комплименты. Я по-хозяйски положил руку на талию жены, взял с подноса первый за вечер бокал шампанского и проглотил его единым духом. Вера поддерживала разговор, хотя ее мучило любопытство, и она бросала взгляды по сторонам.

— Мы ненадолго покинем вас. — Я подмигнул им.

Они засмеялись и взяли с меня обещание как можно быстрее вернуться.

— Пойдем, я тебе все покажу, — шепнул я на ухо Вере.

— Это может подождать, у тебя есть обязательства перед гостями. Все требуют тебя.

— Мой приоритет — ты.

Я прихватил еще два бокала с подноса проходившего мимо официанта. Потом устроил ей экскурсию по всему концепт-стору, регулярно подзаряжаясь шампанским, но стараясь делать это как можно менее заметно. На короткое время меня опьянило шампанское, но не только оно. Сработала Верина реакция, и мне захотелось поверить в то, что все прекрасно, все получилось, как я задумал, ну или хотя бы потешить себя иллюзией. Вера лишилась дара речи, она старалась рассмотреть каждую деталь, восторгалась, начинала делиться впечатлениями и не могла закончить фразу. Впрочем, ей и не надо было ничего говорить — гордость была написана у нее на лице. В определенном смысле я выиграл, поскольку она восхищалась своим мужем. Но сколько это продлится? Разочарование будет еще более жестоким. Она льнула ко мне, цеплялась за руку, целовала меня в шею. Я хвастался своей женой, на нее обращали внимание. Никто, кроме Веры, не рискнул бы надеть это черное платье в цыганском стиле и дерзко украсить волосы алой розой. Сама того не осознавая, она излучала чувственность. И не отрывала от меня глаз. Ее любовь стала двигателем моего успеха. А заодно и моего поражения. Я сам был себе противен, поступая с ней таким образом, пользуясь ею, насыщаясь до отвала тем, что она мне дарит. Я как будто пытался удержать в памяти, сохранить про запас ее глаза, ее аромат, нежность кожи, — чтобы вспоминать об этом, когда все рухнет и придавит меня. Я знал, что рано или поздно это произойдет. Не сегодня вечером — какой дурак решится испортить праздник, — но завтра, послезавтра, в ближайшие дни или недели это неминуемо случится. Обратный отсчет запущен.

Я увлек Веру наверх, на свой капитанский мостик. Я хотел еще раз погрузить ее в мечту, подарить ей иллюзию, будто мы — хозяева мира. Нашего мира. Она созерцала картину, расстилавшуюся у наших ног, и не произносила ни слова. После чего прикрыла ресницы и постояла зажмурившись. Затем открыла глаза, полные слез, и повернула ко мне светящееся счастьем лицо.

— Браво, — прошептала она. — Ты не представляешь себе, как я потрясена. Я так горжусь тобой… И я хотела бы попросить у тебя прощения.

Скорее это должен сделать я.

— За что?

— За то, что злилась в душе последние несколько недель. Я не понимала, почему ты вечно отсутствуешь, почему отдалился от нас.

То, что она заметила перемены, до некоторой степени успокоило меня. Тем не менее она сдержалась, промолчала. А ведь мы клялись, что будем все рассказывать друг другу. И вот теперь мы постоянно скрываем свои чувства, свое беспокойство, а я к тому же еще и свое предательство. Как ужасно мы изменились...

— Да, я наконец-то все это вижу и понимаю, что так и должно было быть. Ты жил в таком напряжении... Но оно того стоило. А поскольку ты уже занял определенное положение в бизнесе, тебе удастся немного передохнуть.

— Я должен был уделять вам больше внимания.

Вот и все, что я смог сказать ей, не выдав себя. Разговор приобретал рискованный оборот. Как я сумею удержаться, если она будет развивать эту тему?

— Обойдись сегодня вечером без самобичевания, Янис. Ты должен наслаждаться победой, праздновать ее!

Она погладила мою щеку, поднялась на цыпочки и поцеловала. Я сильнее обхватил ее талию, мне хотелось удержать Веру навсегда и никогда больше не отпускать. Я растворился в ее поцелуе, черпая в нем силу, необходимую, чтобы доиграть спектакль до конца.

— Стой тут, сейчас вернусь, — прошептал я, не отрывая от нее губ.

Я спустился этажом ниже, схватил очередные два бокала шампанского и быстро поднялся к Вере. Она не двигалась и продолжала наблюдать за тем, что происходит внизу.

— Ух ты, кто пришел, — выдохнула она.

Я проследил за ее взглядом и увидел Тристана,

который оживленно беседовал со своими арендаторами. Он почувствовал, что за ним наблюдают, и послал нам одну из своих фирменных ухмылок. Я приподнял бокал, приветствуя его. Вера прислонилась к моему плечу:

— Позови его сюда, если хочешь.

Я поцеловал ее волосы и жестом предложил Тристану подняться к нам. Он что-то шепнул на ухо одному из моих заказчиков, все они тоже подняли головы и замахали мне руками. Тристан без усилий прошел сквозь толпу, мне даже показалось, что все расступаются перед ним, настолько внушительно он выглядел. Поразительный человек, настоящий хамелеон. Обычно довольно суровый и одинокий, на этом вечере он был как рыба в воде — настолько раскованный, что, как я заметил, даже окинул выразительным взглядом повстречавшуюся на лестнице женщину.

— У него, однако, боевой настрой, — засмеялась Вера.

— Ты права! Круто!

Когда Тристан поднялся на наш этаж, я двинулся ему навстречу, чтобы крепко обнять.

— Янис, это великолепно! — поздравил он меня, когда я выпустил его из своих объятий.

— Спасибо! Теперь согласен, что стоило ненадолго воздержаться от визитов, правда же?

— Ты мне сделал прекрасный подарок.

— Привет, Тристан, — весело приветствовала его Вера.

Они поцеловались.

— Им можно гордиться, — заявил он. — Согласна?

Он встал рядом с ней, и они уставились на меня, словно два сообщника. Она чуть наклонилась к нему.

— Это уже даже больше чем гордость! — воскликнула она.

Я расхохотался, чтобы скрыть, как мне хочется заставить их замолчать, чтобы не заорать, что я недостоин всего этого, недостоин Вериной любви и дружбы Тристана, недостоин их абсолютного доверия. Вера уткнулась мне в плечо.

— Обрати внимание, Янис, — напомнил мне Тристан, — они ждут тебя.

Он кивком указал на моих заказчиков. Те действительно звали меня, призывно размахивая руками. Уйду от Веры с Тристаном, оглушу себя светскими любезностями — пусть небольшая, но передышка. Я поцеловал жену, хлопнул Тристана по плечу.

— Оставляю ее под твоей опекой, — предупредил я.

И удрал без оглядки, словно за мной гнались. На лестнице я стащил у проходившего мимо официанта бутылку шампанского, чтобы облегчить себе жизнь, и гордо прошествовал к группе, образованной хозяевами концепт-стора и их знакомыми. С этой минуты я погрузился в туман фальшивой эйфории. Я уверенно играл роль персонажа по имени "клоун Янис на вершине триумфа". Заказчики, у которых я ассоциировался с их собственным успехом, осыпали меня знаками внимания. От этого у меня кружилась голова, я забывал о своем реальном положении, о поджидавших меня напастях. Я болтал со всеми, с кем меня знакомили, и при этом выдавал одну за другой все более безумные и дорогостоящие идеи, не забывая вручать визитки, которые, по совету Тристана, заказал для этого вечера. Я смеялся, шутил, в общении с женщинами использовал на полную катушку свое обаяние, выставлял очередные бутылки шампанского — для меня бар был бесплатным.

Периодически я включал остатки сознания, чтобы найти глазами Веру: Тристан не отходил от нее, они о чем-то беседовали с бокалами шампанского в руке. Все в порядке, по крайней мере она не одна. Поэтому я чувствовал себя чуть менее виноватым за то, что бросил ее, хоть и понимал, что, по-хорошему, с ней должен быть я. Когда наши взгляды встречались, я читал в ее глазах довольно противоречивую смесь растерянности, легкой иронии, обеспокоенности и любопытства. Да, я был таким же, как всегда, шумным, занимающим много места — в данном случае это место принадлежало мне по праву, — однако Вера слишком хорошо знала меня, чтобы не заметить, что я и пью как-то демонстративно, и веселюсь немного наигранно. К тому же она наверняка недоумевала, почему я провожу с другими больше времени, чем с ней. И чем с Тристаном, без которого всего этого не было бы. И вдруг выражение ее лица изменилось, стало замкнутым, она побледнела, поджала губы, глаза метали молнии. Тристан тоже заметил перемену. Он наклонился к ней и что-то шепнул на ухо, а она кивком указала на вход в магазин. Одновременно с ним я развернулся к двери. На меня будто свалился кирпич: в дверях стоял Люк. И не один, а в сопровождении Шарлотты. Значит, он откликнулся на мое приглашение. Я допил шампанское одним глотком, встряхнулся, как пес, и двинулся к жене. Без Веры и Тристана мне не обойтись, сейчас нельзя свалять дурака. Нужно, кровь из носу, произвести на них впечатление. Вера облегченно вздохнула, когда я стремительно рванулся к ней.

— Я уже думала, что не дождусь тебя, — пробормотала она еле слышно. — Почему он явился с ней?

У Веры дрожали пальцы, обнаженные руки покрылись гусиной кожей. Я гладил ее по щеке, сжимал плечо и старался зарядиться решимостью перед неизбежной встречей с этой парой.

— Понятия не имею. Но вместе мы с ними справимся.

— Янис, — перебил Тристан, — вспомни мой совет. Это не конфронтация, а протянутая рука.

Я прищурился и тяжело вздохнул.

— У тебя все получится, — настойчиво продолжил он. — Ведь ты победил.

— Ну да…

Очередное доказательство того, насколько он в меня верит. Тристан всматривался в зал, следя за тем, как Люк с Шарлоттой протискиваются сквозь толпу.

— Я могу уйти, пока они не подошли, — предложил он. — Хотите поговорить с ними тет-а-тет?

— Нет! — воскликнули мы с Верой в один голос.

— Протянутая рука не означает отказ от своих принципов. Ты остаешься с нами, Тристан, — жестко ответил я. — Им не удастся нас поссорить.

— Янис прав, — подхватила Вера.

Я поцеловал ее в щеку:

— Пойду встречу их, это моя обязанность. Стойте здесь.

Я допил шампанское, отставил бокал и пошел встречать своего бывшего начальника, остававшегося моим шурином. Я шел им навстречу широко улыбаясь. У обоих были бесстрастные лица. При этом Люк привычно хмурился, что не предвещало ничего хорошего.

— Привет, Люк! Очень рад, что ты здесь! — воскликнул я, протягивая ему руку.

Он крепко пожал ее и постарался поймать мой взгляд. Я отвел глаза и переключился на Шарлотту.

— Как всегда неотразима! — сказал я, сопроводив комплимент поцелуем.

— Добрый вечер, Янис, — холодно ответила она. — Вера не снизошла до того, чтобы подойти и поздороваться?

— Не начинай, пожалуйста, — оборвал я ее. — Мы собрались, чтобы праздновать. Я настоял на том, чтобы встретить вас и отвести к ней. Так что пойдемте выпьем.

Не давая им возразить, я развернулся и повел Люка и Шарлотту к оживленно беседовавшим Вере и Тристану. Он делал все, чтобы она расслабилась, за что я был ему благодарен. Вера меня заметила и махнула рукой. Мы были уже почти рядом, и тут у нас не выдержали нервы. Сцена получилась — полный сюр: по одну сторону Вера и я, по другую — Люк и Шарлотта, мы враждебно уставились друг на друга, а посередине между нами — Тристан, решительно приготовившийся сыграть роль арбитра. Вооружившись самой выразительной маской дружелюбия, он двинулся к Люку и протянул ему руку:

— Добрый вечер, Люк, рад снова встретиться с вами.

— Здравствуйте, Тристан, — сухо ответил тот.

Наш друг не позволил сбить себя с выбранного курса и переключился на Шарлотту:

— Шарлотта, счастлив наконец-то познакомиться с вами. Вера и Янис столько рассказывали о вас.

Она нехотя пожала протянутую руку:

— А я бы предпочла, чтобы наши дороги никогда не пересеклись.

Я почувствовал, как напряглась Вера, изготовившись к атаке. Она крепко стиснула мою руку, за которую держалась.

— Прошу тебя, не надо, Шарлотта, — пробормотал Люк, наклоняясь к ней.

— Вы — женщина с характером, — со смехом заметил Тристан. — С удовольствием обсудил бы с вами вопрос пользы и вреда знакомства со мной, но как-нибудь в другой раз. Сегодня вечером мы, и вы в том числе, я полагаю, собрались здесь, чтобы отметить успех нашего общего друга Яниса. Давайте не будем портить ему праздник.

Люк пожал плечами и придвинулся к Вере. Брат и сестра долго молча смотрели друг другу в глаза. В конце концов он заговорил с ней — осторожно, едва ли не бережно:

— Добрый вечер, Вера, выглядишь довольной.

— Почему ты решил, что я не должна выглядеть довольной? Работу Яниса наконец-то признали.

— Если у тебя все в порядке, тем лучше.

Он отступил на несколько шагов. Шарлотта и Вера обменивались вызывающими взглядами. Мне было больно видеть их такими, ведь раньше они были всегда заодно, понимали друг друга с полуслова и так забавно дурачились.

Я слегка подтолкнул Веру локтем. Она вздохнула и наконец-то решилась заговорить:

— Добрый вечер, Шарлотта.

Та потянулась к ней и обняла. Вера собралась тоже обнять Шарлотту, но тут нас прервал Тристан, молчавший последние пару минут:

— Я нашел шампанское.

Он протянул Люку и Шарлотте бокалы и наполнил их. Потом налил шампанского Вере и мне.

— Спасибо, — подмигнул я.

— Я подумал, тебе пригодится.

— Ты лучший!

Мы с Тристаном одновременно рассмеялись и чокнулись. Вот только никто больше не захотел присоединиться к нам. Наступило молчание, которое грозило стать тягостным. Мой разум, затуманенный парами алкоголя, буксовал, я не находил темы для беседы и лишь понимал, что разговор о работе следует отложить. И Вера никак не помогала мне, демонстративно созерцая что-то в другом конце зала. Тем временем Люк опытным взором скрупулезно изучал магазин, а Шарлотта с недовольной гримасой рассматривала Тристана. Это от него не ускользнуло, но скорее позабавило. Его уверенность обезоруживала, я восхищался им: его в открытую атаковали, но все отравленные стрелы летели мимо, и он не отвечал ни на одну провокацию. Более того, именно он предложил безопасную общую тему разговора.

— Как уроки тромбона у Жоакима? — спросил он нас.

Вера с облегчением вздохнула, по всей вероятности, напряжение стало для нее невыносимым. А разговор о детях — лучший повод сбросить его.

— Он невероятно увлечен, — ответил я. — Ну да, инструмент у него дерьмовый, однако же он делает сумасшедшие успехи.

— Это правда, — подтвердила Вера. — Знаешь, ему хочется, чтобы однажды ты посидел на занятиях вместе с Янисом и послушал его.

Тристан радостно кивнул.

— С каких это пор Жожо соглашается, чтобы на его уроках присутствовали чужие? — изумилась Шарлотта.

Ее грошовая ревность становилась окончательно невыносимой.

— С тех пор как находятся люди, интересующиеся тем, что он делает, — сухо парировал я.

Шарлотта раздраженно закатила глаза.

— Как прошло начало учебного года? — спросила она у Веры.

Люк не дал мне включиться в разговор. Слегка переместившись и став лицом ко мне, он успешно изолировал меня от остальных. При этом он продолжал осматриваться, оценивая мою работу, инспектировал пол, потом объектом его внимания стал потолок, точнее, стеклянная крыша. Когда он перевел взгляд на меня, его лицо было серьезным.

— Ты пошел еще дальше своего первоначального проекта. Ну и размах у тебя!

— Решил ни в чем себе не отказывать! — хвастливо заявил я, борясь с неожиданно подкатившей тошнотой.

Он отпил шампанского, продолжая наблюдать за мной.

— Ты прав, Янис, можно смотреть на вещи и под

таким углом. Ты задействовал чудеса изобретательности, чтобы выиграть пари, и тебе это удалось.

— Ну, ты меня знаешь, я же гениальный махинатор!

— Иногда махинации дорого обходятся.

Он знает, он обо всем догадался. Как я мог полагать, будто он не заметит катастрофу, к которой я мчусь на всех парах?! Я почувствовал, что земля разверзлась у меня под ногами. Он добьет меня, нанесет роковой удар при большом стечении публики, отомстит за бегство из своего проектного бюро. Меня дико разозлило, что он с такой легкостью разоблачил меня. Я сделал глоток шампанского.

— Ты работаешь и над другими проектами? — продолжил он.

Я нахально вздернул бровь:

— От желающих нет отбоя. А как твой бизнес?

— М-м-м! У меня все не так грандиозно, как у тебя, но дела идут. Недавно взял на работу нового сотрудника.

— Вот и хорошо!

— Будь осторожен, — посоветовал он и бросил значительный взгляд на Веру. — Не забывай о ней, пожалуйста.

Я стиснул челюсти.

— Не нуждаюсь в твоих советах. Я отлично справляюсь. Мы отлично справляемся.

Он понимающе кивнул:

— Как скажешь.

Не похоже, что Люк злорадствует по поводу грозящего мне бедствия. Он отвернулся от меня и обратился к Шарлотте:

— Пошли, — шепнул он ей.

Она с нежностью посмотрела на него. Шарлотта, нежно глядящая на Люка?! Похоже, из-за алкоголя у меня начались галлюцинации. Другого объяснения нет.

— Да, пойдем, здесь больше нечего делать, — согласилась она.

На Верином лице было написано такое же изумление, как на моем.

— Всего доброго, — откланялся Люк. — Поцелуйте от меня детей.

— Вера, звони, если что, — выплюнула Шарлотта, явно сама не веря в то, что говорит.

— Ну да, обязательно.

Они кивком попрощались с Тристаном.

— До свидания, Шарлотта, было очень приятно с вами познакомиться. Удачи, Люк, — ответил Тристан.

Они ушли, не сказав больше ни слова. Люк положил руку Шарлотте на талию.

— Ты тоже это видишь? — выдохнула Вера.

— Они отлично шифровались. Но пусть делают что хотят, нам-то какое дело.

— Ты прав.

Она повернулась к Тристану:

— Мне очень неприятно, что они так себя вели с тобой.

— Не извиняйся за них. Ни ты, ни Янис ни в чем не виноваты. Но меня беспокоит то, что Люк мог тебе наговорить, — обратился ко мне Тристан. — Он не пытался надавить на тебя?

— Попробовал выяснить насчет моих новых контрактов и с удовольствием сообщил, что нашел, кем заменить меня в бюро.

— Логично. Лучшая защита — нападение.

— И как ты это воспринял? — обеспокоенно спросила Вера.

— Хочешь знать как? — ответил я, сдвигая с ее лба выбившуюся прядь. — Так вот, мне по барабану! Не было бы других проблем! Давай выпьем по последней — и домой!

Глава 12
Вера

Всего лишь полгода назад, то есть до того, как Янис ушел в свободное плавание, а я перестала что-либо понимать и уж тем более контролировать, — до всего этого такой вечер был бы самым что ни на есть обычным. Сегодня же он представлял собой настоящее событие, поскольку мы собрались за столом в полном составе, впятером. Янис почтил нас своим присутствием. Точнее, не Янис, а его телесная оболочка, так будет правильнее, потому что он открывал рот только для того, чтобы залить в него свое чертово пойло. Я лезла из кожи вон, чтобы отвлечь дочку и сыновей от мрачного — отныне всегдашнего — настроения их отца. Да, они были растеряны, но все еще пытались привлечь его внимание. А ведь это продолжалось уже довольно долго. До окончания работ в концепт-сторе я терпела сжав зубы, молчала, убеждая себя и пытаясь убедить детей, что его странное поведение объясняется переутомлением и стрессом. Я не сомневалась, что после открытия все станет на свои места. Но магазин открылся больше двух недель назад, с профессиональной точки зрения это был блестящий успех. Однако ситуация в доме с каждым днем становилась все тягостнее. К подавленному настроению добавилась совсем не свойственная ему пассивность, вялость. Он, казалось, бесцельно слоняется, ничего не делает, ничего не хочет. Таким я никогда его прежде не видела. Я пробовала его разговорить, выяснить, что его гнетет, а он всякий раз увиливал, отвечал, что все в порядке и никаких проблем нет, просто у него слишком много работы и он валится с ног от усталости. Но я чувствовала, что дело не в этом. Наблюдая за ним, когда мы ужинали, я убедилась, что с ним что-то не так: он ничего не ел, только ковырял вилкой в тарелке.

— Папа, — робко позвала Виолетта.

— Что? — ответил он, не шевельнувшись.

— Почитаешь мне сегодня перед сном? Ну пожалуйста!

Я затаила дыхание. Янис оторвался от своего стакана и удостоил ее гримасой, которая могла сойти за улыбку. Почему ему так плохо, так тоскливо? У меня все время было такое впечатление, что он предпочел бы оказаться где-то далеко-далеко. И вечера, когда он якобы сидел в своей берлоге, были тому доказательством. Как я могла поверить, что он там работает, если он больше не рассказывал мне ни о заказах, ни о проектах?

— Не сегодня, я устал. Может, завтра, если буду дома.

Даже почитать дочке он теперь не способен. У меня внутри все сжалось. Он поднялся из-за стола со стаканом в руке, собираясь открыть окно. По Виолеттиной щеке скатилась слеза.

— Не волнуйся, куколка, я тебе обязательно почитаю.

Я перехватила взгляд Жоакима, которым тот одарил отца: его глаза были словно два дула пистолета.

— Нет, мама, — властно вмешался он. — Ей почитаю я.

Я задохнулась, осознав, до чего мы дожили.

— Спасибо, милый. Доедайте свои йогурты — и в постель.

Я учуяла запах дыма и вскочила со стула.

— Что ты творишь, Янис? Мог бы подождать и не курить, пока они не пойдут спать! Или я требую невозможного?

— Ладно-ладно! Все, не волнуйся.

Он раздавил сигарету в пепельнице на подоконнике и вернулся в гостиную. Я убирала со стола и была слишком разъярена, чтобы произнести хоть слово. Убрав, повела детей в ванную, а он даже не шевельнулся, чтобы помочь мне уложить их. После чистки зубов мы все вчетвером устроились на кровати Виолетты, и Жожо начал нам читать, а я с трудом сдерживала слезы. Когда он дочитал сказку, Виолетта крепко поцеловала его в знак благодарности.

— Мама, как ты думаешь, можно мне позвать папу? — спросил Эрнест. — Он не будет ругаться?

Даже наш маленький сорвиголова стал побаиваться Янисовой реакции.

— Я сама пойду. Вы ложитесь, я его приведу.

Придется ему оторвать задницу от дивана.

Что же такое происходит с нашей семьей? Я отказывалась что-либо понимать.

— Янис! — позвала я.

— Ну, — проворчал он.

— Твои дети хотели бы, чтобы ты сказал им спокойной ночи. Это тебя не слишком затруднит?

— Иду.

Он поднял свое долговязое тело с дивана, так словно это потребовало сверхчеловеческих усилий, и, еле волоча ноги, пошел ко мне. Неожиданно застыл на полпути, вытащил из кармана завибрировавший телефон и уставился на экран; рука, в которой был зажат мобильник, дрожала.

— Кто тебе так поздно звонит? — спросила я, подойдя.

— Никто.

Он нажал на кнопку, сунул в карман телефон, как если бы он жег ему руку, и обогнул меня без единого слова, без единого жеста. Пока муж желал хороших снов нашим детям, я не двигалась с места, сердце разбилось вдребезги, мне было больно, я как будто задыхалась и жадно глотала воздух. Издалека доносился его голос, который вдруг стал чужим.

— Они тебя ждут, — сообщил он через несколько минут и направился в кухню.

Я проводила его взглядом: он взял стакан и налил виски. Очередная порция. Конечно, Янис всегда мог много выпить, но в последний месяц он переходил границы допустимого. Я однажды заметила, что неплохо бы пить чуть поменьше, он послал меня куда подальше. Запасшись выпивкой, он подошел к кухонному окну, закурил и уставился вдаль. Да, ему определенно хотелось оказаться где-нибудь не здесь, не с нами! Но мой мозг сражался, храбро пытаясь не верить в то, что все настойчивее лезло в голову, не верить осаждавшим меня подозрениям, не верить в то, что с нами сейчас происходило. Только не с нами. Это невозможно. И тем не менее…

— Мама!

Дети, как всегда, спасли меня. Я снова обрела дыхание, как если бы только что вынырнула из глубоких и мутных вод. Что ж, теперь я в состоянии пойти и пожелать им спокойной ночи.

К тому моменту, как Янис наконец-то вошел в спальню, я пролежала в постели без сна больше двух часов. По звуку шагов я поняла, что он шатается. Он разделся в темноте и свалился на кровать. Время шло, я догадывалась, что он не спит, и повернулась к нему. Он уставился в потолок, выражение лица было напряженным. Таким же, как много ночей подряд.

— Расскажи мне, в чем дело, — прошептала я.

— Ни в чем, Вера, я уже говорил. Дай мне поспать.

С этими словами он лег спиной ко мне, как делал это каждую ночь после открытия магазина. Я протянула ладонь, мне хотелось коснуться его тела, спрятаться в его объятиях, чтобы он меня успокоил, согрел и прошептал, что я все придумала и у меня начинается паранойя. Я ждала, что он произнесет: “Нет у меня никого другого, нет. Как ты могла до такого додуматься?” Пусть он скажет, что по-прежнему слышит нашу музыку, пусть поцелует меня, приласкает, и мы займемся любовью. Он не дотрагивался до меня уже несколько недель. Мы только иногда целовались, и всегда по моей инициативе. Он избегал физического контакта. Как если бы я вызывала у него отвращение. Рука упала, не дотянувшись до него. Первые подозрения зародились у меня на этом проклятом вечере открытия, заново пробудив неприятные ощущения, которые возникли, когда он бросил нас на каникулах. Я наблюдала за тем, как он красуется перед всеми этими людьми, которых я не знаю, как разговаривает с роскошными женщинами, которые смеются его шуткам, как обхаживает их и подает шампанское. А они пожирают глазами моего Яниса, моего мужа. Сердце болезненно сжималось. Тристан заметил мою растерянность и постарался меня успокоить, но из этого ничего не вышло, тем более что его самого явно сбивало с толку поведение моего мужа. Вокруг Яниса вертелось столько народу, все хотели его поздравить, кто-то стремился познакомиться, кто-то — сообщить о желании работать с ним. Я пыталась уговорить себя, что его просто затянуло в круговорот всеобщей эйфории, но поверить в это мне не удавалось. А вдруг он забыл, каким был раньше, и неожиданно понял, что хочет большего? Ну да, все ведь и началось с работы и с яростной жажды независимости. С тех пор прошло больше четырех месяцев, и он, вполне вероятно, вознамерился полностью изменить свою жизнь, избавиться от балласта, каковым стала для него семья. Ну да, седина в бороду, бес в ребро — обычное дело для кризиса среднего возраста. А если он уже пересек роковую черту? Вдруг он уже обнимал другую женщину, не меня? Я едва не застонала и вцепилась зубами в подушку. Каждый день я обещала себе, что найду момент, когда мы будем наедине, и вытрясу из него правду, не позволю в очередной раз ускользнуть от признания. Но меня удерживал страх. При мысли, что мои догадки подтвердятся, меня охватывал ужас: в глубине души я понимала, что это единственное реальное объяснение. Что еще способно вызвать такие перемены в поведении?! Мне не с кем было поговорить, я была совсем одинока.

Чтобы решиться набрать этот номер, мне понадобилось два дня, и вот в обеденный перерыв я позвонила ему. Он ответил после первого звонка.

— Да, — произнес он.

— Э-э-э... Добрый день, Тристан, это Вера. Извини, если побеспокоила.

— Добрый день, Вера, ты никогда меня не беспокоишь. Чем могу быть полезен?

— Ты встречался с Янисом в последние дни?

— Мы ненадолго пересеклись позавчера, я подумал, что он очень занят. А почему ты спрашиваешь?

— М-м-м... нет, нипочему... на самом деле...

— Что происходит?

— Каким он тебе показался?

— В тонусе. Хотя и немного скучает по концепт-стору, поскольку уровень адреналина резко упал. Но в остальном все вроде в порядке. По крайней мере, я так думаю... А что, есть проблемы?

— Нет, все нормально, не нужно было приставать к тебе с этой ерундой.

— Вера, ты же знаешь, что можешь все мне рассказать. Я чувствую, что ты обеспокоена. Хочешь, встретимся, если ты предпочитаешь не обсуждать эту тему по телефону?

— Нет, нет. Все хорошо. До скорого.

Не дав ему ответить, я повесила трубку. Какая глупость — обратиться к нему: ворон ворону глаз не выклюет. Тристан — единственный друг Яниса, он никогда его не выдаст. Мне оставалось только собраться с силами, приготовиться к худшему и обсудить все с Янисом — откровенно и без обиняков. С каких это пор я боюсь поговорить с собственным мужем? До чего я докатилась!

Чуть позже, ближе к концу рабочего дня, у меня сидела клиентка, а мой телефон с выключенным звуком безостановочно вибрировал. Я постоянно косилась на сумку, стоявшую на полу рядом со стулом и как будто призывающую поскорее откликнуться. Меня охватило дурное предчувствие, и я не выдержала, сдалась.

— Вами займется коллега, — извинилась я перед клиенткой. — Люсиль!

— Да.

— Займись мадам, хорошо?

— А что случилось?

— Пока не знаю. — Я уже засунула руку в сумку.

Когда я вытаскивала телефон, он снова завибрировал: звонили из школы. Зачем? Сегодня четверг, вторая половина дня, у Жоакима тромбон. Значит, они уже давно должны были уйти.

— Алло!

— Здравствуйте, мадам.

— Что-то с детьми? — с лету спросила я, пропустив обычные формулы вежливости.

— Ваш муж не пришел за ними.

Я вскочила со стула.

— Что?! — завопила я, натягивая куртку. — Не может быть!

— Прошу прощения, но они все трое стоят рядом со мной и ждут. С вашим мужем невозможно связаться. Продленка скоро закроется, и я решила, что должна предупредить вас.

— Правильно сделали. Скажите детям, что я уже иду. Постараюсь быть как можно скорее.

Я встала, обошла письменный стол и рванула к выходу. Люсиль позвала меня:

— Что происходит?

— Извини, мне нужно бежать, дети...

Я выскочила на улицу, оставив дверь агентства нараспашку, и помчалась как сумасшедшая к метро, расталкивая всех, кто попадался на пути. Ноги касались асфальта, но мне казалось, будто я падаю в бездонный колодец. Я попыталась дозвониться Янису, но он не ответил, и тогда я задыхающимся голосом наговорила на автоответчик:

Ты где? Дети! Ты забыл о детях!

Полтора часа спустя я открыла дверь квартиры, держа на руках рыдающую Виолетту. Эрнест с исказившимся от отчаяния лицом цеплялся за мою руку. Злой как черт Жоаким бросился к своему футляру с тромбоном — Янис должен был зайти за ним после обеда, — схватил его, бросил на пол и стал яростно пинать. Виолетта от ужаса заревела еще горше, а Эрнест совсем перепугался и спрятался за моей спиной.

— Никогда больше не буду играть на нем, мама! — орал Жоаким. — С музыкой покончено навсегда!

Он влетел в свою комнату и хлопнул дверью. Как бы я хотела последовать его примеру, забиться под одеяло и постараться забыть обо всем! Но нет, отныне я перестану изображать страуса и прятать голову в песок — Янис уничтожает наш брак, но я не позволю ему искалечить жизнь детей. Если у него есть любовница, это моя проблема: Жоаким, Эрнест и Виолетта не должны платить по моим счетам. Янис может заставить страдать меня, но только не их!

— Мама, а где папа? — спросила Виолетта.

Я поцеловала ее в лоб, не зная, что ответить. Ради них я должна взять себя в руки, это мой материнский долг.

— Он нас забыл? — подключился Эрнест. — Он нас больше не любит?

— Нет, что ты?! Он всегда будет вас любить. Наверное, у него какие-то проблемы на работе, вот и все.

Я отвела младших прямиком в ванную и поставила под душ. Жоаким отказался покидать свое убежище. Я не настаивала, он уже слишком большой, чтобы заговорить ему зубы. Жалкие остатки энергии я употребила на то, чтобы развеселить Эрнеста и Виолетту, отвлечь их. Я брызгала в них водой, щекотала. Безуспешно, малыши оставались грустными и обеспокоенными. Они вслушивались в малейший шорох, надеясь, что отец вот-вот вернется, обнимет их, скажет, что любит своих бандитов больше жизни. Когда они надели пижамы, я усадила их перед телевизором, поставила готовиться ужин и заперлась в туалете. Мне не хотелось, чтобы они слышали, как я говорю по телефону. Сначала я позвонила Янису, и опять безрезультатно. Я не стала оставлять сообщений. Затем я связалась с консьержкой и спросила, свободна ли ее дочь и сможет ли посидеть с детьми. Каролина согласилась через час прийти. Не надеясь на отклик, я еще раз позвонила Янису и на этот раз наговорила на автоответчик:

> Это опять я. Не приходи сегодня домой, я приеду к тебе вечером.

Я сидела на унитазе и всхлипывала, меня бил озноб, я дрожала и была без сил. Стерев с лица слезы, я покинула свое укрытие. Эрнест и Виолетта сидели на диване, прислонившись друг к другу, и впервые на моей памяти не ссорились из-за того, какой мультик смотреть. Я бы все отдала, лишь бы увидеть, как они с воплями вцепились друг другу в волосы. Я постучалась к Жоакиму. Он не ответил.

— Я зайду, Жожо.

Я нашла его сидящим за столом перед горкой разорванных в клочья нот. Я села на кровать Эрнеста.

— Ты можешь сделать перерыв, а когда захочешь, снова займешься тромбоном.

— Нет!

— Почему?

— Папе на это наплевать.

Я вздохнула:

— А мне не наплевать. И я могу водить тебя на уроки, если хочешь.

— Ты работаешь.

— Я разберусь.

— Без папы я не хочу.

Его плечи поднимались и опускались в такт прерывистому дыханию.

— Иди сюда, сядь со мной, Жожо.

Он поднялся и, понурившись, подошел ко мне. Я обняла его, и мы с ним удобно устроились, откинувшись на подушку. Он теснее прижался ко мне.

— Не стану тебя обманывать, я не знаю, где папа. Но я найду его и узнаю, что происходит. Сегодня с вами посидит Каролина.

Он поднял ко мне перепуганное лицо:

— Зачем? Мама, не уходи!

— Я узнаю, у себя ли папа, и сразу вернусь, обещаю. Но я не хочу, чтобы ты не спал и ждал моего возвращения. Договорились?

Он кивнул.

— Я хочу тебя кое о чем попросить, Жожо. Ты мне нужен, мне надо, чтобы ты помог мне с братом и сестрой. Они тоже очень огорчены и волнуются. Я знаю, что это несправедливо, прости меня.

— Я помогу тебе, мама.

Его прекрасные голубые глаза, такие же как у Яниса, наполнились слезами. Я еще крепче обняла его:

— Плачь, мой мальчик, не сдерживай себя.

Когда после долгих объятий и поцелуев мне удалось уйти, было почти восемь. Я понимала, как мучительно для детей мое отсутствие в такой тяжелый для них день. Да, им будет еще тоскливее, но что тут поделаешь?! Мне не под силу оставаться весь вечер на диване и названивать Янису каждые четверть часа, пытаясь узнать, где он. Необходимо действовать и поскорее выяснить, что происходит. Этот нарыв слишком долго созревал. Меня по-прежнему знобило, но осенний холод был ни при чем. В метро мне удалось найти свободное откидное сиденье. Энергия злости подпитывала меня, однако ноги плохо держали, голова кружилась, я прислонилась виском к окну и уставилась во тьму туннеля. Мне редко приходилось испытывать такой страх. Страх перед тем, что я увижу в берлоге, страх последствий раскрывшейся тайны. Я бы никогда не подумала, что Янис может стать чужим до такой степени. Как он мог забыть о детях, отодвинуть их в сторону, подвергнуть опасности? Неужели наша жизнь прямо сейчас разбивается вдребезги? При этой мысли меня пронзила такая боль, что я скорчилась на сиденье, схватившись за живот. Я чувствовала себя совершенно беспомощной перед тем непонятным, что на нас свалилось. Меня как будто зашвырнули в чью-то чужую жизнь. Как мы ухитрились вмиг потерять безмятежное счастье и отправиться прямиком в ад? Что я упустила? Как объяснить детям, что все уже никогда не будет так, как прежде? Справлюсь ли я без него?

Я помчалась от метро бегом, распахнула дверь во двор. Холостяцкая берлога была погружена во тьму, но мои страхи никуда не делись. С ключами в руках я побежала по двору, стараясь собрать всю оставшуюся у меня энергию для встречи с тем, что меня ждет. Дверь была заперта, я открыла ее. Две вещи поразили меня, когда я вошла: внутри никого, квартира в жутком состоянии. От густого запаха бара — смеси выветрившегося алкоголя и сигаретных окурков — меня замутило. Я зажгла свет и смогла оценить размеры бедствия. Никогда в Янисовой берлоге не было такого хаоса. Я медленно продвигалась посреди разрухи. Пепельницы, из которых вываливаются окурки, опустошенные пивные бутылки, рассыпающиеся стопки бумаги, невскрытые письма, рулоны чертежей, в большинстве своем испорченные, гора грязной посуды, громоздящаяся в раковине. А потом я заметила наш транспарант, тот самый, который мы с детьми сделали, чтобы поздравить его. Он лежал так и не развернутый в углу, как если бы Янису захотелось спрятать его подальше и не вспоминать о нем. Мне стало обидно за Жоакима, Эрнеста и Виолетту, которые вложили в это поздравление всю душу. Квартира превратилась в помойку, а вовсе не в приют тайных любовных утех. Подозрения об измене мужа начали рассеиваться, но спокойнее мне не стало. Скорее наоборот. Я рухнула на продавленный диван и, машинально положив на место сдвинувшуюся подушку, обнаружила под ней мобильник. Я могла еще долго названивать! Раньше мне никогда бы не взбрело на ум рыться в его телефоне. Но поскольку Янис избегал меня, скрывался, я поддалась искушению. Я включила его и сразу увидела множество пропущенных вызовов. Моих, из школы, от учителя тромбона, еще добрый десяток звонков из банка — и все это только за сегодняшний день. Я положила телефон на диван, не пытаясь прослушать сообщения, встала как автомат и двинулась к тому, что когда-то было рабочим столом. Я последовательно просматривала все бумаги в поисках малейших подсказок, которые помогут понять происходящее. И вскоре я их нашла. Первым мне попалось письмо одного из мастеров с требованием выплатить задолженность; судя по всему, он дожидался гонорара с середины августа и был не единственным. Все требования и напоминания относились к проекту концепт-стора. Затем мне попались выписки со счета за последние месяцы; этот счет Янис оформил на свою фирму. Я наугад открыла одну из выписок: от размеров овердрафта мне стало дурно. *Шестизначная цифра!* Такой минус на счету уже даже не называется овердрафтом! У меня подкосились ноги, и я упала на колени посреди свидетельств финансовой катастрофы, которую обрушил на нас Янис. Я заметила папку, валявшуюся под журнальным столиком, подползла поближе и достала ее. Кровь застыла у меня в жилах: он взял несколько потребительских кредитов совместно на свое и мое имя. Он даже подделал мою подпись. Мы по уши в долгах. Я обхватила голову руками и облокотилась о столик. Я дрожала, у меня болело все тело, ныли мышцы, сведенные от напряжения. Несколько недель, а то и месяцев Янис рассказывал мне сказки о своих достижениях. Мы погрязли во вранье. Но когда точно это началось? Да, мое женское самолюбие не пострадало, поводов для ревности нет, он мне не изменял. Но я дошла до такого отчаяния, что на это мне было уже наплевать, настолько чудовищным оказалось предательство: ложь, разорение, угроза нищеты, одиночество. Он сломал нашу жизнь. Рефлекс пятилетней давности сработал — я вытащила сигарету из валявшейся перед носом пачки и закурила, прислонясь к сиденью дивана. Я уставилась на дым, растерянная и подавленная обрушившейся на нас горой бедствий. Придется перестраивать всю нашу жизнь, экономить каждый евро. Мы никогда не катались как сыр в масле, однако нам не часто приходилось считать сантимы, оставшиеся до конца месяца. По сравнению с другими мы жили вполне вольготно. Но сейчас все кардинально изменилось. Сможем ли мы сохранить квартиру? Наш совместный долг банку равнялся нескольким годам моей зарплаты. Помимо банка, мы должны были астрономическую сумму Тристану. Господи! Тристан — гарант по кредиту, взятому на Янисову фирму. Безумства моего мужа ударят по Тристану.

Только я погасила вторую сигарету, как открылась входная дверь. Янис сразу увидел меня и окаменел. Он утратил человеческий облик: запавшие, налитые кровью глаза, обведенные черными кругами, заострившиеся черты лица, сгорбленная спина. Я схватила с дивана мобильник и яростно швырнула ему. Он не поймал его — реакция была на нуле. Зато мой жест побудил его к действию — он закрыл дверь и сделал несколько шагов вперед, стараясь при этом близко ко мне не подходить, прислонился к стене и тяжело соскользнул по ней на пол. Так мы и сидели, уперевшись друг в друга взглядами. Это был он, но как бы уже и не он; мой муж казался полностью опустошенным, выпотрошенным.

— Жоаким отказывается заниматься тромбоном, — холодно сообщила я.

Его лицо сморщилось, он опустил веки и стукнул кулаком по стене. Затем обхватил колени руками и подтянул их к груди. От отчаяния он раскачивался взад-вперед и стонал. Я задышала быстрее, мне нужно было срочно обзавестись броней, чтобы не обращать внимания на его муки. Нет у меня права на сочувствие. Прежде всего, я обязана защитить детей. Только это сейчас в моей власти.

— Когда началось все это дерьмо? — жестко спросила я.

— Я не понимаю, что произошло. Клянусь тебе. Но я все исправлю, Вера, обещаю тебе, я все исправлю, — всхлипывал он, по-прежнему пряча лицо в ладонях.

— Каким образом? Ты же ничего не делаешь! Когда ты будешь все исправлять? — настаивала я, повысив голос. — Отвечай!

Он беспомощно всплеснул руками и не произнес в ответ ни слова. Его пассивность вывела меня из себя, я вскочила и обрушила на него град вопросов:

— Повторяю, Янис, когда ты начал топить нас в этом дерьме? С каких пор ты разыгрываешь комедию, изображаешь успешного бизнесмена, а на самом деле сидишь в глубокой заднице? Ты же все пустил псу под хвост! Как мы выберемся? Можешь мне объяснить? Нет, не можешь, тебе нечего возразить, ты все глубже вязнешь в своем кретинизме, в своей безответственности! Ты лжешь всем! Ты наплевал на меня, ты не обращаешь внимания на детей, хуже, ты вообще забыл о них!

Он съеживался от каждого моего слова.

— Я приду и извинюсь перед ними, — пробормотал он, подняв ко мне залитое слезами лицо.

— И речи быть не может! — заорала я. — Ты не придешь к ним! Запрещаю тебе приближаться к ним! И ко мне тоже.

Он еще больше побледнел, хотя куда уж больше.

— Что ты сказала?

— Ты меня прекрасно расслышал! Ты же превратился в жалкое существо! Они такого не заслужили! Сейчас они боятся собственного отца, они больше тебе не доверяют. И я тоже больше не доверяю тебе. Ты тряпка! Ты не способен держать удар! Куда ты делся? Посмотри, кем ты стал, Янис! Даже твоя тень выглядела бы краше, чем то, что я сейчас вижу!

Эти слова, вырвавшиеся под действием негодования, были как острые лезвия у меня во рту, но они вылетали одно за другим, и я никак не могла остановиться. Да, все они — чистая правда, но произносить их было чудовищно, даже испытывать такие чувства по отношению к Янису было мучительно.

— Ты отдаешь себе отчет, что больше нет ничего из того, что мы вместе выстраивали?! Как ты мог так поступить с нами? Ты бросил нас! Где ты? Что с тобой произошло?

Я не могла больше находиться с ним рядом. Обогнув журнальный столик и стараясь не приближаться к нему, я подняла брошенную у дверей сумку.

— Ты что делаешь, Вера? — испуганно спросил он.

Я обернулась. Он оперся о стену, с трудом поднялся на ноги и сделал несколько шагов ко мне:

— Вера, умоляю тебя, не бросай меня, я без тебя не справлюсь.

— Нужно было думать раньше.

Он приблизился, еле переставляя ноги, со слезами на глазах упрашивая не покидать его и протягивая ко мне руки. Я отступала. Нужно было быстро уходить. Я резко открыла дверь и побежала по двору. Его зовущий голос будет еще долго преследовать меня. Я только что по собственной воле отсекла часть себя, возможно самую важную часть, лишила себя фундамента, на котором строилась вся моя жизнь и в прочность которого я до сих пор безоговорочно верила.

На обратном пути мне казалось, что земля уплывает у меня из-под ног, что я вот-вот упаду и буду проваливаться все глубже и глубже; я плохо слышала шумы и голоса вокруг, в ушах гудело, в глазах стоял туман, я смутно различала людей в вагоне метро, словно все это происходило во сне, а точнее, в самой гуще кошмара.

Перед дверью нашей квартиры я глубоко вздохнула, моля высшие силы о том, чтобы дети уже спали. Мне хотелось оттянуть неизбежный разговор до завтрашнего утра, хотя бы для того чтобы обдумать, что я им скажу. Каролина сидела на диване и изучала свои конспекты. Увидев меня, она встала и пошла мне навстречу.

— Все в порядке? — прошептала я.

— Все отлично, хотя Жоаким долго не засыпал.

Главное, что сейчас он спит.

— Хорошо.

Я рылась в бумажнике, сознавая, что охота за правдой стоила мне слишком дорого с учетом теперешних скудных возможностей. Я протянула ей деньги и заметила, что мои пальцы дрожат.

— Что-то не так, Вера? — обеспокоенно спросила она.

Я выпустила деньги из рук:

— Просто я устала и замерзла. Вот и все. Счастливо! Спокойной ночи.

Я разве что не вытолкала ее за дверь, а она обалдело всматривалась в меня. Но мне необходимо было поскорее остаться одной. "Янису привет" — были последние услышанные мной слова, без которых я бы легко обошлась. Запершись на все замки, я механически заглянула во все комнаты, погасила всюду свет, проверила, как там дети. Виолетта крепко спала, засунув большой палец в рот и вцепившись в своего мишку. В спальне мальчиков Эрнест свернулся клубочком под одеялом — он всегда так делал, если чего-то боялся, — а Жоаким весь вспотел и продолжал жестикулировать во сне. Я могла бы курсировать из одной спальни в другую целую ночь, переходить от кровати к кровати, проверять, все ли с ними в порядке, надеясь, что сам вид моих детей успокоит меня, однако я боялась их разбудить и не хотела рисковать. Пока они спят, они до некоторой степени защищены. Поэтому я поднялась в нашу комнату и приступила к привычному ежевечернему ритуалу. Смыла макияж, почистила зубы, надела ночную рубашку, легла на свое место, на край кровати и укрылась одеялом, избегая смотреть на пустую отныне половину Яниса. Будильник я поставила на более раннее, чем всегда, время, после чего выключила свет. Ночь я провела, следя за движением стрелки по циферблату и урывками задремывая на четверть часа. Когда будильник прозвонил, я резко подскочила, мне почудилось, будто я задыхаюсь, тону, но мало-помалу сердечный ритм вернулся в норму. Однако я как будто утратила все эмоции разом. Я не из тех, у кого слезы близко, но сейчас логично было бы поплакать, а у меня ничего не получалось, и я не понимала почему. Мне было холодно, я словно одеревенела, впала в столбняк. Когда передо мной всплывала вчерашняя картина — Янис, лежащий на полу в своей берлоге словно раненое животное, — я прогоняла ее, начинала думать о детях, о деньгах, которые нам придется выплачивать, о том, что я буду делать завтра, послезавтра и все последующие дни. Нельзя было подпускать к сердцу и к сознанию боль от утраты Яниса.

Мы вчетвером сидели за столом и завтракали, дети пили какао. Кофе застревал у меня в горле, а их озабоченные мордашки переворачивали душу. Меня беспрестанно знобило, никак не удавалось избавиться от холода, просочившегося в тело накануне. Судя по всему, Жоаким основательно поработал с младшими, и сейчас никто из троих не раскрывал рта. Но я читала вопросы в их перепуганных и недоумевающих глазах. Я заставила себя сделать глоток кофе и приступила:

— Пока с вами сидела с Каролина, я встретилась с папой.

Три пары настороженных глаз вонзились в меня.

— Он извиняется за вчерашнее.

— Почему он сам этого не сделал? — рявкнул Жоаким.

— Где он? — поддержал брата Эрнест.

— В берлоге.

— Хочу папу! — захныкала Виолетта.

— Когда он вернется? — поинтересовался старший сын. Он смотрел на меня в упор.

— Я не знаю.

— Он не вернется?

— Послушайте, дети, папа не очень хорошо себя чувствует, у него много работы, и он пока не может заниматься вами.

— И что мы будем делать? — обеспокоенно спросил Эрнест.

— Но я же здесь и всегда буду заботиться о вас.

Все трое растерянно замолчали. У меня ничего не получалось, я не представляла, что еще могу им сказать. Несмотря на ярость — такую же холодную, как мое тело, — я не была готова подорвать их доверие и любовь к Янису. Однако я не имела права допустить, чтобы они сохранили надежду на возвращение к нормальной жизни. Больше ничего не будет как прежде, их мир, знакомый им от рождения, только что рухнул. Как сообщить такую новость детям?

Ну да, мы часто принимаем решения, не раздумывая, не представляя себе последствий; мой материнский инстинкт, накануне заставивший меня бросить Яниса, сейчас обернулся для них страданиями, которые до сих пор я считала для нашей семьи немыслимыми. Я могла бы поклясться, что мы с Янисом непобедимы, что наш брак сильнее всех и всего, я бы руку дала на отсечение, что это так. Но Янис, еще недавно сильный и несгибаемый, утратил себя, сдался, причем пришел к поражению сам, не поделившись своими проблемами со мной, отказавшись от поиска решений, способных спасти то, что еще могло быть спасено, — он вычеркнул из своей жизни меня, а заодно и наших детей. Его отказ от борьбы меня разочаровал и обескуражил. До чего жестоко осознавать, что отныне нельзя положиться на того, на ком держалась вся моя жизнь. Что же все-таки произошло? И в чем моя вина? Почему я так долго старалась ни на что не обращать внимания? Я вела себя как глупая страусиха, не желая замечать, что Янис становится чужим. Я зацепилась за первую мысль, которая приходит в голову женщине в такой ситуации: он изменил мне, предпочел другую. А причина, как выяснилось, была совсем в другом, однако это не делало его предательство и ложь менее убийственными. Безответственность Яниса лишила нас будущего, разрушила наши планы, все наши мечты о том, что мы сумеем дать детям, как обеспечим их учебу. Целой жизни не хватит, чтобы выплатить долги, и мы не сможем начать все с чистого листа, в нашей ситуации это нереально. Теперь у меня остались только сыновья и дочь, они всегда были, есть и будут моим главным жизненным стимулом. Отныне я посвящу им всю свою энергию, попытаюсь смягчить их печаль, сделать так, чтобы в их жизни все же было немного солнца и радости. Сейчас их красивые личики были несчастными, хмурыми, и я повторяла себе, что никогда не прощу этого Янису.

— Ладно! Пора в школу! — провозгласила я притворно веселым голосом.

Когда я закрывала дверь квартиры, Жоаким потянул меня за руку и шепнул на ухо:

— Раз папы больше нет, о тебе буду заботиться я.

Я не имею права нагружать их своими бедами. Ни под каким предлогом. Я заглушу свою боль, спрячу ее как можно глубже, постараюсь стать бесчувственной, даже если холодно мне будет всегда. У меня нет другого выхода, если я намерена продолжать борьбу.

— Я уже взрослая девочка, не беспокойся обо мне.

Отведя детей в школу, я отправила сообщение Люсиль, чтобы предупредить об опоздании и извиниться. В последний раз, потому что отныне я буду скрупулезно следовать офисному распорядку — не хватало только, чтобы меня уволили. По дороге к метро я набрала тот же телефон, что накануне. Вчерашний звонок, подумала я, был как будто совсем давно. Тогда я пыталась выудить у Тристана признание насчет предполагаемой измены Яниса.

— Как дела, Вера? — спросил он, как только снял трубку.

Внимателен, как всегда.

— Твое вчерашнее предложение поговорить попрежнему в силе?

— Конечно. А что происходит? Я волнуюсь за вас, с твоим мужем невозможно связаться.

— Мы можем встретиться прямо сейчас? Ты где?

— Пока дома.

— Я приеду.

Не дожидаясь ответа, я прервала разговор и ускорила шаг.

Меньше чем через сорок пять минут я звонила в дверь его квартиры. Он тут же открыл мне.

— Здравствуй, Вера.

Судя по костюму, по завязанному галстуку, он уже собирался на работу, то есть я явилась в самый неудачный момент. Но мое дело не терпело отлагательства.

— Спасибо, Тристан, что согласился встретиться со мной вот так, не договорившись заранее.

— Да пожалуйста, у тебя, похоже, что-то важное.

— Ты прав.

Он отступил, пропуская меня:

— Помочь тебе снять пальто?

Я плотнее запахнула его:

— Нет, не надо.

Он явно был обеспокоен, пытался поймать мой взгляд, но я избегала смотреть на него.

— Садись, — пригласил он, когда мы вошли в гостиную.

Я уселась на краешек дивана, и у меня осталось единственное желание: сбежать и обо всем забыть. Но бежать было некуда.

— Мне кажется, горячий кофе тебе не помешает, ты продрогла.

— Да, спасибо.

Не говоря ни слова, он покинул гостиную, и из кухни донесся шум кофемашины. Я не могла унять дрожь, меня охватывал ужас, когда я думала о том, что должна буду ему сообщить. Вскоре он вернулся и протянул мне чашку. Я отпила глоток обжигающей жидкости, но ничего не почувствовала. Он оперся об обеденный стол и нацелил на меня вопрошающий взгляд.

— Я не тороплюсь, Вера, — мягко подбодрил он. — Можешь спокойно рассказывать. Но я волнуюсь за тебя.

Я поставила чашку на журнальный столик и всмотрелась в него. Он был предельно серьезен.

— Э-э-э... не знаю, с чего начать... Вчера вечером... вчера вечером... я... Янис... Блин!

Я впилась ногтями в ладони, дрожа как сухой лист на ветру.

— Да что происходит?

Я изо всех сил зажмурилась, мои ноги подрагивали.

— Я узнала кое-что вчера вечером. Насчет Яниса. И...

Я терла ладонями лицо, шмыгала носом, потом снова решилась посмотреть на него:

— Это напрямую касается тебя, и мне очень неприятно.

Он поднял брови. Я набрала побольше воздуха.

— Он кормит нас баснями уже несколько недель, а то и месяцев... все-все неправда.

В последующие четверть часа я, заикаясь, описывала ему масштаб катастрофы, просроченные задолженности, овердрафт по счету, гарантом которого является он, Тристан, потребительские кредиты. Он выслушал все, что я ему сообщила, не произнося ни слова, не проявляя никаких эмоций, оставаясь серьезным и внешне бесстрастным. Но я его уже знала достаточно хорошо, чтобы понимать: холодность — всего лишь признак предельной сосредоточенности. Я замолчала, а он и тут ничего не сказал, сложил ладони домиком и опустил ресницы. Может, он пытается сдержаться, а потом взорвется? Кто его за это упрекнет? У Тристана есть все основания впасть в чудовищную ярость, и вместо Яниса огребу я. Как будто мне и без того мало. Я перестала на него смотреть и, устремив пустой взгляд в пол, ждала приговора. Тристан тяжело вздохнул, но я не пошевелилась.

— Я был ему плохим другом, не желал замечать его проблем. Я бросил его.

Я так резко вскинулась, что у меня потемнело в глазах. Что он тут такое рассказывает? Не собирается же он искать оправдания Янису и бичевать себя за все глупости, которые тот наделал.

— Нет, это он нас бросил! Он обманывал нас. А разве банк тебе не сообщил?

— Однажды я действительно внес дополнительную сумму, но Янис в тот раз заверил меня, что со дня на день ждет проплаты от заказчиков, и я не стал дальше ничего выяснять, ведь я доверял ему. Потому и не потребовал подробного отчета. — Тристан раздосадованно вздохнул. — Он манипулировал нами — тобой, мной, банком. Знаешь, Вера, когда тебя загоняют в угол, ты способен на самые ужасные поступки. Я могу его понять.

Его слова ошеломили меня.

— Ты… ты его прощаешь? — заплетающимся языком выговорила я.

— Я этого не говорил, но мы в тобой в разном положении.

Он выпрямился, засунул руки в карманы и подошел к застекленному эркеру гостиной. Я уже присутствовала при такой сцене однажды вечером — перед тем, как Тристан предложил Янису стать его поручителем.

— Где он?

— В своей квартире или еще где-то… не знаю.

На его лице я прочла ужас.

— Как это, ты не знаешь?

Отчаянно стараясь не встретиться с ним глазами, я продолжала сидеть, а он приблизился ко мне.

— Кажется, я понимаю, что это значит, — кивнул он.

Я набрала побольше воздуху, потерла ладонями плечи и покосилась на него. Тристан показался мне еще выше, чем обычно. Он пристально посмотрел на меня.

— Что ты намерен делать? — спросила я, стремясь избежать новых вопросов насчет Яниса и меня.

— Взять тайм-аут, обдумать сложившуюся ситуацию, проверить все счета, позвонить в банк и встретиться с Янисом. — Он помолчал. — Спасибо, что предупредила меня.

— Я решила, что это моя обязанность. Ладно, оставляю тебя, я и так уже здорово опоздала на работу.

Я встала, моя броня стремительно покрывалась трещинами.

— Как дети? — спросил он, пока я шла к двери.

— Тут все сложно, — услышала я собственный неуверенный голос.

— А ты?

Я остановилась:

— Я нормально.

— Ты не умеешь врать, Вера.

— У меня нет выхода, Тристан, мне нельзя сорваться, начать рыдать, вопить.

— С детьми — нельзя, тут ты права, а со мной — совсем другое дело.

Я задрожала с удвоенной силой и поняла, что шлюзы вот-вот откроются. Я отчаянно пыталась сдержаться, но слезы впервые со вчерашнего вечера подкатили к горлу, подкатили исподтишка, застав меня врасплох. Я услышала, что Тристан идет ко мне, но продолжала стоять отвернувшись. Ну почему я такая слабая? Я вздрогнула, когда он положил ледяную руку мне на плечо и сжал его.

— Кому ты можешь излить душу? Шарлотте?

Я покачала головой.

— Люку?

— Нет, — ответила я едва слышно.

— Они начнут читать тебе мораль, скажут, что с самого начала были правы насчет Яниса, и я, как мне кажется, достаточно хорошо тебя знаю, чтобы догадаться, что это вряд ли тебе поможет.

Что я могла ему ответить, если он во всем прав? Он еще сократил расстояние между нами, мы уже касались друг друга.

— Мне так плохо без него, Тристан. Он меня обманул, это невыносимо… и совсем на него не похоже…

Я сгорбилась и спрятала лицо в ладонях. Он дал

мне поплакать, ничего не говоря и не снимая своей холодной, но заботливой руки с моего плеча.

— Я отвезу тебя в агентство.

— Спасибо. — Я даже не попыталась возразить.

Мы ехали в полном молчании. Возле самого офиса Тристан нарушил его:

— Если я чем-то могу помочь, не стесняйся.

Мне было все так же плохо, хотя присутствие Тристана успокаивало: я боялась его гнева, а он поддержал меня.

— Ты и так уже столько делаешь... Как я осмелюсь просить тебя еще о чем-то, зная, что тебе предстоит расплачиваться за последствия Янисовой безответственности?

— Вера, давай мы все проясним. Раз и навсегда, я не намерен повторяться! Я вас не брошу — ни тебя, ни его. И совершенно не важно, что между вами происходит. Береги себя и детей, это главное.

Его явственно ощутимая властность не оставляла места для возражений. Он затормозил во втором ряду перед самым агентством.

— Хорошо. Тогда я попрошу тебя только об одном, — выговорила я. — Позаботься о нем.

Я вышла из машины и закрыла дверцу.

Глава 13
Янис

Ну вот, теперь Вера узнала, что я полное ничтожество и поставил в тяжелейшее положение ее и детей. Я все разрушил, и во всем виноват только я сам. Оказалось, что у крутого мужика, каковым я себя считал, глиняные ноги. Та сила, которой я раньше был наделен, целиком и полностью зависела от Вериной силы, Вериной любви. И их я тоже растоптал. Вчера вечером жестокость ее слов и взглядов продемонстрировала всю глубину ее разочарования, едва ли не отвращения ко мне и ее гнев за тот вред, который я нанес нашим детям. Я знал, что когда-то это случится. Я и раньше не многого стоил, но после того, как она ушла и я остался без нее и без детей, я стал вообще никем. Без них я — *пустое место*. Вернее, нет, без них я — пигмей, утративший боевой дух, жалкий червяк, у которого кишка тонка сражаться, без них мне не выплыть. Что же такое произошло? Из-за чего я пал так низко?

Никто не принуждал меня, не отнимал у меня разум и чувство ответственности, а заодно и умение трезво мыслить. Я сам почему-то решил, будто участвую в компьютерной игре, где через час-другой можно заиметь новую жизнь, тогда как в реальности второго шанса не бывает. Получилось, я сыграл в русскую рулетку и мне с первого раза досталась пуля.

В дверь постучали. Сквозь стекло проступил темный силуэт Тристана. Только этого не хватало. Значит, в моем револьвере не одна пуля, а две, и вторая вот-вот прикончит меня, но не положит конец моим мучениям.

— Заходи, не заперто! — крикнул я, не вставая с пола.

Что он и сделал и появился на пороге — безукоризненный, как всегда, впечатляюще представительный в своем костюме без единой морщинки. Я заметил, что в последнее время он как-то налился силой, от него исходила уверенность, мощь, которая все больше подавляла меня. Я растворялся в тени, а он сиял еще ярче. Можно было подумать, что он высасывает мою энергию. Впрочем, это его право, учитывая, какие деньжищи я у него высосал. Смерив меня взглядом, он подошел ближе, пробираясь через мой бардак, презрительно косясь на грязищу, на раскиданные по полу бумаги. Он схватил и внимательно прочитал несколько документов, после чего положил их на стол. Я не пытался его остановить. На черта? С тех пор как Вера все узнала, жизнь полетела в тартарары, так что чуть меньше, чуть больше… Потом он направился к кухонному столу, поставил кипятить воду, щедро сыпанул молотого кофе во френч-пресс, сполоснул две чашки. Пока он изображал из себя бармена, я закурил. Он стоял спиной ко мне, передо мной были только его ухоженные руки, и я подумал, что они сильнее моих мозолистых и покалеченных граблей. Когда он приблизился, у меня не нашлось сил, чтобы встать с пола и взять протянутую чашку. Он отступил на несколько шагов, не стал садиться, оперся о письменный стол. Бесстрастный и непроницаемый, он наблюдал за мной. А я ощущал себя еще более жалким.

— Вера была у меня сегодня утром, — сообщил он металлическим голосом.

Я ахнул и схватился за голову.

— Удивительно, Янис. Я считал себя прозорливым, но был неправ. Я воображал тебя сильным, энергичным, мужественным человеком, которого ничто не может поколебать и уж тем более свалить. Человеком, на которого можно положиться, которому можно полностью доверять. А теперь не знаю, что и думать...

Он решил прикончить меня, и я это заслужил.

— Я сам виноват, что ошибся в тебе. Когда я вижу масштабы бедствия... я задаю себе вопрос: кто толкнул тебя к тому, чтобы загнать свою семью в такой капкан? Ты подумал о Вере, о детях? Об их будущем? Ты подтвердил справедливость критики в свой адрес. Получается, Люк с самого начала знал тебе цену! Что произошло? Ответь мне!

— Не знаю... Не понимаю, как мог докатиться до этого. Меня втянуло в какую-то адскую воронку. Как будто я подписал договор с дьяволом и он потребовал расплаты.

— Почему ты предпочел одиночество и скрытность? Больнее всего то, что ты ни разу не поговорил со мной. Подумать только, я считал, что мы друзья!

Я наконец взглянул на него. Как я мог с ним так поступить? Заставить его платить за мои ошибки? Он предложил мне свою дружбу и доверие, он верил в меня, как не верил никто до него.

— Поставь себя на мое место, — ответил я умоляющим голосом. — Мне было стыдно, что я очутился в такой заднице... Но клянусь тебе, Тристан, мы друзья. Я никогда не пытался вонзить нож тебе в спину.

— Как я могу тебе поверить? Снова принять за чистую монету твои клятвы после того, как ты использовал меня в качестве инструмента для самоуничтожения? Ты хоть отдаешь себе отчет, в какое положение ты меня поставил?

— Если бы я мог что-то предложить тебе взамен, как-то компенсировать причиненное зло, я бы охотно это сделал. Отдал бы все, что у меня есть.

На его лице проступила эта чертова ироничная ухмылка. Мне неожиданно захотелось вцепиться ему в глотку и избить его, чтобы сбросить страшное напряжение, выплеснуть стыд и боль, которые пожирали меня изнутри. Он выпрямился и принялся расхаживать по комнате, засунув руки в карманы. Потом остановился и стал смотреть в пространство. Я обхватил себя за плечи и уперся локтями в колени, пытаясь сдержаться. У меня чесались руки, а я не понимал почему. Ведь это он должен был бы меня бить. Он молча ходил взад-вперед, и когда у меня под носом остановились его “Берлути”, я почувствовал себя шелудивым псом. Я был бос и гол, у меня больше ничего не осталось, а у него было все, все, чтобы меня раздавить. Я был повержен, а он смотрел на меня сверху вниз.

— Что ты решил? — спросил я, вскинув на него глаза.

Он вздохнул:

— А что я могу решить? Я тебя не брошу. Для начала позвоню в банк, чтобы прикрыть тебя, успокоить их насчет своей поддержки, невзирая на твои долги. Ты себе представляешь сумму?

— Почему ты это делаешь? Почему даешь мне второй шанс?

Я явно не в себе, и мне это чудится: вместо того чтобы, как я ожидал, предъявить иск, окончательно утопить меня, он протягивает мне руку. Тем не менее его взгляд оставался холодным, чтобы не сказать ледяным. В нем не чувствовалось ни намека на доброжелательность.

— Но, внимание, есть одно условие.

— Все, что хочешь.

— С этого момента, ты выполняешь то, что я скажу. — Его бесстрастный голос звучал беспощадно. — Нужно будет разобраться с твоей бухгалтерией. Это значит, что ты допустишь меня к своим бумагам, платежкам, счетам, договорам. Мне отлично известно, что ты хотел бы руководить фирмой *самостоятельно*, но ты этого не умеешь. Понятно?

Как будто у меня оставался выбор. В любом случае доказательство моей неспособности самому чем-либо управлять лежало у меня перед носом. Люк был прав с самого начала. Меня необходимо контролировать.

Я кивнул.

— Но твои проблемы на этом не закончатся, Янис.

— Я знаю, мне нужно вернуть тебе все, что я должен.

— Вот-вот. На это уйдут гонорары по всем твоим контрактам, а не только по тем, что связаны с принадлежащей мне недвижимостью. Будешь работать бесплатно. Тебе придется начинать с нуля. С учетом масштабов долга, это продлится неизвестно сколько. После чего останется только надеяться на удачу — без нее ты вряд ли окончательно встанешь на ноги.

— Я буду выкладываться по полной, Тристан, клянусь.

— Не надо пустых клятв. Мы оба видим, к чему они привели. Ну все, мне пора в банк.

Он двинулся к выходу.

— Погоди!

Я наконец-то встал, не обращая внимания на затекшие ноги.

— Не знаю, как смогу отблагодарить тебя.

— Принимайся за работу, для начала этого будет достаточно.

Он тяжело вздохнул. Я решился заглянуть ему в лицо, необходимо было выдержать и это тоже, я должен был знать.

— Как она?

Он отодвинулся от двери, прищурился, вздернув брови:

— И у тебя хватает наглости, Янис, задавать такой вопрос после того, что ты натворил?

Я стиснул зубы. Что он себе позволяет? Ну да, меня жжет стыд, но мне же надо знать, что с ней происходит.

— Вера очень сильная. Она произвела на меня мощное впечатление. Даже зная, что все утратила, Вера крепко стоит на ногах и готова бороться. Она пришла ко мне, чтобы проинформировать о твоих безумствах. Да, она взяла на себя эту обязанность. Тем не менее, открывая ей дверь сегодня утром, я ни на миг не заподозрил, что она собирается сообщить о катастрофе, настолько спокойной она казалась.

Я узнал, что она в порядке, и это принесло мне облегчение, но одновременно и горечь.

— Она тебе что-то говорила обо мне?

— Нет, только о детях. Ты даже не заметил, как отдалился от Веры, оставил в стороне от своих проблем. Думаю, ты избегал ее, да?

Я кивнул.

— Она уже привыкает жить без тебя. Ей надо растить детей, полагаю, это ее единственный приоритет. К сожалению, мужчина всегда на втором месте после детей, мне это хорошо известно. Придется тебе обходиться без нее. Ей наверняка нужно время. Возьми себя в руки, Янис. Забудь пока о Вере, так тебе будет легче.

Его слова меня как громом поразили. Я сделал шаг назад, а Тристан положил руку мне на плечо и сжал его:

— Ты не один, я с тобой.

— Могу я попросить тебя о последнем одолжении?

— Слушаю тебя.

— Позаботься о ней, пожалуйста. Не бросай ее, отныне у нее есть только ты.

— Положись на меня.

Он еще сильнее сжал мое плечо, потом убрал руку и вышел.

Глава 14
Вера

К половине десятого мне наконец-то удалось уложить детей. Я опустилась на диван и закуталась в плед. С тех пор как Янис перестал появляться дома — три долгие недели, — вечера стали невыносимыми. Подумать только, раньше я на что-то жаловалась! Управляться в одиночку с детьми само по себе не составляло особого труда. Куда труднее было сладить с их тоской и страхами. Каждый вечер приходилось объяснять по многу раз, почему папы нет дома, и мне уже не хватало доводов, я не знала, что им сказать, чем оправдать его отсутствие. В довершение всего был конец ноября, то есть Рождество приближалось семимильными шагами, и, соответственно, все чаще всплывал вопрос, увидятся ли они по этому случаю с отцом. Что я могла им ответить, кроме того, что ничего не знаю?! И вот результат: им было плохо, они требовали повышенного внимания и отнимали всю мою энергию. Постоянно замкнутый, словно улитка в раковине, Жоаким совсем забросил занятия и усердно настраивал против Яниса брата и сестру. У Эрнеста один за другим случались приступы ярости, хорош был любой предлог, чтобы раскричаться или что-нибудь разбить. Что до Виолетты, то она была тише воды, ниже травы, целыми днями молчала, но каждую ночь писала в постель. Из-за этого она просыпалась, приходила будить меня, я перестилала простыни, потом сидела с ней и держала за руку, пока она наконец не засыпала, устав бороться со сном. Я была без сил, словно выжатый лимон, что не мешало бессоннице делать свое дело: я спала всего по несколько часов за ночь. Мне тоже было плохо. Я все время думала о Янисе, это было сильнее меня, я беспокоилась о нем, и мне его безумно не хватало. Я не могла жить без него, я только выживала, сосредоточившись на том, чтобы максимально оградить от страданий детей. Меня настойчиво преследовали картины нашей последней встречи: вот он сидит на полу, беспомощный, не имеющий ничего общего с Янисом, моим мужем. Я так тосковала по тому, прежнему Янису, что у меня постоянно ныло тело и мне не хотелось ни есть, ни спать. В последний раз я виделась с ним на следующий день после моего страшного открытия. Он тогда потратил несколько часов, чтобы заставить меня ответить по мобильнику, а после обеда не выдержал и позвонил в агентство.

Меня по-прежнему трясло, но я кое-как держалась и обсуждала тур с очередными клиентами, когда меня позвала Люсиль:

— Тебе звонят, это Янис, говорит, срочно.

Наверное, у меня были совсем дикие глаза, потому что она пощелкала пальцами:

— Эй, Вера! Вера! Эй, эй! Это твой муж! Ответишь?

Я извинилась перед клиентами. Затем дрожащей рукой подняла трубку и повернулась к ним спиной.

— Не звони мне сюда, — пробормотала я.

— Я хочу с тобой встретиться, поговорить, ну пожалуйста!

Такая мольба слышалась в его голосе, что я едва не сдалась.

— Нет!

— Я рядом с твоим агентством.

— Что?! — заорала я, выглянув в окно.

Он действительно стоял у входа, и вид у него был жалкий, ничем не лучше, чем накануне. Я с трудом справилась со слезами, смотреть на него было безумно больно. Лил проливной дождь, он промок до нитки, вода скатывалась с волос на изможденное лицо.

— Вера, мы не можем оставить все как есть, — настаивал он. — Если ты не выйдешь ко мне, я войду.

— Стой там, сейчас приду.

Я положила трубку и снова переключилась на клиентов, по крайней мере внешне. Как только они ушли, я надела плащ и извинилась перед Люсиль. Я раскрыла в дверях зонтик и перешагнула порог. Зажав в зубах сигарету и прикрывая ее ладонью, Янис вышагивал перед входом и не пытался укрыться от дождя. Мне мучительно захотелось его защитить, броситься к нему, обнять, пообещать, что мы обязательно найдем решение, уверить, что я люблю его больше жизни и всегда буду любить. Я считала себя достаточно сильной, но когда он оказывался рядом, я ничего не могла с собой поделать. И только серьезность ситуации остановила меня.

— Ты недостаточно накуролесил, хочешь, чтобы меня вышвырнули с работы? — яростно прокричала я.

Агрессивность помогала мне сражаться с болью. Он двинулся ко мне, я отступила.

— Вера, прошу тебя. Выслушай меня, обещаю все исправить. Тристан поможет, он сегодня приходил ко мне.

Я подумала, что единственный, на кого мы еще можем рассчитывать, — это Тристан. Притом что ошибки Яниса обошлись ему в сотни тысяч евро. А он все-таки готов его поддержать, вопреки всему.

— Ну и что? Опомнись, возьми себя в руки. Что ты здесь делаешь? Ты же жалок! Плевать я хотела на твои обещания. Мне нужны доказательства! Пока ты не начнешь возвращаться в нормальное состояние, можешь не утруждать себя встречами со мной и уж тем более с детьми, я тебе еще вчера это говорила.

Большие голубые глаза Яниса, теперь ввалившиеся и покрасневшие, наполнились слезами. Мой муж — колосс на глиняных ногах, вот ведь как.

— А теперь уходи, — прошипела я. — Так будет лучше.

“Я по-прежнему слышу нашу музыку”, — беззвучно, одними губами произнес он и снова попытался приблизиться ко мне, протянув руку, но я покачала головой. Он ушел пятясь, не спуская с меня глаз. Я постояла, развернулась и скрылась в агентстве. Тем же вечером Тристан пришел к нам, чтобы забрать дорожную сумку с вещами Яниса. И с этого дня — больше ни звука, никаких контактов, мы ни разу не разговаривали, ни одного телефонного звонка, ни одной эсэмэски, ничего. Как если бы он исчез с лица Земли. И не важно, что инициатором нашего расставания была я, боль с каждым днем становилась все невыносимее. Приходилось изо всех сил сдерживать себя, чтобы не помчаться в берлогу или хотя бы не позвонить и не послушать его голос. Но меня останавливал страх: я боялась того, что могу там найти или узнать.

Звонок мобильника вернул меня к реальности. Тристан.

— Привет, — ответила я.

— Добрый вечер, Вера, я возле твоего дома, можно подняться на пять минут?

— Конечно.

Тристан регулярно заходил к нам по дороге с работы. Мы притворялись, будто не догадываемся, что ему приходится делать изрядный крюк ради того, чтобы проведать нас. Я встала с дивана, услышав шум лифта, остановившегося на нашем этаже, и пошла открывать, стараясь не шуметь.

— Как дела? — спросил он, входя.

— Все о'кей, — ответила я и слабо улыбнулась.

— Папа! — позвала Виолетта из гостиной.

Мои плечи опустились, я со вздохом зажмурилась. Стоило входной двери стукнуть, и она начинала надеяться, что вернулся отец. Иногда она даже от этого просыпалась. Тристан положил мне руку на плечо и сжал его. Это было единственное прикосновение, которое он себе позволял.

— Я ее успокою.

Он нагнулся к моей полусонной дочке, которая, спотыкаясь, доковыляла до середины гостиной, взял ее на руки, прижал к себе:

— Это всего лишь я, принцессочка. Тебе пора спать.

— Я хочу папу.

— У папы сейчас очень много работы, ты встретишься с ним позже, — уговаривал он ее, гладя по волосам.

— Давай-ка вернемся в кроватку, — вмешалась я.

Тристан отдал девочку мне, она вцепилась в мою шею.

— Налей себе выпить, я сейчас, — предложила я своему вечернему гостю.

Следующие четверть часа я просидела рядом с Виолеттой, поглаживая ее по щеке, чтобы ей было легче уснуть. Ее тоска причиняла мне боль и оживляла злость на Яниса. Не сделай он все наперекосяк, ничего бы этого не случилось. Дети не утратили бы свои ориентиры. Удостоверившись в том, что дочка опять крепко спит, я крадучись вышла из комнаты. Тристан приготовил кофе себе и травяной чай мне. Я снова села на диван, и он протянул мне плед:

— Ты его, наверное, уронила, когда открывала дверь.

— Спасибо.

Я закуталась в плед, взяла чашку, подула на горячий отвар вербены и отпила глоток.

— Я только что из берлоги, — сообщил Тристан, предварительно помолчав.

— И как он?

Тристан служил нам посредником, я узнавала от него Янисовы новости — не самые обнадеживающие, — а Янис мои. Серьезное лицо Тристана не предвещало ничего хорошего.

— Он сегодня опять бездельничал, из дому не выходил, если он и дальше будет так себя вести, то расстеряет все договоры, которые ему удалось заключить. Не знаю, как на него воздействовать. Я в ужасе от того, что мне не удается ему помочь.

— Не грызи себя, ты делаешь, что можешь… Такое впечатление, что он и не хочет выбраться. Он по-прежнему много пьет?

Тристан молча посмотрел мне в глаза — я прочла в них ответ на свой вопрос. Я подтянула плед на плечи — меня, как обычно, знобило.

— Как ты думаешь, если я ослаблю давление, позволю ему встречаться с детьми, это поможет?

— Не мне решать, как тебе лучше поступить…

— Мне нужен твой совет, Тристан, прошу тебя… Как бы ты повел себя на моем месте?

Он сел поглубже в кресло.

— Совершенно очевидно, что отсутствие общения с детьми не упрощает дело. С другой стороны, не уверен, что такие встречи будут полезны мальчикам и Виолетте. Как и тебе, впрочем.

— Этого я как раз и боюсь.

Он ничего не ответил и с любопытством посмотрел на диван, где лежали бумаги:

— Что это?

Я пожала плечами:

— Ох… это… я хотела сегодня заняться финансовыми подсчетами, но, знаешь, как-то не вышло…

— Как ты справляешься? Тебе что-нибудь нужно?

— Нет, ничего, Тристан.

Он встал и пересел поближе ко мне, на журнальный столик; я заметила, что в последние недели он становился менее церемонным, более естественным. Это ему шло.

— Вера, что ты решила насчет рождественских подарков для детей? Ты же наверняка думаешь об этом и нервничаешь. Позволь мне помочь, я мог бы одолжить…

Я подняла руку, заставляя его замолчать:

— И речи быть не может! Мы и так должны тебе слишком много денег.

— Это долг Яниса, а не твой.

— Спасибо, но я сама разберусь.

Легко сказать. Пока не начался этот кошмар, моей зарплаты хватало на ежемесячные выплаты по ипотеке и небольшие дополнительные расходы. Сегодня ее нужно было растягивать и на все остальное. Как ни считай, концы с концами не сходились. Еще немного — и чтобы пойти за продуктами, не говоря уж о содержимом мешка Деда Мороза, придется вскрывать заначку, которую я придерживала к празднованию юбилеев — Яниса и нашей свадьбы. Если, конечно, не увеличивать и без того огромный перерасход по моему счету. К тому же я не имела ни малейшего представления о том, что с нами будет через год.

— Редко я встречал таких гордых людей, как ты, — заметил он со своей привычной ухмылкой.

Я научилась расшифровывать эту кривоватую гримасу, она означала, что Тристан одобрил мои слова, хотя они его позабавили.

— Делаю что могу.

Он поймал мой взгляд.

— Я волнуюсь за тебя, у тебя усталое лицо.

— Мало сплю, но это не важно. Все нормально…

Мы поняли друг друга.

— Иди ложись, я ухожу. — Он поднялся со столика. — Не вставай, я сам найду дорогу.

Подойдя ко мне, он поцеловал меня в щеку. Даже этого Янис больше не делает…

— Спокойной ночи, Вера.

— Спасибо, что зашел.

Я следила за черной фигурой, покидающей квартиру. Чем слабее становился Янис, тем более сильным казался Тристан. А ведь еще несколько недель назад этого нельзя было даже представить себе. Раньше Янис всегда занимал так много места. Кто бы мог помериться с ним силой, пока он не переменился?

Общение с Тристаном благотворно влияло на меня, хотя мы разговаривали едва ли не исключительно о Янисе и о той ситуации, в которую он нас увлек. Но отношение Тристана к происходящему меня успокаивало. Пусть я не просила его практически ни о чем и отказывалась от любой помощи, которую он предлагал, — благодаря Тристану я была не такой одинокой. Если бы он вдруг надумал бросить меня, мне было бы ужасно скверно. И у меня ни разу не потянулась рука позвонить Люку или Шарлотте.

На следующий вечер я задержалась на работе, и, как назло, поезд застрял в туннеле чуть ли не на четверть часа. Выйдя из метро, я понеслась на крейсерской скорости, что было не слишком полезно моему и без того ослабленному организму. Издали я увидела, как из школы уводят последних припозднившихся детей. Я побежала еще быстрее и едва не потеряла сознание перед дверью. Воспитательница продленки с недоумением смотрела на меня:

— Э-э-э… детей уже забрали. На этот раз, как ни удивительно, чуть раньше времени, — съязвила она.

В обычной ситуации замечание по поводу моих опозданий неминуемо вывело бы меня из себя. Но сейчас ситуация была далека от обычной. Меня снова сковал ледяной холод, я съежилась.

— Где они? — всполошилась я. — С кем они ушли?

Похоже, она решила, что я свихнулась.

— С отцом, а что?

Это был как раз тот ответ, которого я боялась. Почему он вдруг объявился? Куда он их увел? Я развернулась, собрала последние остатки сил и побежала. Я летела между прохожими, расталкивала их, кричала, чтобы пропустили. Я отдавала себе отчет в том, что разумных оснований для страха нет: да, Янис изменился, но не настолько, чтобы увести детей невесть куда, не предупредив меня. Дети — это все, что у меня осталось от нашей прежней жизни, они напоминали мне о том, что мы когда-то были счастливы, они были плодом нашей с Янисом безмерной любви. С тех пор как все пошло вразнос, я вставала по утрам только ради них. А по вечерам, когда я забирала их из школы и мы рассказывали друг другу о том, что случилось за день, я начинала свободнее дышать. Это была маленькая пауза посреди нескончаемой суматохи. Путь от школы до дома был словно территория, свободная от забот. А Янис взял и украл такой необходимый мне момент радости. Я остановилась у лифта и принялась давить на кнопку вызова, не отрывая пальца и прекрасно понимая, что это не заставит кабину спуститься быстрее. С грохотом ворвавшись в квартиру, я хлопнула дверью, не останавливаясь, влетела в гостиную и услышала Виолеттин щебет. Она рассказывала о своей жизни Янису, сидя у него на руках и так крепко обнимая его, что казалось, еще немного — и задушит. Но счастливой была только Виолетта: Жоаким и явно опасавшийся репрессий со стороны старшего брата Эрнест забились в угол и дулись. Когда я выскочила на середину комнаты, Янис даже не попытался что-либо произнести. Он выглядел сконфуженным, словно его поймали с поличным. Он похудел, а из-за непривычной трехдневной щетины его трудно было узнать. Она уродовала его заострившееся лицо. Он производил впечатление окончательно опустившегося человека, и мне захотелось завопить: "Возьми себя в руки! Ты должен бороться!" Однако если не принимать в расчет Янисово состояние, передо мной сейчас предстало некое подобие семьи, какой я ее знала раньше: родители и дети дома после школы. Жоаким и Эрнест поднялись и подошли поближе ко мне, причем Жоаким стал впереди, словно намереваясь меня спасать, а Эрнест спрятался за моей юбкой, будто хотел спастись сам.

— Мама! — закричала Виолетта. — Смотри! Папа вернулся! Это так здорово!

Я не сумела ничего ответить.

— Здравствуй, Вера, — робко произнес Янис.

— Дети, бегом в свои комнаты, я сейчас приду к вам, и отправимся в душ.

— Нет! Я не хочу! — завопила Виолетта.

— Делай то, что я велела, и не спорь! — Я сорвалась на крик.

В последние дни усталость и постоянная взвинченность мешали мне быть ласковой с ними. Я нервничала все больше и больше, причем часто из-за ерунды. И присутствие Яниса только усугубило ситуацию.

— Надо слушаться маму, — мягко призвал он дочку.

— Но папа!

Он потерся носом о ее нос:

— Я прошу тебя.

Она в конце концов подчинилась, спрыгнула с его коленей и скрылась в коридоре.

— Я пойду с ней, — объявил Жоаким.

— Спасибо, родной.

Он последовал за сестрой, не удостоив отца взглядом. Эрнест отлепился от моих ног и побрел к спальням, но на полпути остановился и бросился в объятия Яниса, который изо всех сил сжал сына, зажмурился, вдохнул его запах. Я предпочла отойти от них. Вцепившись в кухонный стол рядом с раковиной, я старалась не слышать их разговор, но для этого мне пришлось бы заткнуть уши. Янис шептал Эрнесту, что все уладится. Интересно, откуда ему это известно? Эрнест рассказывал Янису, что Жоаким всякий раз повторяет, будто у них больше нет папы, он о них забыл и плохо обошелся с мамой. Янис отвечал, что любит нас четверых больше всего на свете, извинялся, что испортил нам жизнь, не делал для нас то, что должен был. Потом я услышала, как он просит сына пойти к Жожо и Виолетте, потому что ему надо поговорить с мамой.

— Вера? — позвал меня Янис через какое-то время.

Я оглянулась. Он стоял по другую сторону кухонного острова. Нас разделял этот кусок дерева, выпиленный, отполированный, собранный его собственными руками, тот самый кусок дерева, за которым мы приняли множество решений, на который Янис меня не раз сажал, где он целовал меня, помогал детям рисовать и работал — себе и нам на погибель — над проектом концепт-стора. И вот теперь этот кусок дерева шириной в какой-то жалкий метр вдруг стал непреодолимой преградой.

— Зачем ты явился? — рявкнула я.

Как обычно, нападение — мое любимое оборонительное оружие.

— Я даже не собирался с ними разговаривать. Я просто хотел увидеть их. Увидеть вас.

— Ты что, прятался за углом, шпионил за ними? Совсем свихнулся?

Он отвел глаза.

— Я не в первый раз прихожу к школе.

Я шарахнула ладонью по столу. Янис дернулся, он не привык видеть меня такой агрессивной.

— Да ты что? Ты за нами подглядываешь? Не могу поверить! И сколько это продолжается?

— Да нет же, просто я по ним скучаю, и по тебе скучаю.

— Ты, ей-богу, обезумел! Превратился в грязного вуайериста, или что? А у тебя не мелькнула мысль, что они могли заметить тебя, а ты бы это прозевал? И что бы с ними тогда было?

Он совсем сник.

— Не подумал? Так я тебе сейчас скажу. Это разбило бы им сердце!

Он тяжело дышал, его руки дрожали.

— Прости. Я сам не понимал, что делаю.

— Что-то это стало с тобой случаться слишком часто. Ты перестал что-либо понимать. Перестал отвечать за себя. И при этом рассчитываешь, что я снова буду доверять тебе? Да мне теперь будет постоянно чудиться, что ты стоишь где-то у меня за спиной!

— Я что, не имею права беспокоиться о вас? — взвился он. — О тебе?

— Твое так называемое беспокойство не помешало тебе затолкать нас по уши в дерьмо!

Он вцепился в столешницу. Его руки показались мне еще больше, чем я помнила, они были сплошь покрыты порезами, мозолями и шрамами. Он вздохнул:

— Я хотел узнать, что у вас происходит, по-настоящему узнать, и единственное, что я придумал, — подождать их у выхода из школы.

А я считала, что Тристан сообщает ему все наши новости.

— Надеюсь, тебе не взбрело в голову, что я способен причинить вам вред?

Голос его сорвался, ему было явно очень больно.

— Осознанно — наверное, нет. Но ведь ты сейчас сам на себя не похож. Ты пугаешь меня, Янис.

Он сгорбился, провел рукой по лицу:

— Вера, клянусь тебе, я пашу как ненормальный, чтобы исправить все, что наворотил.

Я закатила глаза:

— Что за чушь! Уверена, ты целыми днями накачиваешься пивом и ничего не делаешь.

Он грустно хмыкнул:

— После моего вранья, да еще с моей теперешней жуткой рожей, неудивительно, что ты мне не веришь. Но я говорю правду, я работаю день и ночь, и я тебе это докажу.

Его слова звучали так искренне!

— Не приходи больше к школе. Пока не приходи. Я не хочу еще раз пережить такой шок, как сегодня.

— Вера, я себе это позволил только потому, что ты опаздывала, иначе я бы…

— Ты что, хочешь сказать, будто во всем виновата я?

— Конечно нет! Я еще не сошел с ума! У наших детей не могло быть лучшей матери, чем ты. Просто мне было больно смотреть, как они вот так стоят и ждут за забором, к тому же на улице холодно, и я подумал, что дома им будет лучше. Но я больше не стану так поступать, если ты считаешь, что это им вредит.

Я отвела взгляд.

— Ладно, попрощайся с ними и иди.

— Хорошо, как скажешь.

Виолетта разрыдалась, услышав, что Янис уходит. Он взял ее на руки и стал что-то шептать на ухо, поглаживая по спине. Скорее всего, это ее успокоило, всхлипы прекратились. Но она продолжала цепляться за папу.

— Пойди к маме, — велел он. — Она тебя обнимет и крепко поцелует, и все будет хорошо.

Он вырвался из ее объятий и отдал мне дочку.

Мы переглянулись, и я едва не капитулировала. Мне захотелось попросить его остаться, захотелось снова поверить в него. Я сцепила зубы, чтобы не поддаться искушению. Слишком долго — с тех самых пор как ушел на вольные хлеба — Янис водил меня за нос с помощью таких вот взглядов. Больше я так легко на удочку не попадусь. Янис направился к мальчикам, Жоаким с вызовом посмотрел на него.

— Продолжай заботиться о маме, Жожо, — попросил его отец.

Жоаким отвернулся, а Янис присел на корточки перед Эрнестом, погладил его по щеке, по рукам.

— До свидания, папа.

— Слушайся старшего брата. Ладно?

— Обещаю.

Он поднялся, сделал шаг по направлению ко мне, спохватился и горько вздохнул.

— Вера, если я понадоблюсь, я всегда готов. Больше я тебя не разочарую.

Он посмотрел на каждого из детей по очереди, заставил себя подмигнуть им и открыл входную дверь. Закрыл он ее очень осторожно, почти бесшумно. Янис, ставший тихим!.. Я едва сдержала рыдание. Этой ночью нас всех ждет беспокойный сон.

Однажды утром несколько дней спустя, когда я проснулась и спустила ноги на пол, меня закачало. Это совсем не напоминало усталость, накопившуюся в последние недели, нет. Видимо, обычная простуда, которой наградили меня дети, приняла тяжелую форму. Однако и речи быть не могло о том, чтобы поддаться недомоганию и остаться в тепле под одеялом. В прежние времена я бы позвонила Люсиль и предупредила ее, что заболела, а она бы ответила "нет проблем, придешь завтра, когда станет лучше". Янис несколько раз за день забежал бы домой, соорудил бы мне грог, притащил "девчоночьи", как он их называл, журналы, а назавтра я бы уже отправилась на работу, пусть и с заложенным носом, но уже без температуры и без угрозы осложнений. Сегодня же надо было выкручиваться без помощи этих милых ритуалов. Во-первых, уже невозможно заставлять Люсиль прикрывать меня и работать целый день в одиночку, она и так делает для меня достаточно много. С тех пор как Янис не живет с нами, она мирится с моими опозданиями, уходами раньше положенного времени и перепадами настроения, что само по себе нелегко. Во-вторых, нужно заниматься детьми.

Вот только все пошло не так, как я планировала. Эфирное масло, которым я намазала шею и под носом, наполнило офис ароматами лечебных трав, удивившими клиентов, но ничуть не помогло мне. Голова постепенно превращалась в арбуз, который вот-вот лопнет, глаза щипало, они наверняка были стеклянными, меня все сильнее трясло, горло зверски болело, тело ломило. Я кое-как высидела рабочий день, забрала детей, вымыла их под душем и ухитрилась приготовить ужин. Когда они сели за стол, я легла на диван. Я была решительно не в состоянии что-либо проглотить, но главное, меня не держали ноги, и мысль о том, что надо бы сесть к столу, была сама по себе невыносимо утомительной. Я оперлась затылком о мягкий подлокотник, закуталась до подбородка в плед и стала успокаивать себя тем, что так я, по крайней мере, могу следить за ними. А за мной неотрывно следил Жоаким. Я же время от времени посылала ему успокаивающую, как я надеялась, улыбку. Немного позже, когда все трое чистили зубы, расположившись в ряд перед умывальником, словно луковки на грядке, я, покачиваясь, прислонилась к стенке рядом с ними.

— Мама, ты заболела? — спросила Виолетта.

Эти три слова раскатились барабанной дробью внутри моего черепа.

— Да, зайка, но это ерунда, просто сильный насморк, как у тебя на прошлой неделе.

— Ты какая-то странная.

Я покосилась на свое отражение в зеркале, и точность дочкиного определения вызвала у меня слабую улыбку. Я действительно была будто прозрачной и слегка блестящей из-за жара и холодного пота, поочередно накрывавших меня.

— Кто тебя будет лечить, мама?

— Разберусь. А теперь все марш в кровать.

Я поблагодарила небеса: они, не споря, отправились спать. Как ответственный старший брат Жоаким взял на себя чтение вечерней сказки. Я бы все равно не смогла это сделать. Мне было плохо, как никогда раньше. На этот раз грипп обрушился на меня в самом начале эпидемии. Ноги с трудом донесли меня до лестницы, и я стала медленно карабкаться по ней в спальню, повисая на перилах. У меня ломило суставы, душил кашель, мне удавалось вздохнуть, только широко раскрыв рот, и я все сильнее дрожала. Раздеваясь, я ощутила болезненное покалывание по всему телу. Покопалась в шкафу в поисках чего-нибудь потеплее, натянула старую пижаму, но ее было явно недостаточно, чтобы согреться, и вдруг заметила толстый шерстяной свитер Яниса — самый теплый, самый старый, самый дырявый, совсем бесформенный, который я все не решалась выбросить. Я надела его, дотащилась до кровати, села на край, обхватила себя руками. Мне нужен был Янис, нужно было, чтобы он согрел меня теплом своего тела, чтобы его руки гладили меня по волосам, чтобы он успокоил детей. Я чувствовала себя такой одинокой, такой уязвимой... что решилась на единственный разумный шаг, который заодно мог бы сыграть и роль проверки. Однако высшие силы были не на моей стороне — телефон остался в гостиной. Я очень осторожно спустилась по лестнице и легла на диван. С каждым гудком я все сильнее хотела услышать его голос. Что, как выяснилось, мне было не суждено, поскольку включился автоответчик. Я проигнорировала его, решив, что муж имеет право на презумпцию невиновности: возможно, он просто не услышал. Чуть позже я перезвонила. И снова “бип-бип”, я чуть не заплакала. На этот раз я воспользовалась автоответчиком:

> Это я, ты мне нужен, Янис, приходи, я заболела, мне холодно, мне страшно без тебя, дети... приходи ради них, пожалуйста.

Я прервала запись. Продолжая сжимать мобильник в руке, я наконец-то дала волю слезам, которые сдерживала долгие недели. Я так нуждалась в нем, я была готова сдаться, мне не справиться в одиночку, я устала храбриться, терпеть ради детей, ради работы, ради всего остального. Я не могу без него, пусть он придет, хочу быть снова с ним, хочу помочь ему выбраться из пропасти. Я перезвонила в третий раз, но телефон был выключен, то есть это он его выключил. Он не хотел мне отвечать, я звонила, а он не реагировал, я не могла себе представить, чтобы он не услышал мое сообщение, полное отчаяния, но даже оно не заставило его откликнуться. А еще говорил, что не разочарует меня... Он мне опять солгал: его для нас нет, а для меня тем более. Я окончательно потеряла человека, которого люблю. Все кончено. Тот Янис, которого я знала как саму себя, которому посвятила жизнь, исчез навсегда. Да, сначала его бросила я, но сегодня ушел он. В конце концов жар и горе взяли верх, и я погрузилась в нечто похожее на сон, скорчившись на диване в позе зародыша, дрожа всем телом, и в моем бреду Янис от меня уходил, а я звала его и рыдала. В горячечном беспамятстве я вроде слышала голоса детей, безуспешно пробовала вынырнуть на поверхность, но мне это никак не удавалось, а ведь надо было срочно проверить, как они там.

— Вера... проснись... Иди ляг в постель...

По лбу провели холодной рукой, отодвинули волосы. Я смогла разлепить веки и увидела рядом с собой явно озабоченного Тристана, потом услышала плач Виолетты и Эрнеста. Я попыталась встать, Тристан осторожно подтолкнул меня обратно на диван:

— Погоди, не торопись вскакивать.
— Что ты здесь делаешь?
— Жоаким в панике позвонил мне.

В моей руке больше не было мобильника, вероятно, он его забрал.

— Да ты что? Но зачем?
— Ты вся горишь, наверное, ты бредила, а он не знал, что делать. Они очень испугались. Полежи пока, я пойду уложу их, а после займусь тобой.

Он снова потрогал мой лоб, поднялся и направился к детям, которые собрались в гостиной. Тристан взял Виолетту на руки.

— Хочу маму, — всхлипнула она.
— Пусть мама отдохнет, она придет к тебе завтра, принцессочка.
— Ты ей поможешь? — тревожно спросил Жоаким.
— Да, приятель. Ну, давайте, идите спать.

Я проследила за ними взглядом, после чего зажмурилась, чтобы сосредоточиться на голосах. По моему лицу продолжали катиться слезы. Тристан поговорил с каждым из троих, успокоил, объяснил, что это всего-навсего противный грипп, но мама сильная и через несколько дней поправится. Он уложил мальчиков и сказал, что завтра отведет их в школу — мне не стоит из-за этого волноваться. Почитав Виолетте сказку про принцессу, он пообещал, что оставит дверь приоткрытой. Не приди к нам Тристан, сегодняшняя ночь превратилась бы в кошмар.

— Ты в состоянии встать? — спросил он.

Я открыла глаза:

— У меня получится.

На всякий случай он все же поддержал меня за локоть. И хорошо, потому что я зашаталась.

— Лестницу одолеешь? — забеспокоился он.

— Не знаю.

— Дай руку.

Я протянула Тристану руку, он уверенно и твердо взял ее и медленно меня повел, а я отчаянно за него цеплялась, боясь упасть, боясь снова остаться одна, мучительно переживая свою зависимость от него, но выбора у меня не было. И в то же время я чувствовала, что необходимо расслабиться, дать себе волю, иначе я не выдержу. В спальне он довел меня до кровати:

— Ложись.

Я, не задумываясь, подчинилась, мне хотелось только уснуть и забыться. Он укрыл меня одеялом, я дрожала как осиновый лист. Холодная рука снова опустилась на мой лоб.

— Когда ты в последний раз принимала жаропонижающее?

— Э-э-э… не знаю… Вроде что-то приняла, когда пришла с работы, мне так кажется…

— Если ты не возражаешь, я поищу какое-нибудь лекарство. Вряд ли ты быстро поправишься, если не будешь лечиться.

— Аптечка в ванной, — ответила я, делая движение, чтобы встать.

Он осторожно заставил меня откинуться на подушку.

— Лежи, я сам найду.

Стукнули, открываясь и закрываясь, дверцы шкафа, в умывальник потекла вода. Глаза захлопывались сами собой, но я все же открыла их, когда лба и щек коснулась влажная варежка. Тристан аккуратно, сосредоточенно протер мне лицо, просушил полотенцем. Потом помог мне привстать и дал таблетку, которую я запила глотком воды. Не произнося ни слова, он вернулся в ванную и через несколько минут погасил там свет. Наклонился над кроватью, убрал мне со лба волосы. Его рука была такой холодной!

— А теперь тебе надо поспать. Ни о чем не беспокойся, утром я займусь детьми.

Я изо всех сил старалась не заплакать.

— Если что-то понадобится, позови меня, я буду внизу.

— Не оставляй меня одну, пожалуйста.

Он выпрямился, расстегнул пиджак, ослабил узел галстука, снял пиджак и галстук, положил их на кресло, сел на Янисово место поверх одеяла и оперся затылком о спинку кровати. Я лежала свернувшись на своей половине, спиной к нему, и слезы текли по моим щекам.

— Почему он не пришел? — спросила я. — Он не отвечает на мои звонки. Мы ему больше не нужны...

— Мне ничего не известно, Вера. Я, как и ты, не понимаю, что происходит: я его уже два дня не видел. По дороге сюда я непрерывно названивал ему, но всякий раз попадал на голосовую почту.

— Как можно так измениться? Забыть о своей семье?

— Не существует ни одного логичного и приемлемого объяснения.

Он встал, шагнул ко мне, приобнял, положил ладонь на лоб, и мне стало спокойнее.

— Не думай об этом, — прошептал он.

Я заплакала громче.

— Ш-ш-ш…

Он начал гладить меня по волосам и тихонько повторял "ш-ш-ш, ш-ш-ш". Его ласка в сочетании с действием лекарства постепенно остановила мои рыдания, и я наконец уснула.

Издалека доносились голоса детей, звон посуды, писк микроволновки. "Ну-ка, держите, какао готово". Я похлопала ресницами, рот растянулся до ушей: Янис готовит завтрак.

— Тристан, хочу тост! — крикнула Виолетта.

Реальность обрушилась на меня со всей жестокостью: вчерашний вечер, отсутствие Яниса, появление Тристана. У меня перехватило дыхание. Высокая температура еще держалась, но со вчерашним состоянием не сравнить. Однако у меня все болело, в особенности сердце, которое тяжело билось. Я с тысячью предосторожностей поднялась, села на краю кровати и долго не двигалась, пытаясь справиться со слабостью. Потом мои подгибавшиеся ноги с трудом, но все же донесли меня до ванной комнаты. Стараясь не смотреть в зеркало, я плеснула в лицо водой, это было приятно, но ясности в мыслях не прибавилось. Я сняла пижаму и Янисов свитер, влажные от болезненной испарины. На душ у меня смелости не хватило, поэтому я просто натянула старый спортивный костюм и собрала волосы в пучок.

Когда я добралась донизу, голоса смолкли. Все четверо сидели на кухне: Тристан, снова в пиджаке и при галстуке, дети за столом, перед ними — кружки и тарелки. От этой сцены мне сделалось не по себе. Улыбка, адресованная всем сразу, наверняка получилась вымученной.

— Вот и я.

Жоаким вскочил со стула и побежал ко мне. Я раскрыла руки, он бросился мне в объятия, от чего я покачнулась, и прижался к моему животу. Я поцеловала его в макушку.

— Знаешь, мама, я испугался.

— Прости, Жожо, милый. Ты правильно поступил, что позвонил и позвал на помощь Тристана. Молодец!

Он еще сильнее обхватил мою талию и поднял на меня грустный взгляд:

— Я сделал то, о чем меня просил папа.

— Как это?

— Он велел мне заботиться о тебе.

Мысль о том, что на плечи сына, человечка восьми с половиной лет от роду, свалился такой груз ответственности, что он угодил в самую гущу наших с Янисом проблем, разрывала сердце. И откуда такая грусть, когда он говорит об отце? Куда делась его злость? Думаю, теперь я предпочла бы злость той печали, что слышалась сейчас в его голосе.

— Жоаким, дай маме сесть, — вмешался Тристан.

Под моими руками тело сына напряглось.

— Все в порядке, Жожо, любимый?

— Да, мама.

Он оторвался от меня и, потупившись, возвратился к столу. Я пошла за ним, поцеловала Эрнеста и Виолетту и повернулась к Тристану:

— Спасибо.

Он кивнул:

— Садись. Налить тебе кофе, или ты хочешь чего-то другого?

— Кофе подойдет.

— Голодная?

— Нет, не очень.

— Тебе надо есть, если ты хочешь набраться сил, — серьезно заметил он.

— Попозже.

Я взгромоздилась на высокий кухонный табурет и всмотрелась в усталые личики детей.

— Ох, мои милые, вам может быть трудновато сегодня на занятиях. Вечером постараемся пораньше лечь спать.

— Ты уже выздоровела? — с надеждой спросил Эрнест.

— Не совсем, но скоро.

Минут десять спустя, взглянув на часы, Тристан объявил, что пора отправляться в сад и школу. Да, с ним дети не рискуют опоздать! Они надели пальто под внимательным приглядом нашего ночного спасителя.

— Мама, идем! — позвала Виолетта.

— Сейчас.

Я сползла со стула и поплелась к выходу.

— Они могли сами подойти к тебе и попрощаться, совершенно необязательно было для этого вставать, — заметил Тристан.

— Ну уж нет, — ответила вместо меня Виолетта. — Когда мы идем на занятия с папой, мама обязательно провожает нас до двери, чтобы поцеловать.

Вот только это был не Янис. Ситуация меня напрягала, чтобы не сказать больше. Меня охватило то же чувство, что в начале нашего с ним знакомства: это уж слишком. Он, как обычно, криво усмехнулся и обратился ко мне:

— Прийти к тебе, когда я их отведу?

— Нет, не надо. Я вызову врача, позвоню на работу и буду лежать.

— Ни о чем не беспокойся, можешь прямо сразу ложиться. Я уже вызвал моего врача, он должен прийти в ближайшие полчаса и завезет ко мне в офис рецепты и твой больничный, я позабочусь обо всем. А еще я позволил себе оставить сообщение на автоответчике в твоем турбюро — предупредил их, что тебя не будет сегодня и как минимум до конца недели.

— Ох… но… я…

— Пожалуйста, отдыхай и ни о чем не думай. Тебе нужна помощь и поддержка, одна ты из этого не выкарабкаешься. Я буду рядом.

— Спасибо, — выдохнула я, потрясенная последней репликой.

Это действительно уже лишнее. От его предприимчивости мне стало неловко: я пока еще в состоянии договориться с врачом — со *своим* врачом — и сама предупредить *свою* коллегу. Да, этой ночью я попросила о помощи, но звала я мужа, а не его. Мне бы и в голову не пришло обратиться к нему. Нет, я, конечно, не собиралась плевать в колодец, Тристан мне очень помог, и я была ему за это признательна. Однако всему есть предел. Как дать ему понять, не обидев, что я могу справиться и сама, без его помощи? Я и так ему стольким обязана.

Я проверила, как одеты дети, и поцеловала их перед уходом.

— Хорошего дня, старайтесь на занятиях.

— Обещаем, мама, — пропел Эрнест.

Тристан открыл дверь и выпустил их на площадку. В ожидании лифта он подошел ко мне вплотную и заглянул в глаза:

— Я приведу детей сегодня вечером. Не возражаешь, если я заберу их днем, не буду оставлять на продленку?

— Э-э-э... нет, но как же твоя работа?

— Думаю, им полезно развлечься, а мне нравится проводить время с ними.

Неужели я такая слабая и зависимая?

— Тристан, не знаю, как к этому предложению отнестись...

Он снисходительно покосился на меня:

— Тогда ничего не говори. Хочешь, я попытаюсь связаться с Янисом?

По данному вопросу мне, к счастью, еще оставлен выбор.

— Нет, — возразила я, — тем более что я не уверена, есть ли у меня желание видеть его или даже слышать.

Сказав это, я тут же пожалела о своих словах.

— Тебе решать. До вечера.

— Да...

Пунктуальность Тристанова врача меня поразила: он был у меня ровно через полчаса минута в минуту. Он сообщил, что у меня затронуты бронхи, отсюда и температура, и все это, безусловно, связано с общим ослаблением организма. Вследствие чего мне положен больничный на неделю и предписан курс антибиотиков, а также необходимо пропить витамины и магний. Закрыв за ним дверь, я тут же сварила кофе, заставила себя съесть несколько крекеров, подумала, что надо бы улечься на диван и включить телевизор, хотя и догадывалась, что сразу же усну, завернувшись в плед. Но едва я успела прилечь, как входная дверь с грохотом распахнулась.

— Вера! Черт подери! Ты где? Что происходит?

Янис ворвался в гостиную словно буйнопомешанный, с мертвенно-бледным лицом. Он кинулся ко мне, приложил к моим щекам горячие ладони, ощупал руки, всмотрелся своими голубыми глазами в мое лицо. Я попыталась высвободиться:

— Отпусти меня! Что на тебя нашло? Совсем спятил?

— Как ты себя чувствуешь? Я все сделаю, буду ухаживать за тобой…

— Опоздал!

Я оттолкнула его и с трудом поднялась с дивана:

— И вообще, как ты узнал?

— Мне позвонили из школы и сказали, что детей привел какой-то незнакомый мужчина, а ты, по словам детей, заболела. Вот в школе и потребовали подтверждения. Я задергался, стал тебе названивать, но всякий раз натыкался на автоответчик.

— Неприятно, да? — ехидно заметила я.

— Ты о чем? Почему ты мне не позвонила? Я бы пришел, занялся детьми, позаботился о тебе.

— Ты надо мной издеваешься, Янис?

— И не думаю!

— Вчера вечером я несколько раз звонила тебе, чтобы попросить о помощи. — Мой голос прервался, опять навалилось отчаяние, как прошлой ночью. — Это было ужасно, — заговорила я снова, кое-как справляясь со слезами и с подступающим головокружением. — Ты даже не представляешь, насколько ужасно.

— Я не видел ни одного твоего пропущенного вызова, честное слово, а сегодня утром оказалось, что мой телефон выключен.

Я так возмутилась, что потрясла перед ним кулаками:

— Ты врешь, я слышала гудки дважды, я даже оставила тебе сообщение. А после — да, ты его выключил, чтобы я тебя не доставала.

Он изумленно вытаращился:

— Как ты могла такое подумать? Я сейчас свихнусь, этого не может быть.

— Пора тебе уже все осознать!

Он потеребил волосы, потер лицо ладонями. Потом в его взгляде вспыхнула паника, и он рванулся ко мне:

— Я не получал твоего сообщения, клянусь тебе!

— Ты так уверенно лжешь, Янис. Просто невероятно! Сегодня ночью у меня подскочила температура, я бредила и, сама того не подозревая, разбудила детей, а они решили, что я умираю. Жоаким сумел дозвониться Тристану, и тот прибежал не раздумывая.

— Что? Тристан? Он вчера явился ухаживать за тобой?

Янис был явно поражен, хотя я не понимала почему.

— Он просидел со мной всю ночь, помог мне и детям, сделал то, чего ты теперь сделать не способен!

Он отшатнулся как от удара.

— Так вот, этот "чужой человек", о котором тебе сообщили в школе, это Тристан. Он одел *твоих* детей и приготовил им завтрак. Он отвел *твоих* детей в сад и школу! И опять-таки он вызвал *своего* врача к *твоей* жене! А ты, где все это время был ты, Янис?

Он сделал еще пару шагов назад.

— Меня здесь не было, — пробормотал он.

— Вот именно. Поэтому теперь тебе уже не нужно ни о чем беспокоиться. Я позвоню в школу и скажу, что все в порядке, что я знаю Тристана и он заберет их сегодня после занятий. И мы прекрасно справимся без тебя.

Я с вызовом уставилась на него, но в глубине души чувствовала, что неправа, и мне очень не нравилось то, что я сейчас сказала. Сама того не желая, я искусственно разжигала между ними соперничество, для которого не было никаких оснований. Он выпрямился. От него исходила сила, похожая на ту, что была раньше, но только как будто с надрывом и более яростная. Меня это ошеломило. Он долго и напряженно смотрел мне в глаза. Передо мной снова был решительный и уверенный в себе Янис, такой, как в прежние времена. Я что-то разбудила в нем, хоть и получилось это непреднамеренно, само собой.

— Я буду завтра перед дверью в восемь пятнадцать, чтобы отвести детей в школу. Лечись как следует. И проверь, включен ли твой телефон.

Не дожидаясь ответа, он ушел, хлопнув дверью. А я тупо застыла посреди гостиной и стояла столбом довольно долго. После чего занялась поисками мобильника, чтобы позвонить в школу, но не смогла его найти. Когда мне все-таки удалось его отыскать, оказалось, что он выключен. Я твердо знала, что не делала этого.

Глава 15
Янис

Я сбежал по лестнице через ступеньку, колотя кулаком по стене. Во дворе от меня огреб мусорный контейнер, по которому я несколько раз саданул ногой. Выскочив на улицу, я первым делом закурил. Я бы отдал что угодно, лишь бы очутиться посреди пустыни или на вершине скалы над морем и чтобы я там был один. Тогда я смог бы заорать, выплескивая свое бешенство и отчаяние. Что же такое творится? Я свихиваюсь, я все меньше и меньше контролирую происходящее, а если учесть, до чего я докатился, то иначе как апокалипсисом в моей башке и в моей жизни все это не назовешь. Я достал чертов мобильник из кармана куртки и уставился на него через дым сигареты. Не знаю, как мне удалось удержаться, чтобы не шваркнуть его об асфальт. Но я же ни сантима не зарабатываю, и если он разлетится вдребезги, мне не на что будет купить новый. Почему он вчера вырубился? Ну почему, черт побери?

Нужно было спросить у Веры, в котором часу она пыталась мне дозвониться. Впрочем, она бы наверняка послала меня, что неудивительно. По какому такому праву я задаю ей этот вопрос, если она верит, будто я бросил ее? Тем не менее мне позарез нужно восстановить все события вчерашнего вечера — как у нее дома, так и у меня. Я, конечно, больше не доверял своей интуиции, однако в последние недели она подсказывала мне, что во всей этой истории что-то нечисто. Я чуял это нутром. Когда я упустил нечто важное? Я не выключал телефон ни днем, ни ночью, надеясь и одновременно боясь, что она мне позвонит. Сегодня утром я увидел погасший экран и решил, что накрылась батарея, но все же попытался его включить. И выяснил, что батарея полностью заряжена. Как-то это все странно, у меня закралось неприятное подозрение. Я обязан как можно быстрее во всем разобраться и понять, как себя вести дальше. Взглянув в последний раз на фасад нашего дома, я помчался к мотоциклу. Нужно было срочно встретиться с Тристаном.

Вчерашний вечер он провел в моей берлоге. Проверил последние договоры, проконтролировал, как идут дела, нагрузил новой работой в принадлежащих ему помещениях, но главное, он явился за моими последними гонорарами. С самого начала он предупредил, что я буду работать задаром, поэтому, стоило мне получить хоть какие-то бабки, как Тристан тут же все отбирал. Мне казалось, что моя задолженность ничуть не уменьшается. Меня это бесило, но что поделаешь, я обязан возвратить немыслимый долг за концепт-стор. Однако сейчас деньги, которые он вчера сгреб, были мне по барабану, я старался как можно точнее припомнить все происходившее. Вот я вернулся из туалета, избавившись от выпитого за вечер пива, которое помогло прийти в себя после рабочего дня. В мое отсутствие он налил изрядную порцию виски и, как только я переступил порог, протянул мне, криво улыбаясь:

— Держи, заслужил. Имеешь право взбодриться после проделанной работы!

— Нет, спасибо.

Я четко следил за тем, что пью, и запретил себе крепкие напитки — боялся опять сорваться.

— Да ладно, не стоит отказывать себе в удовольствии.

И я поддался на уговоры, как последний кретин. Мне не хотелось его обижать, наши отношения медленно, но верно становились натянутыми, и это еще мягко сказано, вернее было бы назвать их неприязненными. Мы отдалились друг от друга после того, как он начал контролировать мой банковский счет, и с тех пор наше общение сводилось в основном к тому, что он забирал мои гонорары. Поэтому, должен признать, сам факт, что он вдруг повел себя как Тристан первых дней нашего знакомства, был мне приятен. Он подождал, пока я сделаю большой глоток и плюхнусь на диван, после чего объявил, что уходит домой.

— Посиди еще, выпей со мной.

— Не сегодня, мне надо идти. У меня пара-тройка горящих дел.

Он развернулся и двинулся к выходу, холодно и высокомерно помахав мне рукой. Я удивился, допил виски, и сон навалился на меня с такой быстротой, что я даже не успел заметить, как это произошло. Утром я проснулся с дурной башкой, разламывающейся спиной, мерзкой кашей во рту и выключенным телефоном.

И вот теперь я узнал, что Тристановы "горящие дела" — это мои жена и дети. Когда он уходил от меня, ему было известно, что Вера просила помощи. Мне становилось все труднее не верить, что он намеренно отсекает меня от внешнего мира вообще и от Веры в частности. А иначе почему он не позвонил сегодня утром и не сообщил, что стряслось в *моем* доме? И эти его дешевые советы типа "дай Вере время, ей нужно все обдумать, она вернется, когда ты придешь в себя, прояви терпение" понемногу начали меня напрягать. Сейчас я оценивал их под совсем другим углом, и они вызывали у меня подозрения. По-моему, я имею право знать, что *моя* жена больна, а я нужен *моим* детям. Да, ничего удивительного, что Вера сомневается в моей способности разрулить ситуацию, если учесть, как я себя вел в последние недели. Но Тристан-то знает, что я сейчас пашу как ишак, не отказываюсь ни от одного проекта, даже самого маленького или неинтересного, и прерываю работу только для того, чтобы поспать ночью несколько часов. Ему также известно, как я страдаю от нашего разрыва, как беспокоюсь о семье. Но все это сработало бы только в том случае, если бы он вел честную игру. А в этом я все больше сомневался, иначе откуда это молчание, эта скрытность? Не его забота — заниматься моей семьей, даже если я попросил его об этом, когда Вера меня бросила. В тот период я не высовывал носа из норы, хотел, чтобы кто-то присматривал за ними, и полагался в этом только на Тристана. Однако сегодня я бы ни за что не доверил ему своих близких. Чем дальше, тем чаще мелькала мысль, что это не Вера выкинула меня из собственного дома, а Тристан. Если вдуматься, у меня не было ни малейшего представления о том, сколько времени он проводит с ней и с детьми. Что же до новостей об их жизни, которые Тристан вроде как должен был мне сообщать, то он все чаще уклонялся от ответов на мои вопросы. Поэтому я и поступил как дурак, засев в засаде возле школы, чтобы увидеть детей хотя бы одним глазком. Я подыхал от желания быть с ними и чтобы Вера снова была рядом, и так каждый день, каждую ночь. Тристан возвел неприступную стену между мной и моей женой. Он понемногу рассекал все связывавшие нас узы. Я вспомнил Верины слова: “Он просидел со мной всю ночь”. Он был с ней в нашей спальне, может, даже в нашей кровати, он наверняка до нее дотрагивался, прикасался своими грязными, гнусными лапами к ее телу под тем предлогом, что ее нужно лечить. Тристан нацелился на мою жену, он хочет ее. А я, как последний болван, предоставил ему зеленую улицу. Как давно он морочит мне голову, убеждая, что делает все для нашего примирения? И когда впервые позарился на нее?

Я припарковался перед его офисом, закурил, чтобы справиться с нервами, иначе я бы расквасил ему рожу, не успев поздороваться. Я обязан быть бдительным, ведь Тристан необыкновенно умен. Если я не ошибаюсь, он с самого начала все просчитал, сейчас я это понял. А иначе придется признать, что я становлюсь параноиком. Когда я решил, что смогу держать себя в руках — по крайней мере, вначале, — я поднялся к его офису. Терпеливо дожидаясь в приемной, пока Тристан выйдет, я старался дышать размеренно и сжимал и разжимал кулаки.

Он подошел ко мне подло, сзади:

— Янис! Чем обязан?

Все его манеры, подчеркнутая учтивость — все это представало сейчас передо мной совсем в другом свете. Удав-гипнотизер. Как мне с ним справиться?

— Мимо проходил, — сообщил я, не отводя взгляд.

От него буквально разило злом. Чистым, беспримесным. Мне захотелось запихнуть ему в глотку его крутой галстук.

— Пойдем, в кабинете нам будет удобнее.

Мы вошли, он сел в кожаное кресло на колесиках. Я остался стоять, но все равно чувствовал, как он меня подавляет.

— Ты вчера нормально добрался? — наконец-то спросил я.

— Отлично, — ответил он, не пряча глаз.

Он знал, что я знаю.

— Значит, хорошо выспался?

Ироничная усмешка в ответ. Ситуация явно забавляла его. Усилием воли я опять заставил себя дышать спокойно.

— Знавал я ночи и получше, но эта была особенно интересной.

Я стиснул кулаки так, что хрустнули суставы пальцев.

— Янис, если это визит вежливости, то лучше бы ты от него воздержался. Тебе нельзя отвлекаться на вещи, которые тебя больше не касаются. Не забывай, что твои приоритеты — это работа и возврат долга.

— Если хочешь знать, плевал я на них, — прошипел я.

Он устроился поудобнее в кресле, скрестил руки на груди. Кретинская улыбочка прилипла к его губам.

— Ты кое о чем забываешь. Известно ли тебе, с кем ты разговариваешь? Я тебя сделал, Янис. Ты мне всем обязан. Если тебе кажется, будто ты что-то собой представляешь, то это только благодаря мне. Без меня ты ничто.

Я стукнул обеими руками по столу:

— Кончай мне лапшу на уши вешать, на этот раз мы играем в открытую!

Он разразился хохотом:

— Мой бедный Янис! Ты просто кусок дерьма! Ты явился слишком поздно, тебя больше не существует, твоя жизнь принадлежит мне.

— Это ты о чем? Да чего ты добиваешься, в конце концов?

Он поскреб подбородок.

— Так я же тебе только что ответил… Вера права, ты действительно порой тормозишь. С нашей первой встречи ты мне понравился. И я решил сыграть. Когда я увидел тебя, мне сразу захотелось получить все, что у тебя есть. Я хочу твою жизнь — твой дом, твоих детей и твою жену...

Он замолчал. Я онемел от ужаса. Его губы растянулись еще шире.

— Твоя жизнь... Твоя жена... Все это уже мое, пусть и за маленьким исключением...

Скотина! Кровь бросилась мне в лицо, я кинулся на него, схватил за воротник, выволок из мудацкого кресла и яростно припечатал к стене. Он оставался таким же бесстрастным, не пытался защищаться, я сдавливал его горло, ухватившись за галстук. Наши лица почти соприкасались, я был взбешен, а он сохранял свою отвратительную кривую гримасу и уверенно смотрел на меня в упор.

— Ты ее никогда не получишь! Не прикасайся к ней! Запрещаю тебе к ней приближаться!

— Ты сам виноват, Янис, нечего было трахать жену в моем доме и оставлять двери открытыми. Если честно, вначале Вера меня совсем не возбуждала, но, должен признаться, наблюдение за вами подбросило мне кое-какие идеи насчет того, что я с ней проделаю. Я мог воспользоваться случаем уже прошлой ночью, но, больная, она меня не интересует. Я хочу, чтобы она знала, что это — я и что я трахаю ее в твоей постели, вместо тебя.

— Заткнись! — заорал я.

Я снова шарахнул его о стену и сильнее сдавил горло. Впервые в жизни мне захотелось убить человека. Он начал задыхаться, но все равно сумел ухмыльнуться.

— А сейчас, Янис, ты поступишь разумно, очень разумно и отпустишь меня.

— Я сверну тебе шею!

— Да ничего ты не сделаешь. Потому что, если ты меня тронешь, я предъявлю иск, у меня отличные адвокаты, и они с удовольствием упрячут тебя за решетку. Все будут уверены, что я — генеральный инвестор, чьи деньги ты растратил, после чего решил от меня избавиться. Кто-то должен будет выплатить долг вместо тебя, и Вера с детьми окажутся на улице.

Он все предусмотрел и пойдет до конца, я не сомневался. Я угодил в капкан к психу. Недооценил его.

— Янис, прошу тебя, хоть раз прояви благоразумие.

Я издал вопль ярости и шарахнул кулаком по стене в миллиметре от его лица. Потом толкнул его в последний раз и отпустил. Не разжимая кулаки и не спуская с него глаз, я отступил назад. Он с презрением покосился на меня и стряхнул воображаемую грязь с костюма, как будто я его испачкал. Затем шагнул к столу, взял телефон, одновременно поправляя галстук, соединился с приемной, попросил принести кофе. Как ни в чем не бывало. Он насвистывал, а меня трясло от выброса скверного адреналина, я молча отвернулся к окну и уставился в него. Я подозревал, что если открою рот, то меня тут же стошнит. Кто-то принес нам кофе, я не пошевелился. Когда мы снова остались одни, я взглянул на него. Он сидел за столом, спокойный, всемогущий, подавляющий своей самоуверенностью. Если бы не пять последних минут, я бы мог подумать, что все у нас как раньше. Что передо мной человек, поверивший в меня, на которого я могу положиться и которому с легким сердцем поручил заботу о своих близких.

— Может, хочешь чего-нибудь покрепче? — невозмутимо предложил он.

— Заткни пасть, — прошипел я.

Я был загнан в угол, связан по рукам и ногам.

— Позволь мне уточнить, — издевательским тоном спросил он, — кто поставил тебя в известность насчет сегодняшней ночи? Вера? Меня бы это удивило. Сегодня утром, когда я забирал детей, чтобы отвести в школу, она... кстати, не могу не отметить, что этот ваш ритуал, когда она провожает вас до лифта, очень мил. Скоро, совсем скоро она мне скажет, что у нее в голове звучит *моя* музыка.

Я чуть не задохнулся, на глазах выступили слезы ярости. Он все знает о нас, он постоянно за нами шпионил, ему известны наши словечки, подробности наших отношений! Я обеспечил ему доступ ко всему.

— Никогда, — прошипел я.

— Извини, я отклонился от темы, — продолжил он. — Так вот, сегодня утром она мне сказала, что больше не хочет не только видеть, но даже слышать тебя. Вот мне и любопытно, как ты узнал.

— Школа... мне позвонили из школы. Для них я пока еще отец своих детей.

— Твой телефон заработал?

— Это ты его вырубил?

— Если бы ты услышал отчаянный призыв Веры, он разбил бы тебе сердце, а я бы этого не пережил, клянусь.

— Стоп! — крикнул я, снова приготовившись врезать ему.

— Эй, спокойно, Янис! Не думай, что, если ты меня не ударил, я передумал уничтожать тебя и вредить Вере.

— А что еще ты можешь мне сделать? — грустно и одновременно зло засмеялся я.

Что может быть хуже того, что он уже сотворил?

— Все проще простого, Янис. Пока ты не дергаешься, остаешься на месте, ну, на своем новом месте, смирно держишься на заднем плане, я продолжаю прикрывать тебя в том, что касается долгов. Но стоит тебе совершить одно неверное движение, попытаться предупредить жену или настроить детей против меня — и я тут же звоню в банк и выхожу из игры. Подписывая бумаги, ты даже не обратил внимания на то, что у вас с Верой солидарный долг, то есть когда банкиры потребуют возврата денег, они получат право наложить арест на ее зарплату и она больше не сможет выплачивать ипотеку и кормить детей… В общем, можешь сам представить, какой ад вас ждет.

Мы заключили брак в режиме совместного владения собственностью. Как я мог повести себя так глупо?

— Ты воплощение дьявола!

— Слишком большая честь для меня! Не преувеличивай… Между прочим, Янис, согласись: не запутайся ты со своими расходами на концепт-стор, все было бы иначе… по крайней мере пока… — Он встал, обогнул стол и подошел ко мне. — Ладно… Тебе давно пора работать. Деньги сами собой не появятся. Да и мне уже надо идти, я ведь забираю днем детей из школы.

— Стой!

— Ну хорошо, сделаю тебе маленькую поблажку. Хочешь заняться ими в ближайшие дни?

— Мне твое разрешение не нужно. С завтрашнего дня школа на мне, Веру я предупредил.

Он недовольно поморщился, потом хохотнул:

— Отлично, давай еще немного поиграем. Можем устроить небольшой мужской поединок, но учти, я тебя сильно опередил. Это было так легко! Между нами говоря, Янис, ты несколько обманул мои ожидания. Вера считает тебя полным ничтожеством, так что я спокоен. К тому же дети легче примирятся с твоим отсутствием, если делать все постепенно. Но, знаешь ли, это мало что изменит. Жоаким очень резко настроен против тебя. И представь себе, когда я прихожу, Виолетта уже называет меня папой.

Я шагнул к нему, замахнулся. Он предостерегающе поднял руку:

— Внимание, не забывай о том, что я сказал. Не делай ничего, что могло бы меня разозлить, понял?

В его взгляде сверкнула дьявольская искра.

— Наша милая беседа останется между нами, не правда ли? Ты уже столько лгал Вере, что чуть больше, чуть меньше…

Я должен был срочно уйти, потому что мне безумно хотелось как следует врезать ему и продолжать бить и бить, еще и еще, чтобы заткнуть этому психу его поганую глотку, чтобы выплеснуть свой гнев и омерзение. Он надругался над нашей жизнью, и если я не хочу, чтобы дело дошло до полной катастрофы, придется мне присутствовать при гибели нашей семьи в качестве зрителя.

— Хорошего дня, — пожелал он.

Вместо ответа я хлопнул дверью. Что было глупо и смешно, но что еще я мог себе позволить?! До сих пор я не верил в существование преисподней и, выходит, ошибался, потому что сейчас я горел в адском пламени. Мне никогда бы не пришло в голову, что может существовать человек, подобный Тристану. Он хочет присвоить мою жизнь! И что это означает? Кто я такой, чтобы моя жизнь была такой вожделенной? Нормальный женатый мужик, с детьми, с самой что ни на есть обычной работой, в разгар кризиса сорокалетних. Почему это свалилось на меня? На нас? Месяцами Тристан водил нас за нос. И чем это кончилось? Отныне я не имею права защищаться, сражаться, чтобы спасти, сохранить и защитить свою семью от психопата, которого сам привел в дом. Если бы Тристан был нормальным, как я считал всего несколько дней — нет, часов — назад, я бы бился на равных, чтобы удержать жену, остаться отцом своих детей, но этот безумец связал меня по рукам и ногам. Он с самого начала все предусмотрел, все обстряпал. Я ничего не смогу сделать, мне придется пассивно наблюдать за тем, как он заглатывает Веру с детьми. Я даже не могу призвать Веру быть бдительной, потому что полоумным она сочтет меня. Не говоря уж о том, что она, возможно, полностью подпала под его влияние и в этом случае навсегда закроет для меня двери, так что я не смогу следить за тем, что там происходит. Я был совершенно оглушен и подавлен. Что мне остается, кроме как забиться в берлогу и ждать пробуждения от этого кошмара? Я мог напиться, чтобы все забыть и чтобы обо мне все забыли. Тристан только этого и ждет. Я знал, что он наблюдает за мной из окна своего кабинета и наверняка торжествует. Нет, я не позволю ему так легко выиграть! Не имея ни малейшего представления о том, как с ним справиться, я все же решил ни за что не упрощать ему задачу.

Наутро, ровно в восемь пятнадцать, я постучал в дверь нашей квартиры. До меня донеслись голоса детей, я улыбнулся впервые неизвестно за сколько дней и ощутил мощный прилив энергии, несмотря на то, что ночью не сомкнул глаз, стараясь найти какую-нибудь уловку, чтобы обмануть бдительность Тристана и уничтожить его власть над нашей жизнью. Озарение на меня не снизошло, однако я принял решение: сделать все, чтобы Вера осознала, что ему доверять нельзя. Это риск, но тут уж ничего не поделаешь. Как я мог не предупредить ее об опасности, позволить бездумно ринуться в пасть зверя?! Она должна знать, что тот, кто планирует наложить на нее свои вонючие лапы, — последняя сволочь. Я обязан защитить ее любой ценой, я больше не имею права на ошибку. Вера открыла дверь, уже одетая, готовая идти в школу. У нее по-прежнему было нездоровое измученное лицо, и она, как мне показалось, удивилась, увидев меня. После ее ухода от меня при каждой встрече я должен был сдерживаться, чтобы не дотронуться до нее, не откинуть со лба прядь волос, не сжать ее в объятиях. И ежесекундно вспыхивал один и тот же неотвязный вопрос: она еще любит меня?

— Привет, — робко выдавил я.

— Ты пришел…

— Да...

Мне удалось поймать ее взгляд на несколько секунд, и я уловил в нем зарождающееся смятение. Но она отвернулась и разрушила чары.

— Ребята готовы.

— Папа! — закричали хором Эрнест и Виолетта.

Вовсе они меня не забыли. Они бросились ко мне, я подхватил малышей на руки, крепко прижал их к себе, зажмурился и вдохнул их запах. Через несколько мгновений я открыл глаза и встретил умоляющий, полный тоски взгляд Жоакима. Я опустил на пол младших и спросил:

— Что-то не так, Жожо?

Жоаким насупился:

— Мы опоздаем в школу.

Он повесил на спину ранец, поцеловал Веру и вышел на лестничную клетку, чтобы вызвать лифт. Я повернулся к Вере:

— Что с ним такое?

Вера возмутилась:

— А ты как думаешь? Ребенок не понимает, на каком он свете, на каком мы свете... — Она вздохнула и робко попыталась извиниться: — Прости, я не собиралась нападать на тебя прямо с утра.

— Ничего страшного.

— В котором часу мы возвращаемся? — спросил Эрнест, протискиваясь между Верой и мной.

Я вопросительно вскинул на нее глаза.

— После продленки, — ответила она и снова обратилась ко мне: — Вчера Тристан настоял на том, чтобы забрать их раньше, и повел на прогулку. Но я полагаю, что ты согласен со мной и мы не станем менять наш распорядок, который и так уже сильно нарушен. В любом случае, когда я вернусь на работу, им все равно придется ходить на продленку.

Я настолько сомневался в себе и в собственных ощущениях, что не понял, действительно ли она упомянула Тристана с раздражением. Неужто Вера тоже начинает спускаться с небес на землю и о чем-то догадываться?

— Нечего ему принимать решения насчет наших детей. Приведу их тебе, когда скажешь.

— Нет, я сама.

— Вера, ты больна, а когда ты болеешь, я забираю их из школы, ты же знаешь, мы всегда так делаем. Давайте, ребята, вперед!

Эрнест и Виолетта взяли меня за руки и потянули в лифт.

— Янис! — позвала Вера.

Я всмотрелся в нее, и ее невероятная хрупкость потрясла меня.

— Спасибо тебе, — выдохнула она. — До вечера, мои маленькие.

— До свидания, мама.

Она захлопнула дверь, не дав мне вымолвить ни слова. Пока мы шли в школу, Виолетта трещала без умолку, вцепившись в меня, словно в спасательный круг, Эрнест носился взад-вперед, а Жоаким угрюмо молчал. Только у школьных ворот он поднял ко мне свое грустное личико. Я поставил Виолетту на землю и присел на корточки поближе к сыну:

— Ты хочешь что-то сказать или спросить?

— Сегодня вечером придешь ты?

— Да.

— Честное слово?

— Конечно, я буду вовремя.

— Не Тристан придет? Ты правда обещаешь?

В его голосе явственно проступала паника.

— Есть какие-то проблемы с ним?

Он отвел глаза.

— Жожо! Ответь мне.

— Прости, папа, я не должен был ему звонить, когда мама заболела, но нам было очень страшно.

— Ты все правильно сделал. Не нужно винить себя, во всем виноват только я. Это все, что тебя беспокоит, или есть еще что-то?

Он яростно размахнулся ногой и нанес удар в пустоту.

— Он слишком часто бывает у нас. Мне не нравится, как он ведет себя с мамой, он какой-то странный, и потом…

— Что?

— Он собирается заставить меня заниматься тромбоном. Вчера после школы он говорил, что купит мне новый инструмент.

Тристан намерен все украсть, его безумие не имеет границ. У меня снова зачесались кулаки — теперь он ведет атаку на детей.

— А ты совсем не хочешь?

— Хочу, но с тобой, а не с ним. Я хочу, чтобы ты вернулся домой, папа. Чтобы все опять было как раньше, когда ты работал с Люком.

Его большие голубые глаза наполнились слезами. Я обнял его:

— Я все исправлю, сынок, ты прости меня…

Я отодвинул его от себя, но продолжал держать за плечи, не давая отвернуться.

— Мама про тромбон знает?

— Нет.

— Если Тристан захочет повести тебя на урок, соглашайся.

— Нет! Не надо!

— Очень важно, чтобы пока ты делал все, что он велит.

— На самом деле он плохой, да?

Он не ждал от меня ответа.

— Я помогу тебе, папа.

— Главное, будь осторожен и приглядывай за братом и сестрой. Ну, давай беги, не опаздывай, до вечера.

Я расцеловал детей, и они помчались ко входу, а я следил за ними, пока они не скрылись за дверью школы.

Вечером сработал рефлекс, и я открыл дверь собственными ключами — старые привычки быстро возвращались. Однако, когда дети ворвались в гостиную, я не последовал за ними, а остался на пороге.

— Мама!

— Добрый вечер, зайки! На занятиях все было о'кей?

— Да!

Они принялись ей рассказывать о своем школьном дне, а я стоял у двери и наслаждался их звонким гомоном и звуками Вериного нежного голоса, когда она обращалась к детям и смеялась вместе с ними над историей, случившейся на перемене. Нет, я не могу отдать свою жизнь этому гаду! Он пачкает все, что попадается на его пути, он их уничтожит, подчинит своей воле.

— А папа где? — спросила она детей.

Этот простой вопрос заставил мое сердце забиться чаще.

— Я здесь, — ответил я и сделал несколько шагов вперед.

Она подбежала ко мне, сияя:

— Им полезно встречаться с тобой.

— Мне тоже.

— У тебя был удачный день?

— Напряженный, но довольно удачный.

— Ты работаешь над новыми проектами?

— Конечно, несколько уже на стадии стройплощадки, еще по нескольким ведется подготовка или переговоры о заключении контрактов. Я не прекращал работу.

— Это правда?

— А ты действительно сомневалась?

Ее руки задрожали, она стала их нервно мять:

— Прости меня.

— Если кто-то должен извиняться, то только я, причем до конца жизни.

Она пристально посмотрела на меня, ее глаза блестели.

— Когда мы перестали говорить друг с другом, Янис?

— Хотел бы я знать...

Мы одновременно вздохнули.

— Ладно. — Она сменила тему. — Детям пора в душ.

— Пойду попрощаюсь с ними.

Она отодвинулась, чтобы пропустить меня. Я удостоился поцелуев, даже от Жоакима.

— До завтра, слушайтесь маму.

Вера проводила меня до порога. Она была еще у нас дома, а я уже нет. Я умирал от желания поцеловать ее, она почти сделала шаг ко мне, но спохватилась.

— Хорошего вечера, — пожелала она.

— Будь осторожна.

— Что мне может здесь угрожать? — пожала она плечами.

Я провел рукой по лицу и растрепал волосы.

— Я серьезно, Вера... Ты сочтешь меня психом, но...

— Что это такое? — Она схватила мою руку и принялась пристально изучать.

Ее пальцы осторожно пробежались по моим разбитым суставам: я поранил их накануне, колотя кулаками по стенам Тристанова кабинета и лестничной клетки.

— Янис, ты подрался?

Я любил, когда она говорила со мной словно с нашкодившим ребенком. Мои губы сами собой расплылись в улыбке:

— Со стенами.

Я видел только ее руку на моей, и она ее гладила. Мы не прикасались друг к другу так давно. Это мимолетное прикосновение доказывало, что между нами по-прежнему что-то есть, как бы нас ни старались разлучить.

— Со стенами чего? Или с чьими, точнее?

Что я мог ей ответить?

— Догадываюсь, — предположила она. — Это моя

вина. Не нужно было вчера говорить, что Тристан заботится о нас лучше, чем ты. Тем более что это неправда. Я была страшно сердита, мне захотелось сделать тебе больно, прости. Не ссорься с ним из-за меня. К несчастью, мы зависим от его щедрости.

— Нет, ты ни в чем не виновата. Ты чудо, Вера.

Я не выдержал, это было сильнее меня, я обнял ее, она прижалась к моей груди, я зарылся лицом в ее волосы.

— Мама!

Она вздохнула и отодвинулась. Без нее мне опять стало пусто, и страх накатил с новой силой.

— Надо идти.

— Очень прошу тебя, будь осторожна. И пожалуйста, не доверяй Тристану.

— Пусть это тебя не беспокоит, я большая девочка и сумею постоять за себя, тем более что я не понимаю, чем он может быть опасен.

— Но…

— Не строй из себя ревнивца… — Она отступила на шаг и стала закрывать дверь. — Я тоже рада, что мы встретились. И ты, кажется, возвращаешься. До завтра.

Она заперлась на все замки. Мне должно было стать легче, когда я узнал, что Вера не вычеркивает меня из своей жизни. Она вроде бы готова приоткрыть для меня дверь, и не важно, что это произойдет не сразу, ведь все равно рано или поздно мы снова будем вместе. Однако мы угодили в безвыходную ситуацию. Кто поручится, что она не сдастся, если Тристан попытается очаровать ее? Угроза становилась все более осязаемой. Я осознал это в полной мере, когда мой телефон зазвонил, стоило мне выйти на улицу. *Он.*

— Мне чуть было не пришлось ждать[1]. Ты слишком долго пробыл там.

Я в ужасе оглядывался по сторонам:

— Ты где?

— Это ничего не меняющая подробность, и тебе ни к чему ее знать. Главное, ты должен послушно, как пай-мальчик, пойти к себе в берлогу, сидеть там и не высовываться. И не вздумай вернуться под тем предлогом, что забыл принести хлеб. Я буду следить за тобой, хочу удостовериться, что по дороге у тебя не изменятся планы.

Он повесил трубку. А я остался под его жестким контролем.

На следующее утро, прощаясь, Вера не задержалась у выхода. Дети были готовы и ждали в прихожей. Она с улыбкой помахала мне, захлопнула дверь и скрылась в нашей квартире, в своей квартире. По дороге Жоаким шепнул мне на ухо, что Тристан вечером звонил, но не приходил. Еще один день и одна ночь выиграны. Я сходил с ума от невозможности узнать, о чем они говорили. Я отвел детей и не стал терять время, потому что мне нужно было проехать через весь Париж и повторить маршрут, по которому я следовал на протяжении почти десяти лет по утрам и вечерам, иногда с радостью, иногда с неохотой. Но никогда раньше у меня не сводило нутро,

1 Знаменитая фраза, произнесенная Людовиком XIV, когда ему не сразу подали карету.

как сегодня. Единственный для меня шанс решить проблему — обратиться за советом к Люку. Но для этого нужно, как минимум, чтобы он впустил меня в бюро. После моего скандального ухода такой уверенности у меня не было. Но что я теряю? Если он не прогонит меня с порога, начну с извинений. Засуну гордость — или то, что от нее осталось, — в карман. Если бы я его послушался полгода назад, если бы не изображал из себя привередливого подростка, мы бы до такого не дошли. Я бы до такого не дошел. Все его предположения были обоснованными, а его предсказания, к несчастью, сбылись. Скептическое отношение Люка к Тристану, мой ожидаемый провал, моя безответственность, слишком большие, неподъемные для меня проекты, беда, обрушившаяся на Веру и детей, — он во всем оказался прав. По пути я бдительно проверял, не следит ли за мной Тристан. Стоит ему засечь меня в обществе Люка, и он развяжет боевые действия, без вариантов. Подъехав поближе, я нарочно оставил мотоцикл в сотне метров от бюро — из осторожности и чтобы выкурить сигарету и набраться храбрости. Оказавшись у офиса, я остановился возле витрины и постоял, рассматривая комнату: там ничего не изменилось, не считая того, что вместо меня за чертежным столом работал другой человек, юноша небольшого роста с симпатичным лицом, как мне показалось. Не будь мое положение столь плачевным, я бы повеселился, наблюдая, как он из кожи вон лезет, пытаясь непринужденно общаться с мрачным, как всегда, Люком, а тот отвечает ему с недовольной физиономией. Бедный парень, он занял мое место. Я отнюдь не завидовал ему, как и не испытывал ни малейшего сожаления или ревности. Напротив, сцена, за которой я наблюдал, укрепила меня в уверенности, что я ни за что в жизни не буду снова здесь работать. Да, я накосячил, но мне нравится моя независимость. Я до хруста повертел шеей, глубоко вздохнул и толкнул дверь.

— Добрый день, — только и сказал я, не отводя взгляд от Люка, склонившегося над чертежной доской.

Он оторвал карандаш от бумаги, несколько мгновений просидел неподвижно, очень медленно поднял ко мне лицо и пристально заглянул в глаза.

— Добрый день! — с энтузиазмом ответил новенький. — Чем могу быть вам полезен?

— Оставь, Жером, — оборвал его Люк. — Это ко мне.

— Вы уверены? Я мог бы заняться нашим гостем.

Люк встал и подошел ко мне, за ним последовал и подмастерье. Мы с Люком обменялись рукопожатиями. Потом он раздраженно забарабанил пальцами по столу, услышав, как парень суетится за его спиной.

— Жером, познакомься с Янисом.

Молодой человек изумленно раскрыл рот:

— Вы тот самый Янис?

— А что, их несколько? — ответил я.

— Я был в вашем магазине, вы сделали нечто потрясающее.

— Ну да… спасибо, — ответил я гораздо более сдержанно, чем хотел бы.

— Иди работай, — распорядился Люк, который заметил перемену в моем настроении.

Явно разочарованный и раздосадованный тем, что его порыв остановили — юноше придется к этому привыкать, — Жером сел к столу, а Люк повернулся ко мне:

— Если честно, я очень удивлен твоим появлением, не думал, что когда-нибудь такое случится.

— И как сюрприз — хороший или плохой?

— Это ты сам мне скажешь.

— Было бы удобнее поговорить без свидетелей, — заметил я.

Он покосился на Жерома.

— Не хотелось бы тебя напрягать, — продолжил я. — Мы могли бы вместе пообедать, если ты не против.

— Дай мне две минуты, Янис.

Он вернулся к своему столу, взял со спинки стула пальто и присоединился ко мне.

— Остаешься в лавке, я буду позже, — бросил он по пути Жерому.

Не дожидаясь ответа, он открыл дверь и знаком подозвал меня. Мы перешли через дорогу — в кафе напротив. Он заказал у стойки два кофе и сел к маленькому столику на отшибе, у широкого окна, откуда было удобно следить за бюро. Мы молча изучали друг друга. За прошедшие месяцы Люк постарел, но это ему шло — виски почти полностью поседели, а вот лицо стало более открытым, чем раньше, более спокойным, невозмутимым, и этого нельзя было не заметить. Интересно, что он обо мне думает? Не самые приятные вещи, что уж тут… В какие-то моменты на его лице отражалось недовольство, наверняка он задавал себе разные вопросы. Что ж, он не будет разочарован. Официант принес нам кофе.

— Знаю, что должен был сделать это раньше, — начал я. — Но все равно хочу извиниться за то, как некрасиво ушел. Я проявил свинскую неблагодарность и полное отсутствие профессиональной порядочности, я часто об этом думаю и, поверь, сожалею. Нет, если по правде, мне стыдно за свое поведение.

Он вздохнул и устроился поудобнее.

— Спасибо, я тронут твоими словами. Но я тоже был до некоторой степени несправедлив к тебе, Янис. Со временем я понял, что был не прав, корча из себя эдакого хозяина...

Неожиданно... Он выглянул в окно, вздохнул и снова перевел на меня взгляд.

— А еще, признаюсь уж заодно, я плохо воспринял твое резкое сближение с Тристаном, я отнесся к этому как к предательству. Оно нанесло удар по моему самолюбию. До вас с Верой было невозможно достучаться, вы говорили только о нем, хотя, подозреваю, сами этого не замечали. То же чувствовала и Шарлотта... Да ладно, все уже позади, ты добился успеха и...

— Стоп, Люк! Я оценил твою покаянную речь, но ты заблуждаешься по всем пунктам.

— Как это? — воскликнул он, и в его глазах появилось недоумение.

Я собрался с силами:

— Я был слишком доверчив, а ты с самого начала прав. За идеальными манерами и внешней доброжелательностью Тристана скрывается опасный человек. Не знаю, как ему это удалось, но он окончательно запудрил мне мозги. И кстати, Вере тоже.

Люк побледнел. Вопреки тому, что я вообразил, он был совсем не в восторге от своей правоты. Тревога на его лице проявлялась все заметнее.

— И в довершение всего я бездарно провалил проект концепт-стора.

Он напрягся:

— Дефекты?

— Да нет, все надежно стоит.

— Даже твой стеклянный купол? Потому что он действительно впечатляет.

— Да, даже он. Все держится. На самом деле проблема в деньгах, которых это стоило, я слишком много потратил. Да, ты был прав: все слишком большое, слишком дорогое, я не удержался, меня понесло, и я не смог остановиться. Я втянулся в адскую гонку, а Тристан меня неизменно подзуживал, уговаривал дать себе волю, не сдерживать себя, смотреть на вещи широко... Результат гонки: у меня колоссальные долги, размером с половину всей сметы проекта. И я по уши в дерьме.

Он помрачнел.

— Люк, не волнуйся, я здесь не затем, чтоб клянчить деньги в долг.

Он пожал плечами:

— Нет, меня беспокоит не это. Кому ты должен?

Я отвел глаза.

— Тристану, да? — спросил Люк. — Он на тебя давит?

Я выпрямился:

— Можно и так выразиться... Я у него в руках. Но теперь это вопрос не только денег. Ему нужна моя жизнь.

— Чего? — воскликнул он. — Это еще что за бред?

Понятно, что у Люка, рационалиста и прагматика, волосы встали дыбом от моего рассказа: такое безумие выходило за рамки его понимания. Я изложил ему всю историю — с самого начала и до вчерашнего дня, когда я понял, что Тристан следит за каждым моим шагом. Он побледнел, узнав, что уже больше месяца мы с Верой не живем вместе. И позеленел, выслушав подробности моего последнего посещения Тристанова офиса, — я не упустил ничего, вплоть до мельчайших деталей, не умолчал даже о самых мерзких сценах подглядывания.

— Вот такие дела, Люк. Я загнан в угол, с перекрытым кислородом, в тупике.

Он со вздохом откинулся на спинку стула и повернулся к окну.

— Я не хотел грузить тебя всем этим, но мне больше не с кем поговорить. Предупредить Веру — слишком большой риск. Я только попросил ее быть осторожной. Нельзя, чтобы ее поведение с Тристаном очень уж заметно изменилось...

— Янис! — Он поднял руку, останавливая меня. — Слишком много информации для одного раза. Мне нужно подумать. Но я не оставлю ни сестру, ни тебя в этой ситуации. Можешь на меня рассчитывать. Что бы между нами ни произошло, вы — моя семья.

— Почему ты это делаешь, Люк? Я бы не удивился, если бы ты меня послал после моего безобразного ухода.

— Янис, мы оба вели себя как кретины, эгоистичные и неспособные что-либо обсуждать. Так что во всей этой истории есть и плюс: она сделала нас более зрелыми. Согласен?

Я энергично кивнул.

— У меня предчувствие, что у нас осталось мало времени, чтобы дать отпор, найти решение и избавить вас от его власти, — продолжил Люк. — Если не успеем, все плохо кончится.

Я уперся локтями в стол и обхватил голову руками:

— Всегда знал, что я мудак, но не настолько же, ей-богу. Как я допустил, чтобы меня так поимели? Почему я так вляпался?

— В его западню мог угодить кто угодно.

— Не думаю, — возразил я, глядя на Люка через растопыренные пальцы. — Во всяком случае, не ты.

— Вполне мог бы, со всеми такое бывает: нам пускают пыль в глаза, и мы попадаемся на удочку. Он нацелился на тебя с самой первой встречи, я это просек. Он слушал только тебя и неотрывно наблюдал за тобой. Я сразу понял, что он обладает мощнейшим интеллектом. Он хищник, и ему удалось отыскать твое слабое место.

Люк хорошо понимал меня и при этом не пытался судить, что особенно ценно. Я был потрясен его благородством. Как я мог забыть, насколько он прямой и честный человек?

— Хорошо, для начала хватит, я буду думать, а ты иди работай, Янис.

— Ты прав. Я не должен менять привычки. Кто его знает, где он притаился.

— Ты живешь в холостяцкой берлоге?

— Да.

— Я приду к тебе сегодня вечером после работы.

— Спасибо… Но будь осторожен, он следит за мной.

Люк огорченно вздохнул. Мы встали, он расплатился за кофе, и мы вышли на улицу.

— Люк, пока ты здесь, у меня к тебе просьба.

Он вопросительно приподнял брови:

— Хочешь опять работать со мной?

— Нет!

— Ух ты, вот так крик души!

Он расхохотался. Я присоединился к его смеху, и мне стало немного легче, потому что возвращалось нечто похожее на наше прежнее взаимопонимание. Я кивком указал на проектное бюро:

— У твоего новобранца тот еще боевой задор, замечу я!

— Ой, не говори, он меня утомляет!

— Еще больше, чем я?

— Ну, это нереально! Он, по крайней мере, не работает босиком! А если серьезно, о чем ты хотел меня попросить?

— Я бы повидался с Шарлоттой, но боюсь огрести…

Он понимающе фыркнул.

— Я сам собирался ей сказать, Янис. Сейчас позвоню Шарлотте и попрошу связаться с Верой. Беги и будь осторожен. До вечера.

Я забрал детей с продленки и привел домой. Здесь меня встретила оживленная Вера, она постепенно становилась менее бледной и уже сменила спортивный костюм, который носила по случаю болезни, на одно из платьев, выгодно подчеркивающих ее красоту. Так же как накануне и сегодня утром, я остался в дверях.

— Зайдешь ненадолго? — предложила она.

Это было неразумно, однако я не выдержал и решил хотя бы на несколько минут забыть о кружившем над нами коршуне. Тем более что я не увижу семью в ближайшие два дня из-за выходных. Вера направилась в гостиную, я за ней, дети убежали к себе — я слышал, как они там ссорятся. Я как-то нелепо, по-дурацки, стоял посреди гостиной, моей гостиной, уставившись на собственную жену застывшим взглядом. Странное ощущение — я казался себе едва ли не подростком на первом свидании. Не знал, куда девать руки, в конце концов засунул их в карманы и покачивался взад-вперед с пятки на носок. Когда Вера села на диван, по ее лицу скользнула насмешливая улыбка.

— Я предложила тебе зайти не для того, чтобы ты стоял столбом посреди гостиной. Садись или налей себе чего-нибудь. В холодильнике даже пиво есть.

Я тихонько засмеялся, взъерошил волосы и рванул к холодильнику:

— Тебе, наверное, не надо, раз ты на антибиотиках?

— Янис, когда это антибиотики мешали мне выпить пива в семь вечера в пятницу?

Я оглянулся на нее через плечо, она встала, пришла ко мне на кухню и вскарабкалась на барный стул. Я протянул ей пиво и уселся напротив.

— Как ты себя чувствуешь? — спросил я.

— Гораздо лучше, уже начинаю скучать взаперти. Думаю ненадолго выбраться из дому с детьми в воскресенье.

— Если тебе что-то понадобится…

— Я тебе скажу.

Нас накрыло молчание, и это было вовсе не неприятно, скорее наоборот. В полной тишине я изучал Веру, она — меня, и мы заново привыкали друг к другу. То, что сейчас происходило между нами, напомнило мне вечер нашей первой встречи. Она сделала маленький глоток, потом блеснула на меня глазами сквозь ресницы:

— Угадай, кто мне сегодня звонил?

— Не имею представления.

— Шарлотта.

— Неужели?

Я притворился, будто ни о чем таком не подозревал, но на душе стало радостно. Наконец-то Вера не одна.

— Ну и?..

— Мы поговорили довольно спокойно, я не была настроена против нее, она меня не раздражала. А она не пыталась читать мне нотации. Мы, пожалуй, пришли к единому мнению, что обе в равной мере виноваты. И я признала, что на ее месте реагировала бы так же.

— В каком смысле?

— Она любит Люка, поэтому нормально, что она его защищает. Так же как я защищала тебя от них.

В ее глазах проскользнула лукавая искорка, как раньше. Я хотел лишь одного: схватить ее, обнять, поднять и закружить, а она бы держалась за мою шею... Но до этого мы еще не добрались.

— Ты довольна?

— Думаю, да... мне ее не хватало...

— Хорошая новость!

Она облокотилась о стойку, уткнула подбородок в ладони и поймала мой взгляд:

— Твоих рук дело? Я в этом почти уверена.

Я пожал плечами, и это меня выдало.

— У Люка все в порядке?

— Похоже на то.

Вера радостно просияла. Но почти сразу же помрачнела.

— Знаешь, с тех пор как я на больничном, у меня появилось время обо всем подумать. И я не перестаю спрашивать себя: как все это могло произойти? Мы потеряли Люка и Шарлотту, ты слетел с катушек из-за своей работы, хотя я по-прежнему уверена, что у тебя все должно было получиться. Не понимаю, как мы с тобой умудрились расстаться. *Мы с тобой*, Янис! Как если бы это решение принимала не я... Я вспоминаю слова, которые швырнула тебе в лицо, обвиняя в ужасных вещах, я даже поверила, что ты мне изменил...

Вот это да! Как она ухитрилась выдумать такое?

— Что-о-о?

— Я придумывала разные объяснения, Янис. Периодически, когда я вспоминаю об этом лете и о начале осени, у меня мелькает мысль, что мы — и ты и я — перестали быть самими собой и именно это довело нас до того кошмара, в котором мы оказались. Но вот сейчас я смотрю на тебя, и ты — это ты, тот, кого я всегда знала, может, немного более рассудительный, но все равно ты. — Она с улыбкой вздохнула и продолжала: — Ты веришь, что однажды весь этот бред останется позади? Что мы выберемся из трясины?

Я спрыгнул с барного стула и подошел к ней, она подняла ко мне лицо. Не раздумывая, я погладил ее лоб и убрал с него прядь волос. Она блаженно зажмурилась.

— Я сражаюсь за это, Вера, — прошептал я. — Пока я еще не нашел решения, но клянусь тебе, я избавлю нас от…

— Не говори больше ничего, я тебе верю, и только это имеет значение.

Не отводя глаз, она осторожно прижалась щекой к моей ладони. Я наклонился и прикоснулся к ее губам. Она ответила на мою попытку поцелуя — легонько, почти робко дотронулась своими губами до моих. Мои руки вдруг очутились на ее спине: когда я почувствовал Верино тело, коснулся ее кожи, я сразу забыл обо всем — о заботах, долгах, об угрожавшем нам дьявольском отродье. И покорился своему желанию, сдерживаемому на протяжении многих недель. Ведь я уже давно считал, что недостоин приближаться к ней, эта мысль возникла еще до того, как Вера узнала о моем крахе. Но сегодня вечером я позволил себе поцеловать ее со всей яростью, сжигавшей меня, я целовал ее еще неистовее, чем когда-либо раньше, потому что она должна была почувствовать, как я ее люблю. Я целовал ее, чтобы сказать, что безумно скучаю по ней, я целовал ее, чтобы пообещать, что буду бороться. Она обхватила меня, запустила пальцы мне в волосы, все крепче прижималась ко мне. От вкуса ее губ у меня закружилась голова, я едва не потерял сознание. По-моему, мы никогда еще так не целовались. Потом она оторвала свои губы от моих, но по-прежнему льнула к моей щеке, и, открыв глаза, я увидел две больших слезы, стекающих по ее лицу. Я смахнул их и потерся носом о ее нос.

— Ты не думай, что все плохо, — прошептала она. — На самом деле все хорошо, и даже очень.

Она опустила голову мне на грудь, я погладил ее по волосам, и мы постояли так, не двигаясь, несколько секунд. Из соображений безопасности мне нужно было срочно уходить, хотя совсем не хотелось.

— Я пойду, не будем торопиться — может получиться прикольно, — попробовал пошутить я.

— Как скажешь, — ответила она со смешком.

Она отстранилась и позвала детей, продолжая смотреть на меня.

— Папа уходит, попрощайтесь с ним.

Они выкатились словно пушечные ядра, я едва успел присесть и поймать их.

— Завтра ты у нас будешь? — требовательно спросил Эрнест. — Хочу построить железную дорогу.

— Э-э-э… нет, не думаю, я…

— Скоро папа сможет играть с вами, — перебила Вера.

— Это правда? — В голосе Жоакима звучала надежда. — Он будет у нас на Рождество?

Мне захотелось поблагодарить старшего сына за его реакцию.

— Я надеюсь, — ответила ему Вера.

Я перецеловал всех по очереди, и моя решимость избавить нас от Тристана стала еще тверже. Вера проводила меня до входной двери, дотронулась до моей ладони, и я на мгновение стиснул ее пальцы. На лестничной площадке мне снова стало страшно, как бы с ней чего-нибудь не случилось, и этот страх был сильнее, чем раньше.

— Вера… будь очень, очень осторожна.

— С моими планами на сегодняшний вечер особая опасность мне не грозит, — шутливо возразила она.

— А что ты собираешься делать?

— Поесть с детьми макарон и лечь спать вместе с ними.

— Что ж, неплохо. Я побежал.

— Давай.

Она отступила в квартиру и закрыла дверь, широко улыбаясь. Меня переполняла радость, тем не менее, выходя на улицу, я натянул на лицо мрачное выражение. Я не заметил за собой слежки, пока ехал в свою берлогу. По всей вероятности, мыслями я был совсем далеко, потому что, когда я возле дома спрыгнул с мотоцикла, мимо проехал автомобиль Тристана. По крайней мере, он теперь знал, что я далеко от Веры и от детей, а она через час уже будет в постели. Можно не волноваться и спокойно ждать Люка.

Около девяти раздался стук в дверь. Я открыл: на пороге стоял Люк в сопровождении Шарлотты, которой мы загораживали вход. Поэтому она, не церемонясь, оттолкнула нас обоих. Люк неодобрительно покосился на нее и протянул мне бутылку виски, прошептав при этом “когда она уйдет”. Я подмигнул ему, а себе пообещал быть разумным. Люку наверняка неизвестно, насколько активно я прикладывался к спиртному в разгар кризиса. Потом я повернулся к Шарлотте, которая сразу приступила к инспекции помещения.

— Ага, все понятно, разит берлогой брошенного

мужика! — заявила она, обойдя мою комнату, после чего повернулась ко мне лицом и уперла руки в бока. — Тебе наверняка пришлось очень постараться, чтобы она тебя выперла! Но дойти до того, чтобы поверить, будто ты завел любовницу… Снимаю шляпу!

— Она тебе это сказала?

— Я умею делать выводы, Янис! Эта сволочь — спец по манипулированию.

Она приблизилась ко мне и окинула пристальным взглядом:

— Заморочки тебе только на пользу, должна признать. Не знаю почему, но выглядишь секси, появился такой себе оттенок мученичества, что ли. Ты стал еще красивее.

— Шарлотта! — возмутился Люк.

— Все в порядке, старичок! — Она подтолкнула меня локтем в бок и доверительно добавила: — Ты бы знал, какой он собственник! Я в восторге!

Я расхохотался. К моему великому удивлению, Шарлотта обняла меня:

— Мы выкарабкаемся, Янис. Если бы мы знали, никогда бы не остались в стороне. Нам казалось, что мы правильно поступаем, знаешь… Когда я думаю о бедном кузнечике, мне так больно, сил нет.

Я снова пал духом.

— Во всем виноват я, — оборвал я Шарлотту и отошел от нее.

Порывшись на столе, я отыскал пачку сигарет и закурил. Когда я снова посмотрел на них, оба синхронно качали головами, выражая веселое изумление. Идеальный тандем.

— Ну да, я сорвался. И что?

— Плевать нам на это, — заявила Шарлотта. — Но, Янис, самобичеванием проблему не решишь. В этой истории только один психопат, и нам известно его имя. Ладно, мужики, оставляю вас, работайте спокойно.

Я вопросительно покосился на Люка. Что за работа?

— Сейчас я тебе объясню.

Шарлотта снова обняла меня и крепко поцеловала:

— Мне хотелось тебя увидеть, оценить, в каком ты состоянии. Все не так плохо, как я ожидала.

Она ущипнула меня за щеку, я в ответ притворно ойкнул.

— Ты возмужал, Янис. Может быть, тебе нужно было пройти через все это… Нельзя не заметить, что ты стал более жестким. В выходные я постараюсь, чтобы Вера подышала свежим воздухом. На завтра запланирован визит-сюрприз. Тем более что я очень соскучилась по вашим малявкам.

— Спасибо, Шарлотта, надеюсь, ты когда-нибудь меня простишь.

— Заткнись ты, Янис!

— О'кей, — согласился я и выставил вперед ладони, защищаясь от атаки.

Она развернулась и вышла, словно оперная дива, покидающая сцену, по дороге игриво зыркнув на Люка и не удержавшись от того, чтобы со значением провести рукой по его груди. Потом шагнула во двор и хлопнула дверью.

— Она в своем репертуаре, — заметил я.

— И так будет всегда, — ответил он, явно гордясь собой. — Что ж, меня это вполне устраивает.

Трудно поверить, но Люк любит Шарлотту. Я был рад за них, хотя, в моем понимании, это отдавало фантасмагорией. Меня не интересовало, с каких пор между ними завязались отношения, главное, что они нашли друг друга. Можно сказать, наконец-то нашли, пусть это и кажется немыслимым.

— Ладно, Янис, давай выпьем, и я приступаю.

— Приступаешь — к чему?

— Давай все бумаги по концепт-стору, накладные, сметы. Затем подготовь все данные по твоим счетам, выписки, разрешения на списание средств, короче, все, что относится к банку.

— Зачем?

— Перед тем как мы начнем придумывать, как избавиться от Тристана, я должен понять, как реально обстоят дела с проектом и финансами. Он не забирал у тебя никаких документов, надеюсь?

— Насколько я знаю, нет. Он контролирует все, приходит за чеками, когда мне выплачивают гонорары, но мои бумаги здесь, а не у него. Правда, ты меня хорошо знаешь, хранение документов — не мой конек. Я начал наводить порядок, но не гарантирую, что все найду.

Он рассмеялся, и мы пошли выпить.

Глава 16
Янис и Вера

Вера

В девять часов я устроилась с книгой в руках на кровати Виолетты в окружении детей: мальчики рядом со мной, на коленях дочка, ее волосы иногда загораживали мне текст. Такими спокойными и послушными, как сегодня вечером, они бывали редко, в особенности если вспомнить, что они вытворяли в последние недели. Сегодня никто из них не упрямился, не скандалил, не дразнил брата или сестру. Да и я тоже была спокойнее, ко мне отчасти вернулась прежняя легкость и, главное, вера в то, что со временем все уладится.

— Мама, — прервала меня Виолетта.

— Да.

— Хорошо, когда папа дома.

— Это правда, — подтвердил Эрнест.

Я повернулась к Жоакиму, его взгляд опять стал ласковым и говорил сам за себя — отец снова с ним, и он снова тот маленький мальчик, каким был раньше и которого мне так не хватало в последнее время. Он прижался лицом к моей руке.

— Согласна с вами, мои милые.

— Мы скучаем по нему.

— Я тоже.

Эрнест зевнул, я кивнула:

— Все в постель!

— Ты тоже? — спросил Жоаким.

— Я тоже.

Дети легли, я их по очереди поцеловала, наслаждаясь мгновениями покоя и стараясь продлить удовольствие. Выключив всюду свет, я вернулась в гостиную. Травяной чай ждал меня. Я закуталась в плед и стала его прихлебывать, думая о Янисе. Мы пока не знали, как решить наши проблемы, а до блаженного момента, когда с ними будет покончено, было еще очень далеко. Однако впервые за долгое время я была счастлива. Никогда бы не подумала, что такое возможно, но я опять, как много лет назад, влюблялась в собственного мужа, налицо все признаки: в животе запорхали бабочки, сердце прыгает, улыбку не сдержать. Сегодня утром я надела платье и соблазнительное белье — специально для него, мне хотелось быть красивой, когда он приведет детей. Нужно было предложить ему остаться с нами, со мной, сегодня вечером, сегодня ночью. В последние несколько дней я заново открывала его для себя, а он опять становился самим собой. Как, впрочем, и я. Нас поразил какой-то зловредный вирус, он проник в нас и настойчиво нас разлучал, но сегодня нам удалось его победить. Мне потребовалось заболеть, чтобы начать выздоравливать. Мое тело наконец-то выплюнуло этот яд, эту заразу, которая пожирала *меня*, нет, пожирала *нас* и отрывала друг от друга.

Мы сумеем все восстановить, и бог с ними, с долгами, что-нибудь придумаем. Янис беспрестанно повторял, что готов бороться. Отныне он будет это делать не в одиночку. Я все пыталась понять, почему на пике кризиса бросила его на произвол судьбы, почему никак не поддержала, это была не я, на меня это не похоже. Не спорю, я имела полное право прийти в ярость, но моя чрезмерная и слишком резкая реакция оставалась для меня загадкой. Почему я закрыла перед ним все двери, отказывалась выслушать, когда он пытался объяснить случившееся? Почему не верила, что он работает, считала, что он обманывает меня? Сейчас было важно, чтобы мы снова научились разговаривать друг с другом, и тогда наша любовь не угаснет, а, наоборот, благодаря испытаниям станет еще сильнее. Он будет упорно работать, мы туже затянем пояса и сумеем выплатить долги. И сделаем это вместе.

Я поставила чашку в мойку, взяла мобильник и направилась в спальню. В середине лестницы я остановилась и отправила Янису эсэмэску:

> Пошла спать, думаю о тебе и слышу нашу музыку, целую тебя.

Едва успев дойти до конца лестницы, я получила ответ:

> Пусть тебе приснятся хорошие сны, наша музыка никогда не умолкала в моей голове, целую тебя так, как целовал только что.

Губы сами собой сложились в улыбку, и, несмотря на усталость, мне захотелось танцевать с ним — здесь и сию минуту. Скоро мы обязательно потанцуем. Я еще не начала снимать макияж, когда раздался звонок. Я тут же подумала о Янисе, о том, что скажу ему: приходи поскорее, возвращайся ко мне прямо сейчас, спи со мной эту ночь и все последующие. Поэтому высветившееся на дисплее имя Тристана вызвало острое разочарование.

— Добрый вечер, Тристан, — промямлила я.

— Добрый вечер, Вера, что-то случилось?

— Да нет, все в порядке. Как ты?

— Я возле вашего дома, приехал узнать, как у вас дела.

У меня не было ни малейшего желания видеть Тристана. Рядом с ним мне было нечем дышать. Вчера вечером я уже не пустила его, сказав, что легла спать. Я не могла снова прогнать его — как бы он не обиделся. А ведь мне только и хотелось, что забраться под одеяло, в тепло, обеими руками обхватить подушку Яниса и мечтать о том, что следующей ночью он будет рядом со мной.

— Дети спят? Я могу зайти?

— Да и да. Конечно, можешь.

Я со вздохом нажала отбой и пошла ему открывать.

Янис

Наверное, я выглядел как дебил, когда сидел, уставившись на экран смартфона, в тысячный раз перечитывал Верину эсэмэску и представлял ее спящей, свернувшейся клубочком под нашим одеялом.

— Янис! — призвал меня к порядку голос Люка. — То, что у вас с Верой все склеивается, очень мило и переполняет меня счастьем, хотя я и так не слишком сомневался в благополучном исходе. А вот с нашими делами хуже — мне никак не разобраться в твоем бардаке! Найди мне последние счета и транспортные накладные по проекту.

— О'кей! О'кей! Сейчас!

Люк сидел за моим письменным столом, и перед ним высилась гора папок. Я все время подливал ему стаиски, что было непростым занятием, поскольку стакан покачивался в неустойчивом равновесии на куче бумаг, которые он сортировал. Люк работал тщательно, предельно серьезно, и на его лице было выражение, которое раньше я называл "физиономией плохих дней". Но в данном случае оно внушало мне надежду. Я наконец-то раскопал то, о чем он меня просил, и протянул ему. Он поставил очередную галочку в своей таблице, куда вносил данные каждого счета и цифры списанных средств.

— Можешь объяснить, для чего ты это делаешь?

— Необходимо заново пересчитать, во сколько обошелся проект в целом!

— Хочешь, скажу без всяких расчетов? Слишком дорого, по моей вине. Я не способен грамотно управлять бюджетом, ты же сам всегда говорил, это ясно как дважды два. Слушай, я же признал, что вел себя как последний кретин, какого черта все это опять размазывать.

— Помолчи, пожалуйста. Мне надо сосредоточиться.

Он встал, покопался в карманах пальто, извлек калькулятор. Я не стал ему говорить, что мой тоже отлично работает и батарейки в нем практически новые — я-то, понятное дело, нечасто им пользовался. Люк похрустел пальцами, допил одним глотком свой стакан и снова погрузился в бумаги. Я наблюдал за ним, и мне казалось, что передо мной начальник штаба, планирующий боевую операцию. Он хмурился и что-то бормотал. Его молчание начало меня пугать: работая, он не произнес ни одного внятного слова. Я шагал по комнате, курил сигарету за сигаретой, чтобы не пить слишком много. Если я имел неосторожность приблизиться к нему и наклониться к бумагам через его плечо, он по-командирски поднимал руку вверх, останавливая меня. Что неминуемо повышало градус моего напряжения. Да что же такое он ищет? Часа через полтора интенсивных размышлений Люк встал и что-то буркнул. Потом открыл дверь, чтобы проветрить. По крайней мере, я так решил, однако на самом деле он вышел за порог и принялся расхаживать. Это продолжалось минут пять. Я умирал от желания наорать на него... Но разбудить весь дом криками — не самая удачная идея. Помотавшись по двору, Люк вернулся и закрыл за собой дверь.

— Да черт же подери! Что происходит? — спросил я, дрожа от нетерпения.

Люк очень серьезно посмотрел на меня, однако я подумал, что, скорее всего, он меня не видит.

— Это невозможно.

— Да блин! Что невозможно? Объясни мне, а то у меня сейчас крыша съедет.

— Погоди, дай в последний раз перепроверить. Не хотелось бы проколоться.

— Ты о чем? — не отставал я.

Я так дергался, что едва не начал рвать на себе волосы. Как бы не облысеть от такого стресса.

— Еще чуть-чуть терпения, Янис. Я понимаю, как это тяжело, но…

Он прошел мимо меня, налил себе очередную порцию виски и снова сел за стол. А я закурил очередную сигарету и заметался по комнате. Я изо всех сил сдерживал себя, чтобы не позвонить Вере, хотя мне не терпелось услышать ее голос, рассказать, что у нас тут происходят интересные вещи, обрадовать, что ее брат вернулся в нашу жизнь. Но она, скорее всего, уже давно спит, и я хотел, чтобы она хорошенько отдохнула. Несколько часов можно и подождать.

— Янис, — вдруг позвал Люк.

Я обернулся к нему. По его лицу я понял, что сейчас услышу нечто очень важное.

— Сядь, — велел он. — И выпей. Мне нужно кое-что тебе объяснить, а это нелегко.

Я, не раздумывая, подчинился и сел на диван.

Вера

Я не отрывала глаз от Тристана. Стоя у окна с бокалом в руке, он уставился в темноту. Для начала он поинтересовался моим самочувствием и тут же замолчал. От него веяло чем-то необычным, тревожным. Он напомнил мне Тристана времен наших первых встреч, только более загадочного и еще более мрачного, чем тогда. А ведь в последние недели он выглядел все лучше и лучше. Но сейчас был бледнее покойника. Однако никакой неуверенности я в нем не замечала, напротив, никогда еще он не излучал такую мощь. Я чувствовала себя совсем маленькой и жалкой, совсем никакой рядом с ним. Наверняка из-за того, что пару дней назад он застал меня в отвратительном состоянии и всячески подчеркивал мою слабость. Судя по его отражению в стекле, он за мной наблюдал.

— Янис хорошо выполняет свои обязанности, вовремя отводит детей в сад и школу? — спросил он, не поворачивая головы.

От интонации, с которой был задан вопрос, я вся похолодела, сама не понимая почему. Но мысль о Янисе и его встрече с детьми доставила мне удовольствие, и я улыбнулась:

— Да, прекрасно. Теперь все как раньше, я думаю. Это вселяет надежду.

— Н-да...

Я ощущала потребность защитить мужа, однако разум подсказывал, что лучше внимательно следить за тем, что я говорю. Откуда эта внезапная настороженность? Почему по спине у меня побежали мурашки?

— Он рассказывал о работе, которая вроде продвигается, — осторожно продолжала я. — Ты давно его видел?

— Несколько дней назад.

Я словно шла по раскаленным угольям.

— И как он?

— У нас случился небольшой спор относительно планов на будущее.

— Это серьезно?

Он устало вздохнул:

— Янис был взвинчен, я бы даже сказал, неуправляем.

Если вспомнить, в каком состоянии были его руки, это сообщение меня не удивило. Однако Тристан упомянул планы на будущее, так что речь у них могла идти только о работе и о деньгах. И значит, спор вовсе не был следствием моих неудачных высказываний, способных подогреть соперничество между ними.

— Янис не прислушивается к советам, — продолжил он. — Но мне удалось успокоить его и донести до него мое видение происходящего. Надеюсь, он будет держаться…

То есть они действительно спорили о делах. Тем не менее мое беспокойство нарастало. Тристан допил свой бокал и поставил его на кухонный стол — как всегда, бесшумно, — распустил узел галстука и медленно подошел ко мне. Его взгляд был недобрым, в нем горел опасный огонек. Мне вдруг показалось, будто вся наша история прокручивается передо мной в ускоренном темпе, я заново переживала события последних месяцев: вторжение Тристана в жизнь Яниса, а вскоре и в мою, проблемы на работе у Яниса, разрыв с Люком, затем с Шарлоттой, наша постепенная изоляция, отпуск, когда мы с Янисом на несколько дней расстались, мои подозрения насчет измены мужа, его подавленность. И еще: я захлопываю перед Янисом двери, он сбит с толку, растерян, не понимает, что с ним происходит, моя зависимость от Тристана усиливается, я теряю способность самостоятельно принимать решения. У каждого болезненного воспоминания был общий знаменатель — Тристан. В памяти всплыли предостережения Яниса — в последние дни он настойчиво призывал меня быть осмотрительной, остерегаться, но при этом ни разу не назвал источник угрозы, хотя он был ему наверняка известен. Я догадалась, что он намекает на Тристана, но отнесла это на счет пресловутого собственничества моего мужа. Почему-то теперь я уже была не так уверена в этом. Возможно, все гораздо серьезнее. Не пытался ли Янис, по неизвестной мне причине связанный по рукам и ногам, предостеречь меня, попросить держаться от Тристана подальше? Не пытался ли он защитить нас? Я же, как последняя идиотка, впустила его в дом, а Янис считает, что я надежно закрылась на все замки и сплю и телефон лежит рядом со мной на нашей постели. Страх расползся по всему телу, оккупировал его полностью, у меня возникло острое желание забрать детей и бежать, бежать подальше от нашей квартиры, подальше от него. Похоже, я схожу с ума?

Тристан был совсем близко, его дьявольская усмешка впервые по-настоящему меня испугала, он присел на журнальный столик напротив дивана, его колени касались моих.

— Вера, подумай о себе и о детях.

Я сглотнула, пытаясь избавиться от комка, набухавшего у меня в горле.

— Вспомни, как совсем недавно Янис манипулировал нами обоими, как он прямо и честно смотрел нам в глаза, утверждая, что у него все в порядке.

Тут он прав, не возразишь.

— Что ты пытаешься мне объяснить? — Мой голос дрожал.

— Боюсь, что его падение продолжается и он намерен увлечь тебя за собой. Не позволяй его безумию поглотить тебя, не подпускай его к себе, это слишком опасно и для тебя, и для детей.

Я медленно покачала головой, отказываясь принимать то, в чем он меня убеждал.

— Мне очень тяжело обрушивать это на тебя, Вера. Меня это затрагивает едва ли не в первую очередь. Но Янис уже не тот человек, которого ты знала, не тот, с кем я познакомился прошлой весной. Я всегда говорил тебе правду, никогда не лгал, и сейчас это тоже истинная правда.

Я устала от происходящего. От всех слов, речей, призывов, резких поворотов, которые сбивали меня с толку, и я уже не знала, на каком я свете. В конце концов, кто кем манипулирует? Я хотела, чтобы все это прекратилось. Я прикрыла глаза, по моим щекам покатились слезы.

Янис

Я безумно боялся того, что вот-вот объявит Люк. Неужели всему конец? Неужели нет никакой возможности вырваться из Тристановых когтей? Я бы все отдал, чтобы сейчас рядом со мной была Вера — она бы успокоила меня. Итак, Люк отодвинулся от стола, в изнеможении провел рукой по волосам и повернул ко мне усталое лицо:

— Янис… ты отлично справился…

— Чего?

— Ты отлично справился.

— Это что означает?

Улыбка до ушей расцвела на его губах, такое выражение эмоций — невиданное дело для Люка.

— Концепт-стор. Ты вписался во все повороты.

Потребовалось немало времени, чтобы смысл его слов проложил путь в мой мозг.

— Погоди, погоди, — заплетающимся языком выговорил я. — Но это невозможно…

— Еще как возможно, я десять раз проверил и перепроверил. Получается, ты действительно немного превысил бюджет, но в этом нет ничего криминального, учитывая масштаб проекта. И вообще это расходы, которые твои заказчики, не задумываясь, возместили бы, это обычная практика и для исполнителей, и для клиентов. Никогда не бойся объявлять о необходимости дополнительного финансирования, все архитекторы имеют право на это, сам бы должен знать! Иными словами, в следующий раз требуй денег, тем более таких незначительных.

Я вижу сон или он действительно учит меня, как нужно вести себя с клиентами и когда требовать у них деньги? Словно я вот-вот открою новый бизнес!

— Издеваешься? Какой следующий раз? Я по уши в долгах, Люк. Моя песня спета!

Я вскочил и забегал по комнате.

— С этим концепт-стором я сам вырыл себе могилу, а ты меня убеждаешь, будто я сумел остаться в рамках бюджета. Ты что, тоже слетел с катушек?!

Я остановился перед ним, безумная ухмылка так и не сползла с его лица. Наверное, мозги перемкнуло из-за виски!

— Нет, Янис. Клянусь тебе, я не позволил бы себе такие шутки, не сказал бы, что все о'кей, если бы это не было истинной правдой. Но до того, как я все изложу, хочу сразу признать: ты выиграл пари. Именно ты был прав с самого начала. Ты способный профессионал, даже более того, ты очень талантливый. Я ошибался, Янис, правда… Я сейчас проверил сметы, счета — тебе удавалось всякий раз поиграть с ценами и выпутаться без потерь. Единственное, в чем ты малость прокололся, это твоя дурацкая пальма, которая так и так загнется через три месяца.

Он расхохотался, смех был нервным, почти истеричным, при других обстоятельствах он привел бы меня в восторг. Я не верил своим ушам: выходило, будто я не неудачник и не вкалывал как придурок впустую. Однако я все равно пока что блуждал в тумане. Как объяснить регулярно присылаемые банком требования, гигантскую дыру в моем счете, разбухающие с каждым днем долги? Не приснилось же мне все это! Ведь уже несколько месяцев я медленно проваливаюсь в ад.

— Так куда запропастились эти чертовы бабки? — крикнул я.

Люк тут же успокоился. Он встал, налил нам обоим виски и перебросил мне сигаретную пачку.

— Ты, однако, бухаешь поболее моего! — заметил я.

— Поверь, нам это сейчас необходимо.

Он легонько стукнул своим стаканом по моему:

— За тебя, Янис. За твой успех!

Это было сильнее меня, я наконец-то улыбнулся. По-настоящему.

— Ну а теперь перейдем к деталям.

— Я тебя слушаю.
— Для начала вопрос. Ты открыл только один счет на фирму?
— Ну да, конечно, зачем мне больше?!
— Отлично. Полагаю, ты дал Тристану доверенность на него?
— Как еще я мог поступить, если он мой поручитель?! А где связь?
— Так вот, он выжал из своей доверенности все что можно. И изрядно злоупотребил ею.

Виски едва не застрял у меня в горле. Неужели такое возможно? Я был в ужасе.

— Это как?
— Первая проплата поступила от твоих заказчиков в середине июля. По идее, примерно тогда же начали поступать счета. После чего деньги приходили на твой счет и уходили, а ты их, полагаю, не отслеживал.
— Ну да, не очень я за ними следил. Будь я хорошим руководителем, мне бы раньше стало обо всем известно.
— Тристан не посоветовал тебе взять бухгалтера?
— Я говорил ему, что надо бы, в самом начале говорил. Объяснил, что не силен в управлении бюджетом.
— И что он ответил?
— Что он со мной категорически не согласен, обвинил тебя в подрыве моей веры в себя, а я с ним согласился, не сумел или не захотел возразить, ты уж прости...

Люк отмахнулся от извинений и попросил рассказывать дальше.

— Он посоветовал мне повременить с бухгалтером, чтобы эти расходы не ударили по моему гонорару, и пообещал подыскать кого-нибудь, кто подготовит отчет в конце года.

— Он нащупал твое слабое место и воспользовался им, Янис. Думаю, он очень быстро сообразил, что твой проект будет успешным, а это в его планы не входило. Поэтому, поняв, что ты не самый организованный человек, не из тех, кто будет вносить в отчетные данные все суммы, выплачиваемые мастерам, он подождал, пока на тебя свалятся первые счета и ты начнешь раздавать чеки направо и налево, и на мелкие суммы, и на крупные, как это бывает на каждом объекте. А потом, когда процесс набрал обороты, он по доверенности регулярно уводил деньги со счета — и перечислением, и наличными. А ты ничего не замечал и все глубже запутывался в финансах. Не удивлюсь, если он подделывал подписи. Такое вполне возможно. Именно он тебя утопил, он тебя разорил.

У меня опустились руки: в довершение всего выясняется, что Тристан — отъявленный мошенник.

— Вот сволочь!

— Не спорю. Однако сейчас вынужден сообщить тебе плохую новость: до него не добраться, у меня нет никаких доказательств, это всего лишь предположения. Если ты попробуешь привлечь его к ответственности, твои претензии, скорее всего, обернутся против тебя и именно тебя обвинят в растрате.

— Мне с ним никогда не справиться. Он всегда найдет способ переложить вину на меня, наверняка он все предусмотрел. Единственный выход — исхитриться выплатить все долги перед банком и больше не зависеть от него.

Он не только хотел украсть мою жизнь, но и уже украл мой успех. Как остановить эту адскую машину и обеспечить безопасность Веры и детей?

Вера

Я все плакала и плакала. Зажмурившись, молча. В гостиной было слышно только мое дыхание и дыхание Тристана, который не шевелился. Даже звуки улицы не достигали сейчас моих ушей. Я так устала от всего! В глубине души я знала, что должна доверять Янису, только ему и никому другому. Однако интеллект и терпение Тристана располагали меня к нему, в особенности когда я думала о том, как он помог Янису, как поддержал меня. Пусть его появление в нашей жизни совпало с началом наших проблем, но все же он сумел стать незаменимым. Не могло же все это быть обманом. Мне припомнилась фраза Яниса, произнесенная им, когда намерения Тристана относительно нашей семьи еще вызывали у меня вопросы: “Вполне возможно, что хорошие люди все-таки существуют”. Я тогда неохотно согласилась, что да, существуют, конечно. Какой ему интерес вредить нам?

До лба дотронулись пальцы Тристана, он откинул мне прядь волос, как это делал Янис. Я похлопала ресницами и увидела сквозь слезы его лицо и мрачные глаза, которые сверлили меня. Он положил холодную руку на мою щеку.

— Я хочу, чтобы все это кончилось, Тристан. Хочу снова жить своей прежней жизнью.

— Я могу это сделать, Вера. Могу тебе ее вернуть, эту жизнь.

— Как?

В Тристановых глазах загорелся победный огонь, он наклонился ко мне, навис надо мной, и я почувствовала себя раздавленной. В ту же минуту я поняла, что он сейчас сделает, но как будто не осознала этого и не сумела среагировать. Он прижал свои губы к моим, повторив это движение несколько раз. Я не шевельнулась, не ответила на поцелуй, но и не оттолкнула его. Прикосновение Тристана парализовало меня, вызвало оторопь. Он поднялся, схватил меня за талию, уложил на диван и придавил всей своей тяжестью. Я была как тряпичная кукла. Его губы снова нашли мои, стали более жесткими, язык протиснулся в мой рот. От неожиданности я чуть не задохнулась. Я отказывалась воспринимать как поцелуй то, что он проделывал, это казалось мне чем-то фальшивым и подлым. Никакого сравнения с поцелуем Яниса несколько часов назад — настоящим, искренним, полным ярости и любви. Это воспоминание заставило меня содрогнуться от стыда и гадливости, которые вызывали тошнотворные посягательства Тристана. Немыслимо! Он воспринял мою реакцию как поощрение и удвоил рвение. Его руки победно ощупывали мое тело, он задрал платье, не прекращая орудовать языком у меня во рту, твердо сжал бедро и постарался стащить кружевные трусы, все сильнее вдавливая меня в диван. Я ощутила его эрекцию, это было отвратительно. Я сумела отстраниться и наконец-то оторвать свои губы от его — грязных и мерзких.

— Прекрати, Тристан, прошу тебя.

Руки снова повиновались мне, и я постаралась его оттолкнуть.

— Я делаю то, о чем ты меня просила, — равнодушно ответил он.

Мы встретились взглядами, его лицо оставалось таким холодным, что я окаменела.

— Нет же! — ответила я в ужасе. — Это совсем не то, ты меня неправильно понял. Встань, пожалуйста.

— Ты хочешь получить прежнюю жизнь, и я даю ее тебе, но только еще лучше, — объяснил он, полный уверенности.

Его губы снова обрушились на мои, лишая возможности ответить ему и высвободиться. Его руки, все более агрессивные, схватили меня за запястья, не давая шевельнуться и вырвав стон боли. Когда он попытался стянуть платье с моей груди, меня скрутило от ярости.

— Отпусти меня! — закричала я.

На мой рот опустилась ладонь, вынуждая замолчать.

— Подумай о детях, Вера. Ты же не хочешь, чтобы они застали нас в таком виде прямо сейчас. Давай для начала побережем их.

Я изумленно раскрыла глаза, происходящее вызывало у меня оторопь.

— Постепенно все пойдет нормально, они поймут, что я более надежный отец, чем Янис. А сейчас будь благоразумна.

Я энергично потрясла головой в знак отказа. Слезы снова покатились по моим щекам. Он отпустил мои губы, чтобы я могла вздохнуть.

— Ты никогда не будешь Янисом. Я не люблю тебя, Тристан.

— А кто говорит о любви? Об этом никогда не было речи, мне нужна только его жизнь. Остальное придет позже.

Мое тело взбунтовалось, и я принялась отбиваться с удвоенной силой. Тристан схватил меня за руки и припечатал их к дивану по обе стороны от моего лица. Его отвратительная гримаса была вызывающей, провоцирующей. Он на моих глазах превратился в чудовище. Я его не узнавала. Но на самом деле передо мной открылось его настоящее лицо — жуткое, пугающее, вызывающее только омерзение. Меня охватила ненависть. Его власть надо мной была всеобъемлющей.

Янис

Я смял в пепельнице очередную сигарету. Было уже поздно, но я не чувствовал усталости, как и Люк, судя по всему. Он продемонстрировал мне все доказательства махинаций Тристана; я наконец убедился в том, что успешно справился с проектом концепт-стора, и получил объяснение непонятным до сих пор тратам. Решимость Тристана выкопать мне яму — да что там, уничтожить меня — не имела границ. И все то время, пока этот человек расставлял свои сети, он льстил нам, обхаживал нас, встречал с распростертыми объятиями, принимал в своем доме, возился с нашими детьми. Он провел отпуск с Верой, держась на должном расстоянии, не сделав ни единого неточного шага, он щедро снабжал нас советами и ухитрялся делать так, что мы всегда верили, будто принимаем решения самостоятельно. Он так идеально владел собой... Был мастером игры, в которой нам досталась роль пешек, просчитал все вплоть до мельчайших деталей и был уверен в безупречности своего плана. Но имелось все же кое-что, неизвестное ему, кое-что, о чем я ему никогда не говорил. Интересно, кстати, почему. Я вытянул шею, восстанавливая сбившееся дыхание. Мне вдруг стало легче дышать.

— Я должен выплатить долги, хоть они и не мои. Без этого банк никогда не выпустит меня на свободу.

Измотанный Люк свалился на диван, а я продолжил расхаживать по комнате, задаваясь вопросом, почему мне это не пришло в голову раньше. Как я забыл об этой возможности? Я столько повторял себе, что у меня ничего не осталось и я разорен, что сам в это поверил. В моем восприятии, *она* никогда не была моей собственностью. Или возможно, я всегда подсознательно считал ее последней заначкой, страховкой на случай непредвиденных жизненных обстоятельств. Но если я хочу дожить до старости вместе с Верой, пора эту кубышку распечатать, причем немедленно. И тут Люк, который, естественно, не знал об осенившей меня идее, подтвердил мою правоту:

— Это очевидно. Но как ты можешь восполнить растрату, если он отнимает у тебя все заработанное? Ты же сам говорил! И ты не сможешь притвориться, будто не работаешь, он сразу тебя разоблачит.

Победная мелодия звучала в груди все громче, но я изо всех сил старался сохранять спокойствие. Я свалю его, загоню в капкан, верну себе свою жизнь.

— Да, конечно, тем более что я не собираюсь вешать Вере лапшу на уши и говорить ей, что ни хрена не делаю, — автоматически ответил я Люку. — Теперь, когда Вера снова начала мне доверять, она не простит, если решит, что я бездельничаю. И будет, кстати, права.

— Янис, хватит мотаться туда-сюда, у меня уже голова кружится.

Я остановился и посмотрел на него. По выражению моего лица он догадался, что у меня есть в запасе козырь.

— Какая-то идея?

— Ну да, — ответил я, гордый собой.

Гордость — вот странное чувство, я уже забыл, как это приятно.

— Давай говори! — потерял терпение Люк.

Я глубоко вздохнул. Мое решение принято, окончательно и бесповоротно, даже если я отказываюсь от вещи, которая нам с Верой бесконечно дорога. Эта вещь — часть нас самих, эта вещь — наследство моих родителей.

— Я продам свою берлогу.

— Что?

— Мне нужно было сообразить раньше. Или наоборот, не нужно было, потому что, узнай о ней Тристан, он ухитрился бы и ее отобрать. Полученными деньгами я расплачусь с долгами, мне больше не понадобится поручитель, я отзову его банковскую доверенность, закрою счет и начну с нуля. Стоило это придумать — и все кажется невероятно простым... почти слишком простым.

— Янис, ты только что нашел решение, это правда, но остается одна загвоздка.

— Какая?

— Сроки. Не буду утверждать, что тебе не удастся быстро продать свою квартиру, такое жилье на дороге не валяется. Но деньги от продажи ты получишь лишь через несколько месяцев. Что ты будешь делать до тех пор?

Вера

Он по-прежнему лежал на мне, придавив всей тяжестью к дивану, и больно мял запястья. Его лицо приблизилось к моему, я приготовилась к очередной атаке, но продолжала бороться, пытаясь вырваться, хоть и тщетно.

— Ты никогда меня не получишь, — яростно прошипела я. — Никогда я не буду тебе принадлежать. Как и мои дети.

Я сопротивлялась все отчаяннее, а он держал меня все крепче. Соприкосновение с его телом, с его нездоровым желанием пачкало меня. Он снова свирепо впился в мои губы. У меня оставалось все меньше сил на борьбу, по телу растекалась слабость, и одновременно нарастала паника. Как вдруг он стал менее тяжелым, хотя и не отпустил меня, не освободил.

— Готов дать несколько дней на размышление. Если задуматься, предпочту взять тебя с твоего согласия. Но вынужден поставить в известность: если хочешь спасти шкуру Яниса, тебе придется уступить.

— Что еще ты можешь ему сделать? Хуже уже некуда!

— Еще как могу! Элементарно. У меня есть возможность объявить Яниса несостоятельным должником, мне ничего не стоит уничтожить его репутацию, выставить злостным неплательщиком, несерьезным партнером, на которого нельзя положиться, который не выполняет контракты, не завершает проекты. Заодно использую его разрыв с твоим милым братцем, это сделает мою историю более правдоподобной. Он растеряет всех клиентов одного за другим, а я отзову свою банковскую гарантию. Несколько телефонных звонков — и дело в шляпе.

— Нет!!! Ты не можешь так поступить!

Он припечатал свои губы к моим.

— Тебе решать, Вера, — прошелестел он. — Ты сама придешь ко мне, так будет еще лучше.

Потом он разжал руки и легко поднялся, как ни в чем не бывало. Его самообладание и олимпийское спокойствие, но в особенности последние слова заставили меня похолодеть. Меня мутило.

— Тристан, а если бы некий мужчина проделал такое с одной из твоих дочерей…

Он расхохотался, откинув назад голову:

— Бедная моя Вера, ты, значит, не догадалась! Какие мои дочери?! У меня их нет.

— Как?

— Я знал, что проще завоевать твое доверие, если ты будешь считать меня отцом семейства. Еще лучше, если я сыграю роль разведенного отца, растерянного, тоскующего по своим детям. Достаточно было выставить на видном месте фотографии дочерей женщины, с которой у меня была связь несколько лет назад, — и дело сделано. Я всегда догадывался, что эти снимки мне пригодятся. Если хочешь знать, я вообще никогда не был женат…

Он гордился собой, своей ложью, злом, которое творил…

— Ты — просто дьявол во плоти!

— Как мило, Янис мне сказал ровно то же самое.

Мне с трудом удалось сесть, я скорчилась на другом краю дивана, как можно дальше *от него*. Меня трясло. И все же, собрав все силы, я не отводила глаз, продолжая смотреть в лицо этому циничному чудовищу.

— Зачем? — спросила я его в конце концов и не узнала собственный голос.

— Зачем?.. Да затем что Янис — тот, кем я всегда хотел быть.

— Если ты хочешь быть как он, стань для начала порядочным человеком.

— Ну вот, сразу громкие слова! Стань порядочным человеком… Но этого-то я как раз и не умею, Вера.

— Думаю, ты плохо старался.

— Да какая разница! — раздраженно возразил он.

— Послушай, Тристан, вот что ты должен понять. Да, ради Яниса я тебе уступлю, ты сможешь "взять" меня, как ты выразился, я не буду сопротивляться, потому что для меня нет ничего и никого важнее, чем он. Но знай, что я принадлежу и буду принадлежать до конца моих дней только ему.

Его челюсти сжались.

— Если для того, чтобы спасти Яниса, сделать так, чтобы он и дальше хоть как-то существовал, я должна буду пожертвовать собой, я сделаю это. Но тебе достанется мертвое тело, пустая оболочка, и ты никогда не станешь Янисом. Его жизнь тебе не получить. Потому что я больше никогда не буду счастливой, и дети тоже. Янис — наше дыхание, наша энергия, наш свет, а ты станешь нашим мраком, нашим адом.

Взгляд Тристана помутнел, мне показалось, что он растерялся. Неужели он утрачивает свой легендарный самоконтроль?

— Со мной вы будете так же счастливы, как с ним. Я все буду делать, как он. — Это прозвучало жалко. — Вы постепенно привыкнете.

— Нет, ты ошибаешься, тебе не удастся, — жестко возразила я. — Вспоминая последние недели, я вижу, что ты пытался поступать, как он, быть им, но у тебя ничего не вышло. Неужели ты готов утверждать, что мы с детьми были счастливы, были самими собой после расставания с Янисом?

Он оцепенел.

— Вспомни, — продолжала я, — тот первый раз, когда ты увидел нас всех вместе здесь, в этой комнате.

На его лице проступила боль.

— Я и раньше видел вас, — перебил он меня.

— Когда?

На какие-то секунды Тристан ушел в себя, и его губы сложились в грустную улыбку, до этого вечера совершенно немыслимую.

— За несколько недель до ужина у вас в гостях, в тот день, когда моя жизнь пошла под откос, в день знакомства с Янисом. Я встретил вас, тебя и детей, перед архитектурным бюро твоего брата, а вы даже не заметили меня. Я и так был под мощным впечатлением от Яниса, а вы меня добили. Я проследил за вами до самого офиса, а потом долго, спрятавшись, наблюдал и понял, что отныне наши жизни связаны. Янис стал моим наваждением, вы все — мое наваждение, смертельная болезнь, которая непрерывно гложет меня, не отпуская ни на миг.

Я была в ужасе от того, что услышала, от его слов, которые он произносил зажмурившись и сопровождая ударами кулака по лбу, по вискам. Вдруг он почти успокоился и снова повернулся ко мне.

— Примерно как музыка, которая звучит в голове, — с иронией добавил он.

Он норовил испачкать все, даже самые интимные, самые дорогие нам слова.

— Оставь нас, пожалуйста, в покое. Уйди из нашей жизни.

— А деньги?

— Мы продадим квартиру, мы отдадим тебе все, я готова спать под мостом, лишь бы только ты исчез и забыл о нас.

Я постаралась, чтобы мой голос звучал максимально уверенно. Решение было принято: уже завтра мы выставим нашу квартиру на продажу. То, что сделано руками Яниса, спасет нас от Тристана. В это мгновение он как будто пошатнулся. Потом двинулся ко мне, его высокая, худая, зловещая фигура скользила совсем бесшумно. У меня не осталось больше ни храбрости, ни сил, чтобы бороться с ним. Неужели он потребует свое прямо сейчас? Когда он остановился передо мной, я подняла к нему умоляющий взгляд, он пристально смотрел на меня, в его глазах читалось смятение, рука, которой он отбросил прядь с моего лба, была холодной, ее сводили судороги. Я напряглась.

— Я никогда вас не забуду, Вера.

Он попятился, выключил свет и исчез. Входная

дверь закрылась без единого звука. Я осталась одна, в полумраке, и сидела не шевелясь, снова и снова прокручивая его последнюю фразу.

Янис

Нет, несколько месяцев нам, несомненно, не продержаться, это очевидно. Я психовал от того, что раньше не подумал о своей берлоге.

— Я помогу тебе, — предельно серьезным голосом произнес Люк.

— Ты и так уже много сделал, раскрыв его грандиозное мошенничество, а что еще ты можешь сделать, не вижу.

— Послушай, Янис, не будь я так настроен против тебя, ничего бы этого не случилось и ты продолжал бы сейчас работать со мной. — Он помолчал, внимательно изучая меня, хмыкнул и добавил: — Или не продолжал бы…

Я засмеялся в ответ.

— Во всем, что касается работы, тебе можно полностью доверять, и вопреки тому, что я говорил раньше, у меня есть неопровержимые доказательства этого. Тебе просто не хватает человека, чтобы вести бухгалтерию. Кстати, могу научить, если захочешь.

— К чему ты клонишь?

— Мы завтра же пойдем вдвоем в твой банк и дождемся приема консультанта. Ты аннулируешь доверенность на имя Тристана. А я буду твоим гарантом до тех пор, пока ты не продашь берлогу, даже если мне придется для этого оставить им в залог свою фирму.

— Нет! Не может быть и речи! Как я могу просить тебя о таком?

— Ты меня ни о чем не просил, я сам предложил, а это совсем другое дело. Дальше наступит твоя очередь действовать и продолжать начатое.

— Но...

— Так все и сделаем, это даже не обсуждается.

Люк встал с дивана, потянулся, взял пальто.

— Уходишь?

— Да, пора домой, Шарлотта наверняка недоумевает, чем мы тут занимаемся. А перед тем как лечь, я подготовлю все бумаги на завтра. Встречаемся в десять утра у входа в банк, годится?

— М-м-м... да, — растерянно выдавил я.

Он вернулся ко мне и протянул руку. Я пожал ее. Но после этого мы все равно крепко обнялись, хлопая друг друга по спине.

— Все кончено, Янис. Ты выкарабкался.

Он отпустил меня и подмигнул.

— Думаешь, после этого он оставит нас в покое? — спросил я.

— А что он сможет сделать, если вас с ним больше ничего не будет связывать?!

— Позвоню ему завтра, пусть поучаствует в спектакле.

— Отличная мысль. Пусть при свидетелях поймет, что ему до тебя больше не дотянуться.

С этими словами он вышел во двор. Я долго стоял посреди комнаты, ни о чем не думая и даже не шевелясь. Потом решился сделать то, о чем мечтал уже несколько часов. Я надел куртку, взял шлем и телефон, запер берлогу и побежал к мотоциклу. Перед тем как тронуться с места, я отправил Вере сообщение:

Сейчас буду.

И в тот момент, когда оно ушло, получил эсэмэску от нее:

Приезжай.

Вера

Я отправила Янису сообщение:

Приезжай.

И в тот момент, когда оно ушло, получила эсэмэску от него:

Сейчас буду.

Глазами полными слез я смотрела на нашу постель, в которой мы вот-вот окажемся вместе. Кошмар закончится. Мне нужен только он, и я хочу поскорее забыть последние часы, последние недели, последние месяцы. Тошнотворный запах Тристанова парфюма, прилипший ко мне, добрался до моего обоняния, и мне захотелось завопить. Я стащила платье и белье, побежала в душ и долго стояла под струями горячей воды. Знакомый аромат нашего геля для душа перебил запах Тристана на моей коже. И я поклялась себе, что никогда, ни за что не расскажу Янису о том, что произошло. Это причинит ему слишком сильную боль — узнав о случившемся, он придет в дикую ярость, а далее последует цепная реакция. Он способен на что угодно. Я справлюсь с собой и постепенно забуду. Янис поможет мне стереть из памяти то, что делал со мной Тристан. Я хотела оградить мужа от этой мерзости. Мы уже достаточно настрадались, пришло время перевернуть страницу, даже если для этого придется кое о чем умолчать. Надев пижаму, я поменяла простыни, чтобы ничто не напоминало о ночи, проведенной Тристаном рядом со мной, когда я металась в бреду. Я отказывалась думать о том, что могло произойти за те несколько часов, когда я была целиком в его власти. Я спустилась на кухню и выбросила стакан, из которого он пил, после чего снова поднялась в спальню. Все следы его пребывания исчезли. Я нырнула под чистую простыню и стала ждать Яниса. Я хотела быть только с ним.

Янис

Я хотел быть только с ней. Хотел освободить ее, все ей объяснить, еще раз попросить прощения за все последние месяцы. Хотел сообщить, что совсем скоро она встретится с братом, с Шарлоттой, со своей прошлой жизнью. Я буду рассказывать ей и сам начну лучше понимать произошедшее. Я возвращаюсь домой.

Едва закрыв дверь, я сбросил кроссовки и носки, как раньше. Квартира была погружена во тьму.

Я прошелся по гостиной, заглянул на кухню. Хоть я и приходил сюда совсем недавно, у меня было впечатление, будто я все открываю заново: кавардак, устроенный детьми, ранцы, брошенные посреди комнаты, подушки, раскиданные по дивану, фотографии, прикрепленные к холодильнику. Перед тем как подняться в спальню, я заглянул к детям. У мальчиков я уселся на пол и долго всматривался в них, в двух моих маленьких сыновей — младшего и старшего, который оказался таким мужественным и, будучи смертельно обиженным на меня, готов был, как только понадобится, помогать мне и спасать мать из когтей Тристана. Сколько же всего он перенес по моей вине?! Как вернуть ему ту наивность, которую он утратил из-за этих событий? Потом я зашел в комнату к Виолетте. Она была такая хрупкая и так похожа на мать, что я чуть не заплакал. Я поцеловал ее в лоб и оставил в стране снов. Подойдя к лестнице, ведущей в нашу спальню, я глубоко вздохнул.

Вера

Заслышав шаги Яниса на лестнице, я не сдержала слез счастья. Он возвратился домой, и с этой минуты мы в безопасности. Когда ключ повернулся в замке, я закрыла глаза и стала вслушиваться в звуки: вот он прикрыл дверь, не закрыв ее до конца, а это шорох его одежды, падающей на пол. Потом матрас прогнулся, его горячие руки скользнули на мою талию, притянули меня к такому же горячему обнаженному торсу, и я сразу избавилась от холода, не отпускавшего меня много дней. Он уткнулся лицом мне в шею, его губы осторожно целовали меня, я еще крепче притиснула его руки к своему телу. Мне хотелось, чтобы мы растворились друг в друге и больше никогда не разлучались.

— Я должен тебе кое-что рассказать, Вера, — прошептал он.

— Расскажи, пожалуйста.

Он говорил и говорил, и я ни разу его не перебила. Ничего из рассказанного не удивило меня, я познакомилась с безумием Тристана сегодня вечером, узнала о его готовности вылезти из кожи вон, чтобы погубить моего мужа и уничтожить нашу семью. Мое сердце наполнилось гордостью, когда я поняла, что Янис добился успеха, несмотря ни на что и вопреки всему.

— Мы должны освободиться от его финансового давления, — решительно подвела я итог, когда он закончил свой рассказ.

— Да, и…

— Давай продадим нашу квартиру, Янис, и снимем что-нибудь поменьше, все это нестрашно, лишь бы он убрался из нашей жизни.

— Нет, мы продадим мою берлогу и останемся у себя дома.

— Господи, я и забыла, что мы ее владельцы! — призналась я дрожащим голосом.

— Я тоже. Посмотри на меня, Вера.

Я повернулась на другой бок, не покидая кольцо его рук, наши ноги переплелись. Он старался поймать в темноте мой взгляд, откинул мне со лба прядь, и молнией пронзившее воспоминание о том, что недавно произошло, заставило меня похолодеть от ужаса. Янис это почувствовал.

— Что случилось? Скажи.

— Ничего, все нормально.

— Ты как будто не слишком удивилась тому, что я тебе сообщил.

— Не так давно меня стали все чаще посещать подозрения насчет Тристана. Как-то не получалось доверять ему. Мне было некомфортно в его присутствии.

— И это все? Честное слово, все? Он тебя не обидел? Если он до тебя хоть пальцем дотронулся, я себе этого никогда не прощу.

Я сделала глубокий вдох:

— Нет. Ничего такого. И ты как раз вовремя вернулся домой. Кто его знает, что бы он выкинул в ближайшие дни. Но я не хочу больше говорить об этом чудовище, не хочу слышать его имя. Хочу, чтобы мы забыли о нем.

Его горячие, сильные и такие родные губы прижались к моим, и я поняла, что мы начинаем выздоравливать.

Глава 17
Вера

Я с трудом разлепила веки и встретила взгляд Яниса. Мы провели ночь, или, вернее, ее остаток, прильнув друг к другу, закутавшись в одеяло и накрывшись им с головой. Янис мне подмигнул.

— Похоже, у нас гости, — прошептал он.

Я прислушалась, и мы одновременно высунулись из нашей норы. Вся троица столбиками застыла в ногах кровати. Их лица сначала выразили удивление, но через секунду они уже светились невероятным счастьем. С криками радости они прыгнули на нас. “Папа вернулся! Папа дома!” Жоаким подкатился ко мне:

— Все хорошо, мам?

— Да, сынок, теперь все хорошо.

Мы долго лежали обнявшись все впятером. Немного погодя Янис воскликнул “Завтрак!”, и дети на бешеной скорости слетели по лестнице вниз.

— Я скоро встречаюсь с Люком в банке. Ты не могла бы позвонить Шарлотте, пусть придет, чтобы ты не сидела тут одна.

— Нет, я пойду с тобой, мы пойдем с тобой. Это очень важно, и я хочу быть рядом. Даже если останусь в машине.

— Отлично.

Я притянула его к себе, и он страстно поцеловал меня. Потом высвободился из моих объятий:

— Позвоню Тристану.

Я окаменела, меня охватила паника.

— Зачем?

— Пусть присутствует при своем поражении.

Я впервые услышала в голосе Яниса мстительные нотки, он явно потерял часть своей веры в человека. Как, впрочем, и я.

Полтора часа спустя Янис остановился около банка. Дети не понимали, что мы здесь делаем субботним утром. К тому же сидя взаперти в машине.

— Это Люк! — вдруг крикнул Эрнест.

— И Шарлотта! — завопила Виолетта.

Я посмотрела туда, куда они показывали. Действительно, мой брат и моя лучшая подруга двигались к банку, они шли, касаясь друг друга плечами, с сияющими лицами. Впервые в жизни вижу Люка таким счастливым, подумала я. Они заметили нас. Я рывком отстегнула ремень и выскочила из машины. И пошла им навстречу, сначала медленно, затем все быстрее и быстрее, чтобы поскорее оказаться рядом. И вот мы стоим друг перед другом, а я не могу вымолвить ни слова и только со слезами улыбаюсь

Шарлотте, у которой глаза тоже на мокром месте. Она сделала шаг в сторону и раскинула руки, чтобы подхватить детей, которые уже мчались к нам. Люк потянулся ко мне и — опять же впервые в нашей жизни — так крепко обнял, что я почувствовала себя под двойной защитой.

— Извини за все гадости, которые наговорила, — попросила я.

— Я уже все забыл, — шепнул он мне на ухо, перед тем как выпустить из объятий.

После меня он переключился на детей, которых с азартом тискала Шарлотта, и принялся целовать их. Мои губы сами собой растянулись до ушей, и я постаралась поймать взгляд Яниса, уставившегося вдаль. Вдруг у него заходили желваки, и я даже не успела понять, в чем дело, как он уже схватил меня за руку и встал передо мной. Но недостаточно быстро, чтобы заслонить от меня Тристана, который приближался к нам по противоположному тротуару. Он был похож на привидение, и это было такое жуткое зрелище, что я содрогнулась. Даже издали на него было страшно смотреть, он перестал походить на могущественного делового человека, которого мы знали раньше. Уныние словно пригнуло его к земле. Он был так жалок, что я не понимала, как мы могли так долго находиться во власти его чар... Люк с Шарлоттой заметили перемену в наших лицах, и подруга решила разрядить атмосферу:

— Как насчет горячего шоколада, зайчики? — предложила она.

И тут же решительно увела детей в ближайшее кафе, пообещав, что мама скоро тоже придет. Эрнест и Виолетта, радуясь встрече с Шарлоттой, без возражений подчинились. Жоаким, напротив, успел заметить Тристана, и на его лице проступил испуг. Я ободряюще потрепала его по плечу. Он вздохнул и присоединился к брату с сестрой, которых уводила Шарлотта.

— Вера, пойди с ними, пожалуйста, — попросил Янис, не сводя глаз с Тристана, который был уже в нескольких метрах.

Я перевела взгляд на Тристана: он наблюдал за нами.

— Могу пойти с тобой, если хочешь.

Он приобнял меня, отбросил прядь волос с моего лба, и огромная любовь и нежность затопили меня.

— Нет, предпочитаю, чтобы ты держалась от него подальше. Я должен сам все уладить, ты и так уже достаточно настрадалась.

— Давай, Янис, — прервал нас Люк. — Не будем терять время.

Я обхватила лицо Яниса ладонями и поцеловала.

— Ты, главное, не нервничай, — шепнула я, не отрывая губ от его рта. — Все уже позади.

— Нервничать не в моих привычках.

Он отпустил меня, весело подмигнул и перешел улицу. Тристан, не дожидаясь, скрылся в дверях банка. Минуту спустя Янис с Люком последовали за ним. Мне было страшно: вдруг что-то пойдет не так, Тристан придумает очередную уловку и надавит на Яниса. А еще я боялась, как бы он не рассказал моему мужу, что произошло между нами накануне вечером, не упомянув, естественно, о том, что это было насилие с его стороны. Он ведь не постесняется исказить ситуацию и заставит Яниса принять свою версию. Но даже если Янис ему не поверит, его это глубоко ранит. Стоя здесь, на улице, я ни на что не могла повлиять: партию разыграют эти двое. К счастью, Люк тоже там. Не начиналось ли все ровно так же? Со встречи между Янисом и Тристаном, при участии Люка, готового развести их по разным углам. В моем вздохе смешались страх и облегчение, и я отправилась в кафе к детям и Шарлотте.

Час спустя, когда я отвечала на вопрос сидевшей рядом со мной Виолетты, Шарлотта привлекла мое внимание, похлопав по руке.

— Что?

— Глянь. — Она кивнула на окно.

Я оглянулась. Тристан стоял на пороге банка. Судя по выражению его лица, он был абсолютно сражен, подавлен, сбит с толку и застыл, как потерянный, посреди тротуара. Его черты были страдальчески искажены, он стиснул кулаки и зажмурился. Потом выпрямился, открыл свои черные глаза и стал смотреть, как мне показалось, прямо на нас. Мне стало страшно, хоть я и понимала, что он не может видеть нас за стеклом кафе. Он глянул на небо, затем вперился в тротуар, и его губы сложились в знакомую кривую ухмылку. Впервые эта его гримаса показалась мне грустной, болезненной, лишенной иронии. Наконец он тряхнул головой, словно прощаясь, и двинулся в противоположную сторону. Я провожала взглядом его темную унылую фигуру, пока она не исчезла за углом. Я подождала еще, и на пороге банка появился Янис в сопровождении Люка. Его лицо победно сияло. Я выскочила из кафе и побежала навстречу. Я следила за тем, как он приближается, и постепенно осознавала, что он не только испытывает радость и огромное облегчение, но и ужасно устал.

— Вот и все.

И все-таки я не могла отделаться от вопроса: наступит ли день, когда страх, что Тристан вдруг объявится вновь, полностью пройдет? Разве он не сказал, что никогда нас не забудет? Янис распахнул руки, я прильнула к нему.

— Как он себя вел? — тихо спросила я.

— Никак. Покорно подчинился, как будто заранее знал, что проиграл. Это было довольно странно. Но теперь все позади.

Эпилог
Несколько месяцев спустя

Пытаясь стереть *их* из памяти, он перепробовал все, но напрасно. Ему это так и не удалось. Он не забыл *его*. Не смог забыть и не захотел. Он признал свое поражение, принял его. У него не было выбора. *Они* оказались сильнее. Он думал, что сумеет отобрать *его* душу и займет *его* место, но противник, как выяснилось, был слишком мощным. Эта пара, на которую он нацелился, была неуязвима, он недооценил обоих. А ведь он уже поверил в успех. И подобрался совсем близко к цели, был рядом с ней. Эти двое стали его наркотиком, и он мучительно нуждался в очередной дозе. Дозе *их* счастья, *их* улыбок, *их* любви. Ведь всего этого у него никогда не будет и таким, как *они*, он никогда не станет. Сегодня приходилось довольствоваться оставленными ему крохами воспоминаний. Поэтому, когда становилось совсем невмоготу, он выслеживал *их*, гонялся за *ними*, ему необходимо было увидеть *его* или *ее*, хотя бы издали. *Они* так быстро вернулись к своей привычной жизни, той, что была до него. На это было больно смотреть. А он опять стал таким же прозрачным, невидимым, как раньше. Сейчас он использовал свою прозрачность, чтобы не расстаться с *ними* окончательно. Он не прекращал слежку, скрывался в тени, подглядывал за *ним*, за *ней*, за *их* детьми. Старший возобновил уроки тромбона, каждую неделю к учителю его водил отец, и он всегда сопровождал их на всем пути до места занятий. Однажды вечером он даже примостился в последних рядах концертного зала, где мальчик выступал. Несколько раз он ловил *ее* испуганные взгляды, когда *она* шла одна из своего агентства к метро — в таких случаях *она* быстро озиралась и ускоряла шаг. У *него* он тоже обнаружил признаки постоянной настороженности, она становилась особенно заметной в те моменты, когда *он* покидал стройплощадку. *Он* частично утратил свою легкость, но это сделало *его* только мощнее.

Как же он жалел о том, что однажды открыл дверь этого архитектурно-дизайнерского бюро, о котором, кстати, все чаще слышал. По иронии судьбы, сегодня вечером была как раз годовщина той встречи, о чем помнил лишь он один. Стояла такая же прекрасная погода, как год назад в мае, день в день, и сегодня он снова наблюдал за *ними* через стекло. На этот раз через окно ресторана, где *они* ужинали с детьми, братом и той, другой женщиной, чье имя он забыл. Они отмечали продажу пресловутой берлоги, *он* наконец-то стал сам себе хозяином, ни в ком больше не нуждался, добился успеха, к которому стремился, обзавелся надежной репутацией и признанием коллег. За ужином *они* веселились, *им* почти удалось вернуть прежнюю беззаботность. Нет, он ошибается, после всего, что произошло, эти двое еще крепче любили друг друга, *он* и *она* стали единым целым. Это было отвратительно. То, что он на *них* обрушил, не уничтожило семью, а, напротив, сделало ее еще сильнее. И что совсем обидно — он помог *им* стать более зрелыми. Затаившись в своем темном углу, он досадливо усмехнулся и вздрогнул, когда объект его помрачения встал, поцеловал жену и пошел оплачивать счет. *Она* помогала детям одеться. Мужчина вышел на улицу и закурил, ожидая их. Он хотел было покинуть свое укрытие и поговорить с *ним* в последний раз, поздравить с победой. Но сумел удержаться и остаться незамеченным. Женщина вышла из ресторана, нежно приобняв детей, ее походка вновь обрела былую легкость, воздушность, *она* шла, пританцовывая, к мужчине, которого любила, а тот щелчком отшвырнул окурок и повернулся к *ней* навстречу. *Она* отпустила детей, чтобы *он* мог сомкнуть ладони на ее талии. *Он* поднял жену и повертел в воздухе. *Она* смеялась, *она* была на вершине блаженства. Он в последний раз испытал магическое очарование музыки их голосов и смеха, гармоничного полета *ее* цветастого платья вокруг *его* ног. Да, в последний раз, ведь он здесь, чтобы сказать им “прощайте”. Теперь он исчезнет, начнет все сначала далеко отсюда, это единственный способ излечиться от этих двоих, заставить замолчать *их* музыку, которая продолжает звучать у него в голове.

Слова благодарности

Издательству *Michel Lafon*, и в особенности Маитэ и Флориану, — за то, что однажды июльским утром прошлого года сказали мне: “Давай, вперед!”

Читательницам и читателям — за их верность, симпатию и добрые слова. После каждой нашей встречи я испытываю волнение и восторг от того приема, который вы мне оказываете.

Хочу поблагодарить и Анису, которая сопровождала меня в промотуре. Нас поджидало столько неожиданностей, приключений и сумасшедшего веселья!

Спасибо тебе, Кристина, маленькая фея, за то, что я всегда могла поделиться с тобой своими радостями и тревогами, пока писала эту книгу.

Благодарю тебя, Гийом, за то, что ты есть, за твою любовь и поддержку. Ты принес в мою жизнь музыку, и она осталась в ней навсегда.

Если вы хотите узнавать
все последние новости автора —
до встречи на ее странице в фейсбуке
Agnès Martin-Lugand Auteur.

CORPUS 462
литературно-художественное издание
СЕРИЯ СЧАСТЛИВЫЕ ЛЮДИ

Аньес Мартен-Люган

Ты слышишь нашу музыку?

Роман

16+

Главный редактор Варвара Горностаева
Художник Андрей Бондаренко
Редактор Ирина Кузнецова
Ответственный за выпуск Ольга Энрайт
Технический редактор Наталья Герасимова
Корректор Ольга Иванова
Верстка Марат Зинуллин

Общероссийский классификатор продукции
ОК-005–93, том 2; 953000 — книги, брошюры

Подписано в печать 30.10.17. Формат 84 × 108 1/32
Бумага офсетная. Гарнитура *OriginalGaramondC*
Печать офсетная. Усл. печ. л. 21,84
Тираж 20 000 экз. Заказ № 5646/17.

Отпечатано в соответствии с предоставленными
материалами в ООО "ИПК Парето-Принт",
170546, Тверская область, Промышленная зона
Боровлево-1, комплекс № 3А, www.pareto-print.ru

ООО "Издательство АСТ"
129085 г. Москва, Звездный бульвар, д. 21, строение 1, комната 39
Наш сайт: www.ast.ru

"Баспа Аста" деген ООО
129085 г. Мәскеу, жұлдызды гүлзар, д. 21, 1 құрылым, 39 бөлме
Біздің электрондық мекенжайымыз: www.ast.ru

Қазақстан Республикасында дистрибьютор және өнім бойынша арыз-талаптарды қабылдаушының өкілі "РДЦ-Алматы" ЖШС, Алматы қ., Домбровский көш., 3"а", литер Б, офис 1.
Тел.: +7 (727) 251-59-89, 90, 91, 92, факс: +7 (727) 251-58-12, доб. 107
E-mail: RDC-Almaty@eksmo.kz
Өнімнің жарамдылық мерзімі шектелмеген

По вопросам оптовой покупки книг обращаться по адресу:
123317 г. Москва, Пресненская наб., д. 6, стр. 2, БЦ "Империя", а/я №5
Тел.: +7 (499) 951-60-00, доб. 574
E-mail: opt@ast.ru